АЛЕКСАНДРА
МАРИНИНА

Читайте все романы Александры МАРИНИНОЙ:

СТЕЧЕНИЕ ОБСТОЯТЕЛЬСТВ
ИГРА НА ЧУЖОМ ПОЛЕ

УКРАДЕННЫЙ СОН

УБИЙЦА ПОНЕВОЛЕ

СМЕРТЬ РАДИ СМЕРТИ

ШЕСТЕРКИ УМИРАЮТ ПЕРВЫМИ

СМЕРТЬ И НЕМНОГО ЛЮБВИ

ЧЕРНЫЙ СПИСОК
ПОСМЕРТНЫЙ ОБРАЗ

ЗА ВСЕ НАДО ПЛАТИТЬ

ЧУЖАЯ МАСКА

НЕ МЕШАЙТЕ ПАЛАЧУ

СТИЛИСТ

ИЛЛЮЗИЯ ГРЕХА

СВЕТЛЫЙ ЛИК СМЕРТИ

ИМЯ ПОТЕРПЕВШЕГО НИКТО

МУЖСКИЕ ИГРЫ

Я УМЕР ВЧЕРА

РЕКВИЕМ

ПРИЗРАК МУЗЫКИ

СЕДЬМАЯ ЖЕРТВА

КОГДА БОГИ СМЕЮТСЯ

НЕЗАПЕРТАЯ ДВЕРЬ

ЗАКОН ТРЕХ ОТРИЦАНИЙ

СОАВТОРЫ

ВОЮЩИЕ ПСЫ ОДИНОЧЕСТВА

ГОРОДСКОЙ ТАРИФ

ТОТ, КТО ЗНАЕТ. ОПАСНЫЕ ВОПРОСЫ

ТОТ, КТО ЗНАЕТ. ПЕРЕКРЕСТОК

ФАНТОМ ПАМЯТИ

КАЖДЫЙ ЗА СЕБЯ

ЗАМЕНА ОБЪЕКТА

ПРУЖИНА ДЛЯ МЫШЕЛОВКИ

АЛЕКСАНДРА

МАРИНИНА

ГОРОДСКОЙ ТАРИФ

Москва 2006

УДК 82-3
ББК 84(2Рос-Рус)6-4
М 26

Дизайн обложки *С. Груздева*

Маринина А. Б.

М 26 Городской тариф: Роман. — М.: Изд-во Эксмо, 2006. — 416 с.

ISBN 5-699-15763-8

Дело вроде совсем простое: бизнесмен средней руки убил свою любовницу и пустился в бега. Найти его — дело времени. Но чем больше Анастасия Каменская и ее коллеги собирают информации о всех фигурантах, причастных к этой истории, тем запутаннее начинает выглядеть преступление. Похоже, это вовсе не «рядовое» убийство, за ним вырисовываются неясные, но мрачные контуры какой-то организованной системы, безжалостно перемалывающей человеческие судьбы. В рамках этой системы все имеет свою твердую цену, в том числе и человеческая жизнь, причем она-то стоит совсем недорого. Каменская и не подозревает, что ее тоже оценили и теперь она невольная участница масштабной и циничной игры, исход которой совершенно непредсказуем...

УДК 82-3
ББК 84(2Рос-Рус)6-4

ISBN 5-699-15763-8

Глава 1

Жить с чувством вины невыносимо, но Павел Седов об этом не догадывался. У него, как и у всех людей, были в жизни обстоятельства, думая о которых он должен был бы испытывать это самое чувство, но, как и большинство, он ловко уворачивался от неприятных мыслей, и они в голове как бы и вовсе не возникали. Не было их там. Поэтому в отношениях с семнадцатилетней дочерью Соней он выстраивал педагогически выверенную, как ему казалось, линию строгости, подразумевавшую отсутствие излишнего баловства.

С Соней он встречался регулярно, примерно раз в две-три недели, водил ее поужинать в ресторан, вел пристрастный родительский допрос о школьных успехах, выслушивал все то, что дочь считала нужным рассказать о матери, бывшей жене Павла, делал подарки, не очень дорогие, предназначенные исключительно для демонстрации отцовской заботы. Попыткам же Сони повысить уровень притязаний он упорно противостоял.

— Пап, а ты в Новый год что собираешься делать?

Об этом Седов пока не думал, рано еще, ноябрь только-только начался. Да и неизвестно, может, дежурить придется. График дежурств до конца года уже вывешен, но мало ли что, заболеет кто-нибудь, например, и тогда начнутся перестановки и подмены.

— Не знаю, — равнодушно ответил он.

— А давай поедем в Эмираты, а? Ну, пап, все нормальные люди ездят на Новый год туда, где тепло. Говорят, там так классно! У нас все девчонки уже ездили.

— И как ты себе это представляешь? — строго и недовольно спросил Седов.

— Ну как... Никак. Мы с тобой вдвоем поедем, вот и все. Отель можно по Интернету заказать, с билетами тоже проблем нет. Чего тут представлять?

— А мама? Ты оставишь ее одну на Новый год?

— Да ну, она все равно с Ильей будет встречать, на фиг я ей нужна? И вообще, я не собираюсь с ними сидеть всю ночь, очень надо!

— Ну хорошо, а Милена? О ней ты подумала?

— Ну ты, пап, вообще! Я что, о Милене твоей думать должна? Я твоя дочь и имею право поехать с тобой, куда захочу.

— Но Милена — моя жена, и она тоже имеет право провести праздник со мной. Хочешь, поедем втроем?

Разумеется, ни о какой поездке в Эмираты с Соней и речи быть не могло. Седов считал, что баловать детей до такой степени нельзя, но пусть лучше девочка сама откажется. А она совершенно точно откажется, потому что Милену терпеть не может.

— Да никакая она тебе не жена, вы же не расписаны! — фыркнула девушка. — Просто так живете... С Миленой не поеду. Сам знаешь.

— А почему бы тебе не поговорить с мамой и Ильей? Может быть, они захотят поехать?

— Ну да, конечно, — на хорошеньком Сонином личике отразилось презрение. — Захотят они, жди. У них столько денег нету. И вообще, этот Илья жуткий жмот, лишней копейки у него не выпросишь, только на самое необходимое дает.

— Но у него и нет, наверное, лишних копеек, — вступился Павел за любовника бывшей жены. — Он же не миллионер.

— Вот я и говорю... — неопределенно вздохнула она. — Не миллионер. Жениться — не женится, денег нет, толку от него никакого. И чего мама с ним возится? Я бы на ее месте давно его бросила.

— И осталась одна? — Павел скептически приподнял брови.

Он давно привык к тому, что у Сони нет ни малейшего пиетета к родителям. Ему это, само собой, не нравилось, он пытался делать дочери замечания, дескать, нельзя высказываться о старших с подобным пренебрежением, но все впустую, и ему пришлось смириться. Уже не перевоспитаешь.

— Ничего, одна не останется. Не осталась же, когда тебя бросила.

Что-то слишком уверенный у нее голосок. Просто так ляпнула или имеет в виду что-то конкретное? Павел задал еще парочку наводящих вопросов, и ситуация прояснилась. Оказывается, у Натальи объявился новый ухажер, какой-то состоятельный тип, постоянно живущий в Австрии и открывающий в России очередной (не то третий, не то уже пятый) филиал своей фирмы. И намерения у него, как кажется Сонечке, вполне серьезные. Во всяком случае, к себе в Австрию он их уже пригласил. Пока в гости, а там...

— Ну и что мама? Согласилась? — вяло поинтересовался Седов.

— Как же, жди, — Соня болезненно скривилась. — Она своего Илью оставить не может. Что он скажет, да как он к этому отнесется, да это неприлично... Муть всякая. Ты бы поговорил с ней, что ли. Она тебя послушается.

— Сонька, не выдумывай, — рассмеялся он. — Ну как это я поговорю с мамой? О чем? О том, что она должна бросить человека, которого любит, и уехать с тем, кого едва знает? Ты что несешь?

— Да чего там любить-то?! — воскликнула Соня с отчаянием. — Ни рыба ни мясо этот ее Илья, толку от него никакого. А так жили бы в Австрии как нормальные люди.

Ему сильно не понравились уже второй раз произнесенные слова про «толк». Совершенно очевидно, что его девочка измеряет ценность людей исключительно по их платежеспособности. От Ильи толку нет, поскольку он не возит их с Натальей за границу и не делает роскошных подарков, а от австрийского бизнесмена толк, несомненно, будет. Ох, Сонька, Сонька! И когда же он ее упустил? Откуда такое отношение к людям?

В этот момент чувство вины чуть было не подало голос, ведь Седов развелся с женой пять лет назад, и можно было бы начать развивать тему отцовского невнимания к ребенку и так далее... Но Павел, об опасном чувстве не подозревающий, ловко увернулся, причем проделал это абсолютно инстинктивно, а потому безошибочно.

— А в самом деле, — задумчиво проговорил он, — почему мама и Илья до сих пор не поженились? Мама не хочет?

— Ну прямо-таки, не хочет она! Еще как хочет.

— Так в чем же дело? Он ведь свободен, насколько я знаю.

— Ну и что? Он козел, только мама этого не понимает. Твоя Милена небось тоже спит и видит за тебя замуж выйти, а ты же на ней не женишься, хотя ты тоже свободен. Все мужики козлы.

— Соня!

— Ну ладно, ладно, пап, извини. Ты мне десерт еще закажешь?

— Конечно, — улыбнулся Седов и подозвал официанта.

Из всех ресторанов, куда он водил Соню, этот был сс самым любимым, потому что была его девочка большой сластеной, а здесь в меню предлагался роскошный выбор десертов со взбитыми сливками, которые она обожала.

* * *

— Тетя Ира, а ты звезда?

Восьмилетний Гриша Стасов смотрел на Ирину Савенич серьезно и вдумчиво. Впрочем, он все в своей ребяческой жизни делал вдумчиво и серьезно.

— Нет, котик, я не настоящая звезда, я просто актриса второго плана, — так жс серьезно ответила Ирина. — Но очень хорошая.

Коротков прыснул в кулак и отвернулся.

— Наверное, ты меня обманываешь, — Гриша обстоятельно рассуждал вслух. — Почему дядя Юра смеется? Если бы ты сказала правду, он бы не смеялся. Он смеется, потому что ты меня разыгрываешь.

Придя к этому бесспорному выводу, мальчик удовлетворенно замолчал и принялся что-то обдумывать. Пока он думал, Ирина продолжала быстро резать овощи, а ее муж с преувеличенно серьезным видом колотил кулинарным молотком по распластанным на доске кускам мяса. В кухню заглянула Татьяна, Гришина мать.

— Сынок, не мешай дяде Юре и тете Ире, иди к себе поиграй.

— Он не мешает, Танюша, — откликнулся Коротков. — Он работает следователем. Весь в тебя. Устроил нам тут допрос с пристрастием.

— Да ну?

— Ну, — подтвердил он. — Ребенок интересуется знать, каковы масштабы Иркиной славы. Проще говоря, звезда она или нет?

— Ну и как, сынок, выяснил? — поинтересовалась Татьяна.

— Пока нет, — деловито сообщил Гриша. — Тетя Ира не отвечает на поставленный вопрос, уходит от ответа. Она считает, что я еще маленький и со мной можно не разговаривать серьезно.

— Господи, какой ужас! — Ира бросила нож и схватилась руками за голову. — Таня, как вы со Стасовым воспитываете ребенка? У него же нет детства. Ты только послушай, как он разговаривает! Как будто ему сорок лет, а не восемь.

— Мама, — внезапно подал голос Гриша, — я догадался. Тетя Ира настоящая звезда, и все об этом знают, только я один не знал, поэтому мой вопрос показался дяде Юре смешным. Правильно?

— Правильно, солнышко, — рассмеялась Татьяна. — Иди к себе, сейчас тетя Ира будет резать лук, и у тебя слезки потекут.

Гриша с достоинством покинул помещение. Даже угроза луковых слез не заставила его двигаться быстрее. Стасов всегда говорил, что его жена родила тройню: сперва Гришкину обстоятельность, затем Гришкину медлительность, а потом уж и самого Гришу.

Они праздновали День милиции. Правда, 10 ноября в этом году пришлось на будний день, поэтому договорились собраться у Татьяны и Стасова в ближайшую к празднику субботу. Обязанности разделили: Коротков пообещал при помощи жены приготовить какое-то совершенно невозможное мясо, Каменская и Чистяков должны были принести сладкое, с хозяев дома причитались спиртное и легкие закуски. Ну а пироги, как водится, ожидались с приходом Миши Доценко, потому что лучше его благоверной их никто печь не умел.

Коротков и Ирина приехали пораньше, на приготовление «совершенно невозможного» мяса требовалось время, гости должны были явиться только через час. Татьяна еще раз проверила накрытый стол, убедилась, что все необходимое сделано и можно немного передохнуть, и налила себе чаю.

— Вот что значит сила привычки, — задумчиво проговорила она. — Празднуем День милиции, а милиционеров-то среди нас — раз-два и обчелся. Только ты, Юрик, да Настя. Стасов давно в отставке, я — недавно, Доценко тоже уже не служит.

— И Настюха, того и гляди, уйдет, — откликнулся Коротков. — Тогда вообще один я останусь. И наши ежегодные посиделки в День милиции будут собираться в честь одного меня. А я буду чувствовать себя героем и страшно гордиться. Тань, мне миска нужна, побольше и поглубже.

Татьяна выдала ему глубокую широкую миску, в которую Коротков принялся складывать отбитое мясо.

— Насчет Насти — это ты серьезно? — спросила она. — Она действительно собралась уходить?

— А куда ей деваться? Ей сорок пять исполнилось. И с Афоней нашим ей не ужиться, он ее поедом ест. У Каменской диссертация почти готова, ей предлагают на кафедру переходить, должность полковничья, так что звание она получит. А под Афоней ей ничего не светит, он категорически отказывается ее в должности повышать. У нас уже почти весь личный состав разбежался, только самые толстокожие вроде меня могут терпеть его придурь. Правда, Афоня на повышение собрался, со дня на день нового начальника представят, но он, боюсь, будет еще хуже.

— Кто таков — известно?

— Известно. Молодой и резвый, из центрального аппарата. Афонино хамство Настя еще кое-как терпела, все-таки они ровесники. А представляешь, что с ней будет, если ей какой-то сопляк нахамит? Да она двух минут на службе не останется.

— Ну почему ты думаешь, что он обязательно нахамит? — с упреком сказала Ира. — Может, он окажется нормальным, здравомыслящим, воспитанным мужиком.

— Ой, не смеши меня, — фыркнул Юра. — Где ты таких видела? Даже в вашем хваленом кино таких уже давно нет, а уж в милиции-то и подавно. Если Настюха уйдет, вообще работать не с кем будет, один Серега Зарубин останется, все остальные — молодняк необученный.

В кухне снова появился Гриша, и по его сосредоточенной мордашке было понятно, что у ребенка созрел очередной животрепещущий вопрос.

— Мама, а когда Ира придет, как мы их различать будем?

— Кого — их?

— Ну, нашу Иру и тетю Иру, — он кивнул в сторону Ирины Савенич. Их же зовут одинаково, как же их различать?

Под «нашей Ирой» мальчик подразумевал жену Миши Доценко Ирочку.

— По лицу, — дал дельный совет Коротков.

— Дядя Юра, я серьезно спрашиваю. Надо придумать им отдельные имена, чтобы никто не путался. Пусть наша Ира будет Наша Ира, а ваша тетя Ира будет просто Ира.

— Интересно, — возмутился Коротков, — а моя Ира, выходит, не наша, что ли? Нет, так не пойдет.

— Тогда пусть будут Ира Большая и Ира Маленькая, — выступил Гриша с новой инициативой. — Тетя Ира же высокая, а наша Ира маленькая.

— Ты еще скажи, что я толстая, а ваша Ира худенькая, — заметила Ирина, смешивая в стеклянной салатнице какой-то сложный соус.

— Но... — начал было Гриша и осекся, поймав предостерегающий взгляд Татьяны.

Всем было очевидно, что он собирался сказать: «Но ты же и в самом деле толстая, а наша Ира худенькая». Проблема веса была для Ирины Савенич болезненной и постоянной. То есть для просто красивой тридцатипятилетней женщины она выглядела отлично, но для актрисы была крупновата и много лет боролась с килограммами, которые так и норовили скопиться и укорениться на талии и бедрах. Татьяна опасалась, что ее не в меру прямолинейный ребенок ненароком обидит гостью, и постаралась перевести разговор на что-нибудь более безопасное, но обстоятельный Гришенька не желал мириться с тем, что вопрос не решен, и предлагал все новые и новые варианты. Дискуссию прервал звонок Миши Доценко, который удрученно сообщил, что его мама плохо себя чувствует и посидеть с восьмимесячной внучкой не может, а посему его жене Ирочке придется остаться дома с ребенком. А сам он уже упаковал пироги в коробку и через десять минут выходит.

— Ира не придет? — уточнил Гриша. — Значит, можно пока ничего не придумывать.

И гордо удалился.

* * *

— Ну, Виктор Алексеевич, ну давайте поедем к Стасову, а? Там Коротков какое-то необыкновенное мясо сооружает, мы с Лешкой полную машину сладких вкусностей везем. Повидаемся, посидим все вместе. А, Виктор Алексеевич? — уговаривала Настя Каменская своего бывшего начальника.

Она заехала к Гордееву, чтобы поздравить его с профессиональным праздником и вручить подарок, который покупали коллективно от имени всех, кто работал когда-то под его началом. Ее муж Чистяков должен был через пятнадцать минут ждать Настю на улице, в машине, и она надеялась за оставшиеся четверть часа все-таки уломать Колобка и привезти его туда, где собиралась компания.

— Не могу, Настасья, ну вот ей же крест — не могу! — божился полковник в отставке. — Ты ж должна понимать: внук — это святое.

Старший внук Виктора Алексеевича успешно занимался в динамовской секции дзюдо, и именно сегодня у него должны состояться ответственные соревнования. Разумеется, и речи быть не могло о том, чтобы не прийти поболеть за парнишку. Иначе — смертельная обида.

— Просто вы нас уже не любите, — удрученно вздыхала Настя. — Как ушли в отставку — так и забыли нас. С глаз долой...

— Да никого я не забыл, — сердился Гордеев. — И люблю, и скучаю. Но внук же, пойми ты. Вот уйдешь со службы — я посмотрю, как ты будешь выбирать между бывшими коллегами и действующим мужем или братом. Посмотрю-посмотрю!

От этих слов Настя окончательно расстроилась. Перспектива ухода ее пугала, бросать работу не хотелось отчаянно, но и служить дальше казалось невозможным. К Афанасьеву, пришедшему руководить отделом после Гордеева, она кое-как притерпелась, но Афоня собрался на повышение, и уже в понедельник им представят нового начальника, с которым — Настя была на двести процентов уверена — она не сработается. Новый назначенец, как ей сказали, довольно молод, а какой же молодой руководитель потерпит под своим началом старых опытных работников, которые лучше его знают, как и что надо делать?

— Ну чего ты киснешь, Стасенька? — ласково спросил Виктор Алексеевич, заметив ее огорчение. — Уходить совсем не страшно, поверь мне. Вот я вышел в отставку, полгодика дома посидел, отоспался, книжек начитался, телевизор насмотрелся, с внуками натешкался, а потом пошел работать — и прекрасно себя чувствую!

— Сравнили! — горестно усмехнулась она. — Вы у собственного сына работаете, службу безопасности в его фирме налаживаете. Ваш шеф вас не только уволить не может, но и даже голос на вас повысить. А где мне такую работу найти? Кому я нужна? Сорок пять лет, да еще женщина. Меня даже в секретарши никто не возьмет.

— Ты давай-ка не придуривайся, — строго прикрикнул Гордеев. — При чем тут секретарша? Тебя же на кафедру приглашают, должность доцента дают. В мое время доцентом без кандидатской степени не назначали, можно было рассчитывать максимум на старшего преподавателя. А тебе — вишь! — какая удача привалила, а ты куксишься.

— Это не удача, а обыкновенный кадровый голод. Преподавать некому, вот и приманивают должностями. И потом, я через неделю на кафедре обсуждаюсь, все равно понятно, что где-то через полгодика я буду защищаться. Но я не хочу преподавать!

Настю охватило такое отчаяние, что она чуть не расплакалась. Конечно, после этого разговора настроение у нее испортилось донельзя, и в машину к мужу она садилась мрачная и молчаливая. Алексей давно уже перестал в подобных ситуациях задавать вопрос «что случилось?». Чего спрашивать, когда все и так ясно. С того дня, как Насте исполнилось сорок пять, то есть в последние пять месяцев, причина для плохого настроения была у нее всего одна, но зато постоянная: необходимость принимать решение об уходе из уголовного розыска. Полтора года назад она решила, что нужно написать и защитить диссертацию, чтобы в критической ситуации было куда уйти, не снимая погон. Но тогда ей казалось, что времени еще много, целый год, а год этот оказался почему-то самым скоротечным в ее жизни, и вот момент принятия решения настал, а она оказалась к нему не готова. Не может она бросить эту работу, такую тяжелую, неблагодарную, изматывающую, но такую любимую! И бросить не может, и оставаться возможности нет.

— Колобок говорит, уходить не страшно, — негромко проговорила она, не глядя на Лешу.

Это была первая фраза, которую Настя произнесла по дороге к дому Стасова. До этого момента они с Лешей словно разговаривали молча, читая мысли друг друга и отвечая на не высказанные вслух вопросы, и слова ее прозвучали просто как продолжение давно ведущегося разговора.

— Асенька, на самом деле страшно только терять близких и умирать самому. Со всем остальным можно легко справиться. Ты посмотри на Стасова: он уже десять лет как снял погоны — и живет себе припеваючи. А Мишка Доценко? Тоже ведь не жалуется.

— Еще бы ему жаловаться, — невесело усмехнулась она. — Он у Стасова работает. И потом, они оба — мужики.

— Ну хорошо, а Татьяна? — не сдавался Чистяков. — Она-то не мужик. Вот мы сейчас приедем — ты с ней поговори, и убедишься, что и у нее все в полном шоколаде. А она, между прочим, вообще не работает, дома сидит, ребенка воспитывает, хозяйством занимается. Ася, я понимаю, для тебя главная проблема — отношения с начальством, тебе только с Гордеевым было хорошо, с любым другим начальником на любой работе тебе будет плохо, даже если ты в своем любимом розыске останешься. Второго Гордеева у тебя никогда не будет, это очевидно, поэтому, где бы ты ни работала, тебе всегда будет некомфортно. Уходи со службы, сиди дома, читай книги, наслаждайся жизнью. Татьяна тебе подтвердит, что я прав.

— Таня дома работает, книжки свои пишет. А я что буду делать? Щи тебе варить? Носки стирать?

— Между прочим, ничего плохого в этом нет.

Настя умолкла. Бессмысленный разговор, тысячу раз повторенные слова, многократно опробованные аргументы, и все это ни к чему не приводит. Не может она принять решение. Не может.

* * *

С Татьяной они не виделись почти полгода. Регулярно общались по телефону, а повидаться все времени не было. Татьяна показалась Насте слегка пополневшей, но это вполне могло быть ложным эффектом, который создавало светлое свободного покроя платье.

— Цветешь, молодая пенсионерка, — бодро заметила Настя, целуя хозяйку дома.

Она решила взять себя в руки и не показывать плохого настроения. Праздник же все-таки!

— Цвету, — с улыбкой согласилась Татьяна.

Доценко с пирогами уже прибыл, ждали только Стасова, у которого в субботний день случились-таки какие-то неотложные дела на работе. Настя улучила удобный момент, чтобы поговорить с Татьяной наедине.

— Тань, как тебе на пенсии сидится? Нормально?

Татьяна внимательно поглядела на нее, потом кивнула, словно соглашаясь с какими-то своими мыслями, и осторожно прикрыла дверь в кухню, где они обе в эту минуту находились.

— Значит, Коротков не ошибся? Собираешься уходить?

— Не знаю. Страшно, — призналась Настя. — Колобок говорит, что не надо бояться, что это совсем не страшно и все будет отлично. Мишаня, кажется, тоже доволен. А ты что скажешь?

— Я? — Татьяна вытащила из пачки сигарету, прикурила, сделала несколько затяжек. — А ты что, не видишь сама?

— Что я должна видеть? Ты прекрасно выглядишь...

— Ну конечно. Ты не замечаешь, как меня разнесло? Я поправилась за полгода на десять килограммов.

— Как — на десять? — ахнула Настя.

Значит, ей не показалось, Татьяна действительно пополнела.

— Только не делай вид, что это незаметно, — грустно улыбнулась та.

— Ну... чуть-чуть...

— Чуть-чуть — это потому что платье такое, скрадывает формы. А на самом деле — тихий ужас. Плохо мне, Настюша, очень плохо. А выгляжу я хорошо, потому что два часа макияж делала и настроение к приходу гостей специально поднимала. Видела бы ты меня умытую. Краше в гроб кладут.

— Так ты болеешь, что ли? — испугалась Настя.

— Ага, болезнь называется «дурь». Или депрессия. Знаешь, я когда уходила со службы, так радовалась! Думала, вот наконец высплюсь, ребенком займусь, времени свободного — уйма, книги свои буду как пирожки печь, кучу денег заработаю. А что вышло? Целыми днями сижу на диване и плачу. Иногда даже рыдаю. За полгода ни строчки не написала, из издательства звонят постоянно, а мне им даже ответить нечего. Ни к чему руки не лежат, ничего делать не хочется, только свернуться калачиком на диване и реветь. Стасов не знает, что со мной делать, он, по-моему, придумывает себе всякие занятия на работе, чтобы не приходить домой слишком рано и не созерцать целый вечер мою зареванную физиономию. Я уже опухла от постоянных слез. Теперь я понимаю, почему люди, выйдя на пенсию, начинают болеть и быстро стареть.

Она говорила спокойно, почти весело, словно подшучивая над собой, но Настя видела, что на самом деле Татьяна чуть не плачет.

— Неужели так тяжело? — спросила она с сочувствием.

— Очень.

Татьяна помолчала, глядя в окно, потом быстро вытерла выступившие слезы.

— Нельзя так резко... Всю жизнь прожила под словом «надо». Надо утром встать, умыться, одеться и идти. В детский садик, в школу, в университет, на работу. Все время надо, надо, надо... Казалось, это слово меня задушит, задавит, мне так хотелось от него избавиться, сбросить с себя, проснуться утром в будний день и понять, что НЕ НАДО. Что можно не вставать, не одеваться и никуда не идти. Я думала, что этого мне будет достаточно для полного счастья, потому что все остальное у меня уже есть: любимый муж, любимый сын, друзья, дело, которое приносит хороший доход. А оказалось, что все не так. У меня нет ни одного повода чувствовать себя несчастливой, а я чувствую. И объяснения этому нет. Нет объяснения, понимаешь? — она повысила голос, и в нем зазвучали истерические нотки. — А есть только слезы и ощущение, что идти больше некуда, и жизнь кончилась, и в ней больше не будет ничего радостного и светлого. Это и называется депрессией.

Настя сидела ссутулившись, смотрела неподвижными глазами на яркую коробку с конфетами и не знала, что сказать.

— Так что если тебе нужен мой совет, — продолжала Татьяна после паузы, — то не уходи со службы. Мужикам это почему-то дается легче. То ли они устроены по-другому, то ли у баб ощущение конца жизни появляется раньше... Не знаю. Но если ты еще можешь работать — не уходи. Сидение в четырех стенах, при всей кажущейся привлекательности, счастливой тебя не сделает, это точно.

Настя открыла было рот, чтобы сказать, что ей сделали предложение о переходе на преподавательскую работу, но дверь распахнулась, и в кухню ворвался негодующий Коротков.

— Девчонки, ну что за бардак! Мясо через десять минут будет готово, а мы еще по первой не выпили и закуску есть не начинали. Тань, давай без Стасова садиться за стол, сколько можно его ждать.

— Давай, — согласилась она. — Пошли, будем садиться.

За столом Татьяна была оживленной, смеялась, ухаживала за гостями, и Настя, исподтишка наблюдая за ней, думала о том, что чужой опыт все равно не заменит собственного. Колобок говорит, уходить не страшно, Татьяна утверждает, что лучше этого не делать. Кто из них прав? Все равно не узнаешь, пока сам не попробуешь. Надо принимать решение. Но, боже мой, как не хочется!

* * *

Он считал, что в последнее время ему не очень-то везло. Нет, не так, — поправлял он сам себя, — не в последнее время, а до последнего времени. Потому что, решив прервать полосу сплошной безденежной обломной невезухи, он придумал, как можно срубить бабки, а начав осуществлять свой хитрый замысел, внес в него некоторые коррективы и понял, что все должно получиться еще легче, чем планировалось.

Батарея была приятно теплой, в домах уже топили,

и Чигрик, сидя на подоконнике, впал в некоторое подобие блаженной истомы. Скоро должен явиться хмырь, а следом за ним — его баба. Сегодня Чигрик еще с пустыми руками, осматривается пока, прикидывает, что к чему, расписание чужой жизни составляет и уточняет, а вот уж в следующий раз начнет работать в полную силу.

Он наслаждался сам собой, собственной рассудительностью и осмотрительностью, гордился тем, что не торопится и действует обстоятельно и без суеты, но и без излишней медлительности. В какой-то умной книжке он прочел, что человек от природы стремится к достижению максимального результата, то есть хочет получить как можно больше прибыли при минимуме вложений. Поэтому человек от природы — вор, ибо вместо того, чтобы долго и упорно зарабатывать, куда проще и быстрее украсть. Это Чигрику понравилось. А то предки совсем задолбали своими нотациями на тему «Работать и учиться, получать профессию». На фига это нужно-то?

Он уже и сам не помнил, откуда взялась его кликуха — Чигрик, то ли от «чирика», как именовались давным-давно красные десятирублевые купюры, то ли от чирьев, которые всю жизнь его мучают, регулярно появляясь то на шее, то на спине, то в паху. А может быть, с тех незапамятных времен, когда он, шестиклассник, стоя у доски, записывал мелом фразу под диктовку учителя и вместо «чего» написал «чиго». Много лет с тех пор прошло, сейчас ему уже двадцать пять...

Он ловко сковырнул крышечку с горлышка пивной бутылки и сделал два больших глотка. Хорошо пошло! И подоконник удобный, широкий, и этаж — из жилых последний, выше только чердак, поэтому никто мимо Чигрика не ходит, а ему самому со своего места отлично видна дверь квартиры. Сидеть можно сколько угодно, хоть до завтра, в глубоких карманах куртки лежат еще две бутылки пива, пакетики с чипсами и сигареты, так что не пропадет. И в туалет можно не бегать, на один пролет поднялся, туда, где вход на чердак, — и полный порядок.

Чигрик ждал терпеливо и наконец дождался. Лифт остановился на последнем этаже, двери начали раздвигаться, и Чигрик моментально соскочил с подоконника и сделал шаг в сторону, чтобы остаться незамеченным и в то же время видеть, кто пришел и в какую квартиру. Увиденное его сильно озадачило.

* * *

Наталья Максимовна Седова (после развода она не стала менять фамилию) слушала дочь и одновременно гладила юбку. Одна складка отчего-то все время заглаживалась не так, как надо, и Наталья сердилась на юбку за ее слишком сложный крой, на себя — за собственную неловкость и на дочь — за то, что она говорила. Соня только что вернулась из ресторана, где встречалась с отцом.

— Я не понимаю, почему он не может поехать со мной вдвоем куда-нибудь, — возмущалась девушка. — Со своей Миленой ездит, а я? Почему мы должны ехать втроем? Какая-то потаскуха ему дороже меня, что ли?

— Сонечка, у отца нет денег на такие вояжи, — терпеливо объясняла Наталья.

— Но с Миленой же он ездит!

— Они ездят на ее деньги, понимаешь? Милена много зарабатывает, а у отца зарплата совсем небольшая, ему такие расходы не по карману.

— Как же, зарабатывает она, — фыркнула Соня. — Она же учится, ты что, забыла?

— Она учится только первый год, а до этого она работала, и на эти деньги они сейчас живут. Ты не можешь требовать, чтобы папа возил тебя за границу на деньги совершенно посторонней для тебя женщины. Это просто неприлично.

Наталья перевернула юбку другой стороной и с раздражением убедилась, что складка опять заглажена неправильно. Да что ж за напасть-то! И зачем только она ее купила? В магазине ведь попробовала, забрала ткань в горсть и сильно сжала, и тогда ей показалось, что юбка не мнется, поэтому обилие складок не смутило в момент покупки. А стоило пару раз надеть на работу — и пожалуйста, уже приходится гладить.

— Ну хорошо, — не отставала Соня, — тогда скажи Илье, пусть он нас отвезет куда-нибудь в шикарное место на Новый год. У нас уже все девчонки ездили, только я одна как не знаю кто... Или скажешь, что Илья тебе тоже посторонний и на его деньги ездить неприлично?

Наталья вздохнула и снова принялась укладывать непокорные складки. Что тут ответишь? Илья — не посторонний, она любит его, они вместе вот уже пять с лишним лет, но это «вместе» какое-то... условное, что ли. Они не живут в одной квартире, они просто встречаются, ходят в театры, рестораны, ездят на загородные прогулки, два-три раза в неделю занимаются любовью. И все. Илья даже не остается у нее на ночь и Наталью не приглашает ночевать у себя. Отношения, которые с самого начала развивались быстро и бурно, вдруг в какой-то момент словно заморозились и остановились, не двигаясь ни к браку, ни к разрыву. Наталья одно время заподозрила, что у Ильи кто-то есть, может быть, даже жена или постоянная любовница, с которой он по каким-то причинам не хочет или не может расстаться, и в те моменты, когда он приглашал ее к себе, пристально и придирчиво оглядывала каждый уголок его небольшой квартиры, выискивая признаки присутствия здесь какой-нибудь еще женщины, кроме себя самой. И ничего не обнаружила. Илья был ласков, внимателен, заботлив, делал подарки, прекрасно относился к Соне, не давал явных поводов для ревности, но о женитьбе не говорил ни слова. И вообще, в их отношениях не было ни малейшего намека на то, что принято называть «ведением совместного хозяйства». Наталья не стирала и не гладила его сорочки, на ее кухне не стояла его любимая чашка, в ванной не было его бритвы. А в его квартире не было ее халатика, расчески и зубной щетки. Она даже не знала, сколько Илья зарабатывает. Знала только, что он программист и что не бедствует, но по силам ли ему такая поездка, какую хочет Соня?

— Я считаю, что ты должна его бросить, — заявила дочь. — Давай лучше поедем в Австрию к этому твоему... ну как его... Андреасу, он же приглашал.

Разговор об Австрии Соня заводила уже не в первый раз, и Наталью от этого передергивало. Андреас ей, конечно, нравился, он был очень симпатичным, очень умным и очень обаятельным, и ей было приятно, когда он сначала оказывал ей небольшие, а потом и более серьезные знаки внимания. И ресторан, в который он как-то пригласил ее пообедать, был куда более дорогим, чем те, куда она ходила с Ильей. Наталья уже пожалела, что рассказала об этом обеде дочери: Сонька откуда-то знала, какого высокого ранга это заведение, и сразу же сделала выводы.

— Класс! — восторженно завопила тогда Соня. — У него, наверное, деньжищ уйма. Давай, мамуля, не упускай свой шанс. Поедем в Австрию, будем жить как нормальные люди.

— Прекрати, — осадила ее Наталья, — никуда мы не поедем.

— А что, здесь куковать, что ли? На твои копейки? Илья на тебе не женится, так и просидим, как две дуры.

Наталья в тот раз, помнится, страшно кричала на Соню, пыталась объяснить ей, что нельзя не только так говорить — даже думать так отвратительно, но толку, судя по всему, не было. Материнского крика девушка не испугалась и упорно продолжала гнуть свою линию. Илью надо бросить, срочно ехать в гости к Андреасу и приложить максимум усилий к тому, чтобы женить его на себе и остаться жить за границей.

Вот и сейчас Соня взялась за свое:

— Если ты не можешь поговорить со своим Ильей, я сама ему скажу.

— Интересно, что? — усмехнулась Наталья.

— Что или пусть везет нас куда-нибудь на Новый год, или мы с тобой поедем в Австрию к Андреасу. Что мы, дуры какие-нибудь — в Новый год в Москве сидеть? Все нормальные люди за границу уезжают.

Наталья посмотрела на дочь устало, печально и както отстраненно, как на постороннего человека. Красивая девочка. Стройная, с тонким лицом, модно подстриженными темными волосами, и одета хорошо, спасибо Павлу и Илье, они оба регулярно дарят Соне модные тряпочки, сама Наталья на свою учительскую зарплату такой гардероб не потянула бы. Хорошо еще, то и дело случаются подработки в качестве переводчика, ведь ее специальность — немецкий язык. Но денег все равно не хватает. И вот стоит перед ней красивая, модно одетая семнадцатилетняя девушка, и глазки вроде бы умненькие, а какое безобразие у нее в голове! Ну откуда, откуда у ее дочери завелись такие омерзительные представления о жизни, такие непомерные требования к окружающим, которые должны, обязаны «делать ей хорошо» и непременно чтобы «не хуже, чем у других»? А желательно, даже лучше. Она, кажется, вообще не принимает в расчет такое понятие, как любовь, она думает только о деньгах, которые к тому же не сама заработала. Неужели все ее поколение такое? Или это она, Наталья, в чем-то упустила своего ребенка, где-то недосмотрела, чему-то недоучила, на что-то не обратила вовремя внимания? И можно ли это как-то исправить, или уже поздно?

Она выключила утюг и молча повесила непокорную юбку в шкаф. Придется отдать в химчистку, пусть там специалисты с ней мучаются.

— Ну что ты молчишь, мам? — не унималась Соня. — Ты сама поговоришь с Ильей?

— Я не буду ни о чем ни с кем разговаривать, — тихо и раздельно произнесла Наталья. — И я больше не желаю слышать эти разговоры. Кроме того, я тысячу раз просила тебя не называть Милену потаскухой. Ты не имеешь права так говорить о ней.

— Почему это? — Глаза Сони яростно засверкали. — Из-за нее папа нас бросил, а я должна перед ней на цыпочках ходить и в рот ей смотреть?

— Тебе отлично известно, что к нашему разводу Милена не имеет никакого отношения. Отец даже не был с ней знаком в то время.

— Откуда ты знаешь? Что ты вообще о нем знала, когда разводилась? Что он тебе изменял? Так он с Миленой своей тебе и изменял, между прочим.

— Это неправда. Отец действительно мне изменял, и ты это прекрасно знаешь. Но Милена тут совершенно ни при чем. Все, я больше не желаю это обсуждать.

— А я желаю обсуждать! — вспыхнула Соня. — Из-за чего же вы развелись, если не из-за нее? Из-за Ильи твоего, что ли?

Наталья молча разглядывала висящие в шкафу вещи. Ладно, бог с ней, с юбкой, хотя и очень хотелось ее сегодня надеть. Надо выбрать что-нибудь другое, но такое, что нравится. Для поднятия настроения.

— Ты уходишь? — спросила дочь, увидев, что Наталья достала брюки и пиджак.

— Да.

— К Илье?

— Да.

— Значит, скажешь ему?

— Я тебе ответила.

— Ну и пожалуйста! — в слезах выкрикнула Соня. — Не хочешь — не надо, ну и сиди в Москве. А я найду, с кем поехать! Я папу уговорю! И пусть с Миленой, пусть втроем, я все равно поеду! Тебе назло!

Она выскочила из комнаты, изо всех сил хлопнув дверью.

Наталья несколько раз глубоко вдохнула, подошла к зеркалу и улыбнулась своему отражению. Она никому не позволит испортить себе субботний вечер.

* * *

Она очень старалась быть веселой, но Илья, конечно, все равно заметил, что она расстроена. Он чувствовал ее настроение безошибочно.

— Что-то случилось? — заботливо спросил он уже через пять минут после того, как Наталья села в его машину.

— Да Сонька... — Наталья вздохнула и вяло махнула рукой. — Ума не приложу, почему она такая выросла. В голове одни деньги и стремление не отстать от других.

— И что на этот раз?

— Хочет на Новый год поехать за границу. И ведь знает прекрасно, паршивка, сколько я зарабатываю, понимает, что мы не можем себе этого позволить, а все равно: вынь и подай ей поездку. К Павлу сегодня приставала с этим, потом ко мне.

— К тебе? — удивился Илья. — При твоей зарплате?

Наталья умолкла. Ей хотелось поделиться с ним, рассказать подробно о разговоре с дочерью, посетовать, пожаловаться. Илья выслушает ее, посочувствует, а может быть, и даст дельный совет. Но ведь тема такая щекотливая... Ни разу за все годы, что они знакомы,

Наталья не попросила у него ни рубля, в этом просто не было необходимости: Илья всегда точно улавливал, когда у Натальи возникала острая необходимость в деньгах, и под тем или иным предлогом оказывал финансовую помощь. В разумных пределах, конечно, но неразумных потребностей у Натальи и не возникало.

— Она, видишь ли, Илюша, считает, что эту поездку мог бы оплатить ты, — наконец решилась она. — Ей кажется, что у тебя достаточно денег на это. И откуда у Сони появилась такая отвратительная привычка рассчитывать на чужие деньги?

Вот так. Без каких бы то ни было намеков и недомолвок. В конце концов, ближе Ильи у нее никого нет, и всякие фокусы тут совершенно неуместны.

— Милая, у меня нет таких денег, — мягко сказал Илья.

— Да я понимаю, Илюша, — торопливо заговорила она, — я же не к тому... У меня и в мыслях не было, чтобы ты... Я просто не знаю, что с Сонькой делать.

— Может быть, тебе стоит поговорить с Павлом? — предложил он.

— О чем? О том, как ребенка воспитывать? — усмехнулась Наталья.

— О том, чтобы он устроил ей эту поездку.

— Да ты что? Он без Милены не поедет.

— Ну и пусть поедут втроем. Что в этом такого?

— Да ничего такого, ты прав, только Сонька ее терпеть не может. С Миленой она не поедет. Она хочет, чтобы отец ехал с ней вдвоем, представляешь? Но на деньги Милены. Павел пытался объяснить ей, что так не получится, но она ничего и слышать не хочет. Не хочет считаться с тем, что ее родители — государственные служащие и их зарплата таких поездок не выдержит. Вбила себе в голову, что раз у отца есть Милена, которая много зарабатывает, а у меня — ты, то она имеет право на твои и Миленины деньги. И никакие мои увещевания не помогают, ничем из Сони этого не вышибить. Ты знаешь, — Наталья внезапно улыбнулась, — она даже начала продвигать мне идею насчет Андреаса, ну, того бизнесмена из Австрии. Помнишь, я тебе рассказывала?

— Помню, — кивнул Илья.

— Он ведь приглашал меня приехать к нему, предлагал работу на своей фирме, а я, дура, имела неосторожность сказать об этом Соне. Вот она и завелась, мол, давай поедем к нему на Новый год. Хочет, чтобы я попробовала окрутить его и женить на себе, и тогда мы с ней переехали бы жить в Австрию. Как тебе это нравится?

— Мне это совсем не нравится.

Голос Ильи прозвучал неожиданно резко, и Наталья вдруг подумала, что вот сейчас и начнется тот самый главный разговор, которого она так давно ждет. Ну сколько можно «просто встречаться»? Что они, школьники, что ли? После стольких лет интимного общения люди либо начинают жить вместе, либо расстаются.

Но ожидания ее не оправдались. Илья заговорил о чем-то совершенно постороннем, и в какой-то момент Наталья почти физически ощутила, как он отдаляется от нее. Еще несколько минут назад она была уверена, что Илья — ее самый близкий, родной человек, а теперь почувствовала себя ужасно одинокой. Ей даже стало холодно, хотя печка в машине работала вполне исправно.

* * *

Наталья Максимовна была воспитана в твердом убеждении, что не только считать чужие деньги — даже думать о них неприлично для человека, который хочет хотя бы чуть-чуть уважать самого себя. Эту мысль с самого детства внушали ей родители, и с этой мыслью она продолжала жить до сих пор. Надо сказать, что в нынешние непростые для работников бюджетной сферы времена подобная привычка не думать о чужих деньгах и, соответственно, не сравнивать собственное финансовое положение с положением других людей очень выручала Наталью. Она никому не завидовала и ни на кого не оглядывалась, она просто искренне считала, что все люди живут по-разному, кто-то побогаче, кто-то поскромнее, это нормальное положение вещей, и не нужно об этом думать. За все годы знакомства с Ильей Бабицким ей в голову не пришло поинтересоваться, сколько он зарабатывает и вообще сколько у него денег. Ей казалось, что ее это совершенно не касается. Она бывала искренне благодарна ему за своевременные и полезные подарки, но никогда специально не ждала их и уж тем более не просила. Поэтому то обстоятельство, что воспитанная ею дочь Соня вела себя совсем не так, как ее мать, сильно огорчало Наталью Максимовну.

Второй заповедью, внушенной ей с детства, была необходимость своевременного замужества и рождения ребенка. Быть не замужем — неприлично. Завести семью, то есть мужа и детей, — необходимо. Наташа была красивой девушкой, но родители, сторонники строгости и аскетизма во всем, вплоть до эмоций, сумели внушить ей, что она — самая обыкновенная и судьба у нее должна быть стандартная, как у всех. Школа с хорошим аттестатом, институт, работа по профессии, желательно в одной и той же организации, но с умеренным карьерным ростом, брак с одним и тем же мужчиной, в пятьдесят пять лет — выход на заслуженный отдых. Поэтому Наташа вышла замуж за первого же поклонника, который сделал ей предложение. К Павлу Седову она относилась хорошо, считала его приятным парнем, тем более родители кандидатуру жениха одобрили: образование хорошее, работа по тем временам престижная, зарплата, соответственно, не стыдная. О том, что она мужа не любит, Наташа догадалась года через три, когда уже появилась Сонечка. Со временем, по мере отдаления от родителей и освобождения от их авторитета, мысль о разводе все чаще приходила ей в голову, но чем дольше жила она с Павлом, тем труднее было этим мыслям пустить корни, и Наталья усилием воли изгоняла их, не дав осесть. Ну в самом деле, как сказать человеку, что ты больше не хочешь с ним жить, если он не сделал ничего плохого, не обидел тебя ничем, не изменяет, не пьет по-черному, не бьет? Что тебя не устраивает, если раньше все устраивало? Ничего же не изменилось. Можно было бы придраться к регулярным выпивкам, но Наталья была женщиной разумной и понимала, что в работе Павла без этого не обойтись, и все его коллеги пьют, кто больше, кто меньше, но пьют все. Он ни разу не явился домой нетрезвым до неприличия, не валялся в прихожей, оглашая квартиру громовым храпом, и уж тем более у него не случалось запоев и похмелья. Да, ей было скучно с Павлом, который совсем не читал книг, а по телевизору смотрел исключительно новости и боевики, но разве это повод для развода, когда растет общий ребенок? Даже говорить смешно.

На самом деле ей очень хотелось развестись, но Наталья была уверена, что это абсолютно невозможно. Авторитет родителей ослабел, но полученное воспитание и выпестованный в советское время менталитет заставляли ее держаться за ненужный ей брак. И даже появление в ее жизни Ильи Бабицкого не повлияло на решимость уйти от мужа.

Илья ухаживал долго и красиво, не был излишне настойчив, водил ее в театры, на концерты и на выставки, и на близость с ним Наталья отважилась лишь спустя полгода после знакомства. Ее тут же начало грызть чувство вины перед Павлом, которого она никогда не любила. Еще месяц прошел в мучениях и угрызениях совести, а потом случилось то, что случилось.

В тот вечер они с Ильей ходили в «Современник». Павел дежурил, Соня уехала с классом на трехдневную экскурсию, и дома Наталью никто не ждал, так что можно было не спешить. После спектакля зашли выпить кофе в симпатичное заведение на Чистых Прудах, потом Илья подвез ее домой. Они долго сидели в машине, потом вышли и остановились у двери подъезда. Расставаться не хотелось, обниматься с риском быть замеченными соседями — тоже, стояли и разговаривали, когда к ним подошел молодой парень с пакетом в руках.

— Простите, вы — Наталья Максимовна? — вежливо спросил он.

— Да, — кивнула Наталья. — А в чем дело?

— Вам просили передать.

Парень сунул ей в руки пакет и быстро пошел прочь.

— Подождите! — крикнула ему вслед Наталья. — Что это? От кого пакет?

Но он только ускорил шаги и скрылся за углом. Она так растерялась, что даже не попыталась догнать незнакомца. Илья тоже стоял как вкопанный, не сводя с нее вопросительного взгляда.

Пакет был самым обыкновенным, полиэтиленовым, фирменным, с напечатанным названием и логотипом известной сети супермаркетов, такие пакеты выдают бесплатно на кассе всем покупателям в неограниченном количестве. В нем лежало что-то завернутое в упаковочную бумагу, по формату похоже на книгу. Наталья вынула сверток и собралась было вскрыть его, но Илья схватил ее за руку.

— Не трогай!

— Почему?

— Ты что, забыла, где работает твой муж?

— А при чем тут Павел? Это же для меня пакет, а не для него, — не поняла она.

— Наташа, я тебя умоляю... Твой муж — сотрудник отдела по борьбе с наркотиками, а ты — его жена. Ты что, совсем ничего не понимаешь? Ты не понимаешь, какие деньги за всем этим могут стоять?

— Ты думаешь, это взятка? — испугалась Наталья.

— Это может быть и взятка, и взрывное устройство, и что угодно еще. Не открывай сверток сама.

— А как же тогда? Павла ждать?

— Наташенька, это, — он осторожно высвободил сверток из ее рук, — вообще нельзя нести домой. Ну ты представь: ты входишь к себе в квартиру, открываешь его, а там деньги, причем немалые. Ты их трогаешь, рассматриваешь, считаешь, а в это время раздается звонок в дверь, и на пороге появляются сотрудники службы внутренней безопасности или еще кто-нибудь, кто борется с коррупцией. И все, Наташенька. Ты никому никогда ничего не докажешь. Деньги в доме, где проживает Павел, на них следы рук его жены, то есть деньги в семью попали, и пойдет твой Павел по длинному этапу. Это может быть обыкновенной подставой, понимаешь? А если это взрывное устройство, если кто-то хочет запугать твоего мужа или свести с ним счеты?

— Так что же делать? Выбросить?

— Нельзя. Если это деньги, то и черт с ними, а если это взрывчатка? Кто-нибудь найдет, откроет, могут погибнуть люди. Надо обратиться к специалисту.

— К какому? Где я возьму такого специалиста? Послушай, Илюша, я сейчас позвоню Павлу...

— Отлично, — усмехнулся он. — И как ты себе это представляешь? Мы с тобой стоим здесь и ждем твоего мужа, он приезжает, ты нас знакомишь и объясняешь, при каких обстоятельствах получила пакет. Так? И что будет потом?

— Но тебе необязательно ждать вместе со мной, ты можешь уехать...

— И оставить тебя одну рядом с бомбой? Поздно вечером на улице? Ты за кого меня принимаешь? Наташа, возьми себя в руки. Сейчас я позвоню своему приятелю, он в этом разбирается. Он приедет и посмотрит сам. А мы пока эту посылку в руках держать не станем, мало ли что.

— Давай просто выбросим ее, и все, — решительно произнесла Наталья. — Пусть валяется в урне или в мусорном баке, а я пойду домой.

— А если взорвется? И пострадают люди? Кто-нибудь найдет, бомж какой-нибудь или, не дай бог, ребенок, развернет и... Я положу ее в машину, а мы с тобой отойдем подальше.

— А вдруг твоя машина взорвется? Давай просто положим на тротуар.

— И ее поднимет любой случайный прохожий. Нет уж, пусть лучше в машине лежит, там ее по крайней мере никто не возьмет. Ну рванет так рванет, черт с ним, — решительно сказал Илья.

Он достал телефон, кому-то позвонил, потом осторожно положил пакет в машину и, крепко взяв Наташу под руку, перевел ее на противоположную сторону улицы. Через полчаса подъехал микроавтобус, из которого вышел солидный крепкий мужичок в униформе с надписью «Служба спасения».

— Давайте пакет, — сказал он, поздоровавшись с Ильей за руку, — у нас в машине передвижная установка, сейчас мы его проверим. Вы оставайтесь пока на улице.

От напряжения Наталью трясло, она зябко куталась в кашемировую шаль и с трудом удерживала себя от того, чтобы не прижаться к Илье. Проверка длилась недолго. Вскоре дверь микроавтобуса снова открылась.

— Ложная тревога, — с улыбкой произнес Илюшин знакомый. — Там кассета.

— Какая кассета? — тупо переспросила Наталья.

— Обыкновенная видеокассета. Никакой бомбы там нет. Так что смотрите на здоровье. Желаю вам приятного просмотра. Илюха, с тебя коньяк, — весело подмигнул спасатель.

— Заметано. Спасибо, что выручил, — улыбнулся в ответ Илья.

Спасатели уехали.

— Ну что, Наташенька? — проговорил негромко Илья. — Ты теперь считаешь меня трусом и перестраховщиком?

— Ну что ты, — горячо возразила Наталья. — Ты все сделал правильно. Спасибо тебе, Илюша.

Только сейчас она осознала, что целых полчаса провела в кошмаре, каждую секунду ожидая взрыва. Ее бросило в жар, ноги мелко задрожали и ослабели, она прижалась к Илье, напрочь забыв об окнах соседских квартир.

Илья ласково поцеловал ее в щеку.

— Давай я тебя провожу до подъезда. Дома посмотришь, что там, на этой кассете. Небось твои ученики какой-нибудь гадкий розыгрыш придумали.

Конечно, это они, больше некому. Вот ведь паскудники! Заставили ее, свою учительницу немецкого, столько страху натерпеться! А еще гимназия называется. Одаренные дети, углубленное изучение гуманитарных предметов... Такое же безмозглое хулиганье, как и всюду, только и разницы, что родители при деньгах. Не зря же говорят, что у богатых родителей дети хуже, чем у малообеспеченных, более наглые, более злые. Наверное, так и есть.

Они уже дошли до двери подъезда, когда Наталья внезапно поняла, что не сможет смотреть эту гадость одна. Она вообще не может сейчас остаться в одиночестве.

— Илюша, может, зайдешь к нам? — робко предложила она. — Я не хочу смотреть кассету одна.

Он отрицательно покачал головой:

— Нет.

— Ты мне нужен сейчас, очень нужен, Илюша, ну пожалуйста, — взмолилась она. — Паша дежурит до утра, Соня уехала, вернется только послезавтра. Я тебя прошу.

— Нет, — твердо повторил он. — Я никогда не переступлю порог твоей квартиры, я уже говорил тебе это.

Да, конечно, он говорил, и неоднократно. «Нельзя приводить любовника в дом, где живешь с мужем. В этом есть что-то грязное, оскверняющее и семью, и сам дом. Ты потом себе не простишь, тебе будет неприятно, и эту неприязнь ты обратишь на меня же», — объяснял он. Наташе, не имевшей обширного опыта супружеских измен, казалось, что это справедливо, но сейчас ей наплевать было и на справедливость, и на грязь. Ей хотелось только одного: не остаться одной.

— Дождись утра, — предложил Илья. — Муж вернется с дежурства, вместе посмотрите.

— Я к этому времени уже уйду на работу. И потом, если кассету отдали мне, а не ему, значит, она предназначена для меня. Тебе не приходило в голову, что это может быть о нас с тобой? Это шантаж. Сначала кассета, потом требование денег. Павел не должен это видеть. Илья, пожалуйста... Я должна это посмотреть, и я не могу одна... Пойдем ко мне.

— Нет, — в третий раз повторил он.

— Тогда давай поедем к тебе, — Наталья решительно повернулась и пошла к его машине. — Посмотрим кассету, потом ты отвезешь меня назад.

Дороги уже опустели, и путь до дома Ильи много времени не занял. Уже через двадцать минут они входили в его квартиру, а еще через пять на экране телевизора замелькали кадры, на которых в каком-то помещении какие-то слабо одетые мужчины и женщины весело проводили время. Ну просто очень весело. И даже, можно сказать, разнузданно. Кадры не дрожали, съемка велась явно не с плеча, а с вмонтированной в потолок видеокамеры.

Своего мужа Наталья узнала почти сразу, он занимался любовью одновременно с тремя девицами, при этом еще двое мужчин и одна совершенно голая красотка ходили мимо них, о чем-то переговаривались и весело хохотали.

— Что это? — с недоумением спросил Илья. — Домашнее порно? Твои ученики решили тебя развлечь? Или оскорбить?

— Это мой муж, — коротко ответила Наталья и нажала кнопку «стоп» на пульте. — Дальше можно не смотреть. И так все ясно.

Она сама удивилась тому, что не заплакала, не закатила истерику. На нее навалилось тупое безразличие, смешанное с отвращением. Она столько лет боялась уйти от Павла, которого не любила, потому что не считала себя вправе обидеть человека, который так хорошо к ней относится и в этой ее нелюбви, в сущности, совершенно не виноват. А он развлекался с какими-то пошлыми девками и таскал всю эту грязь домой. Наташа все прислушивалась к себе, пытаясь нащупать в душе хотя бы признаки отчаяния и ужаса, которые должны, по ее представлениям, охватывать любую приличную женщину, обнаружившую, что ее горячо любимый муж, в верности которого она была столько лет уверена, изменяет ей таким примитивным и грубым способом, да еще в групповухе, но муж не был на самом деле горячо любимым, не был уже давно, а может быть, и вообще никогда, и в голову почему-то лезло совсем другое: ощущение душной тупой скуки, которое преследовало ее все тринадцать лет супружества и особенно остро чувствовавшееся по выходным дням, а еще по ночам. Ей не о чем было разговаривать с Павлом, ему не интересны были ни книги, которые она читала, ни ее мысли, ни ее школьная служебная жизнь, а о своей работе он тем более не собирался ей рассказывать. Ему нужны были горячая обильная еда, чистота в доме и приведенная в порядок одежда, а также регулярный секс, затейливый, разнообразный и долгий, который совершенно не интересовал саму Наталью. Она вовсе не была холодной или неумелой ханжой, просто по природе своей не могла испытывать радость в объятиях мужчины, который ей скучен и, в сущности, совсем не нужен. И каждый раз она старательно выполняла то, что принято именовать супружеским долгом, пряча ту самую душную тупую скуку и притворяясь, ибо считала, что коль сама совершила ошибку, то должна сама же за нее и расплатиться. Никто не заставлял ее выходить замуж за Павла Седова, никто, она сама поспешно приняла его ухаживания и поощряла «серьезные намерения», потому что боялась не выйти замуж и остаться старой девой, что было бы совершенно, по ее представлениям, неприлично. Ей и в голову не приходило, что при ее красоте без поклонников она не останется и среди множества кавалеров когда-нибудь окажется тот, без которого ей будет невозможно жить. Она струсила, выскочила замуж за первого же, «кто позвал», и теперь должна расплачиваться за свою девичью трусость. И вдруг выяснилось, что Павел в ее жертвах не больно-то и нуждался, жил какой-то своей веселой мужской жизнью, спал с непотребными девками, и от этого Наталья чувствовала себя особенно униженной. Ей никогда не приходило в голову, что мужчины и женщины суть существа, устроенные принципиально по-разному. Женщина, как правило (хотя бывают и исключения), не может хотеть мужчину, которого не любит; мужчина же, с точностью до наоборот, не умеет любить женщину, если он ее не хочет. Ибо в генетической памяти мужчин тысячелетиями закреплялась модель победителя, завоевателя и обладателя: не победишь мамонта, не убьешь его, не принесешь добычу к своему очагу — твоя женщина и потомство останутся без пропитания; не завоюешь соседнее племя, не отберешь у него леса для охоты — результат тот же. А женщина, дабы взрастить потомство, должна выбрать именно победителя, который будет регулярно поставлять мясо к семейному очагу. Выбрать и принадлежать ему. То есть сделать так, чтобы он ее захотел. Быть привлекательной, соблазнительной. Будет хотеть — потом, глядишь, и полюбит. Закрепится, так сказать, возле ее очага. Мужчина же, обнаружив объект желания, старается смотреться победителем, дабы сей объект его захотел в эротическом аспекте. Для первобытного и даже рабовладельческого уклада модель эта выглядит вполне гармоничной, и, хотя сам уклад с тех давних пор сильно переменился, генетическая память почти не ослабела, ведь подумать страшно, сколько тысячелетий она формировалась и закреплялась, разве ж можно надеяться, что она так быстро сойдет на нет. Она и не сошла. Потому и сегодня женщине сперва нужно признать мужчину хоть в чем-то превосходящим ее саму, умом ли, душевными качествами, ловкостью, талантами или богатством, или еще чем, а уж потом она начинает хотеть принадлежать ему, то есть включается сексуальный компонент. Мужчина же может хотеть и с удовольствием проводить время в постели с огромным количеством женщин независимо от их прочих характеристик, ибо характеристики эти ему, мягко говоря, по барабану. Сексуальное влечение у него первично, а душевная привязанность возникает уже потом. Или не возникает совсем.

Ничего этого Наташа не понимала и была свято уверена, что, коль муж ее законный Павел Седов с завидной регулярностью, несмотря на прожитые вместе годы, занимается с ней любовью, да не абы как, а с выдумкой, интересом и энтузиазмом, стало быть, он ее любит. Сильно любит. Преданно и нежно. И как же можно человека, который так тебя любит, взять и бросить ни с того ни с сего? Как же он жить-то после этого будет? Он же дышать не сможет без нее. Сама она Павла ну ни капельки не хотела, но терпела его эротические кульбиты, причем терпела старательно, артистично, изо всех сил скрывая скуку и пытаясь сделать так, чтобы он ничего не заметил и ни о чем не догадался.

И вдруг оказывается, что все было напрасно, бессмысленно. Ему было совершенно все равно, с кем заниматься любовью, с ней ли, с теми ли девками непотребными или еще с кем... И его постельный энтузиазм свидетельствовал вовсе не о пламенной, нежной и преданной любви к жене, а всего лишь о его неуемном сексуальном аппетите и недюжинной мужской силе. Всего лишь. Павел в один миг превратился в Наташиных глазах из любящего мужа в сексуально озабоченного неразборчивого кобеля. И это от него она столько лет не находила в себе моральных сил уйти? Гадко, унизительно, оскорбительно.

— Налей мне чего-нибудь, — негромко попросила она Илью.

— Воды? Валокордина? — с заботливой готовностью поднялся он.

— Выпить, — усмехнулась Наташа. — И покрепче.

Он молча налил ей большую рюмку коньяку. Наташа выпила, зажмурилась, помолчала несколько минут.

— Отвези меня домой.

— И что будет дальше?

— Не знаю, — она пожала плечами. — Скорее всего, я соберу вещи, свои и Сонькины, вызову такси и уеду к родителям. С Павлом я больше не останусь. Видеть его не хочу. Уеду сегодня же ночью, пока он не вернулся. А послезавтра заберу Соню прямо от школы, когда придет автобус.

— Ты твердо решила?

— Наверное, — она снова пожала плечами. — Хотя кто знает, хватит ли у меня смелости, когда хмель пройдет.

— Наташа, — Илья сел рядом, обнял ее за плечи, — тебе необязательно возвращаться к родителям. Ты можешь жить у меня.

— А Соня? Одно дело, если я скажу, что поссорилась с папой, и совсем другое, если она поймет, что я изменяла мужу и ушла от него к любовнику. Ей двенадцать лет, она уже большая.

— Конечно, — вздохнул он. — Прости, я не подумал. Если хочешь, я помогу тебе с переездом.

Он не пытался отговорить ее, он всячески давал понять, что рад разрыву Натальи с мужем, и это давало ей основания думать, что Илья пусть не сразу, но все-таки сделает ей предложение. Но прошло пять лет, и все оставалось по-прежнему.

Он в ту ночь отвез ее домой и терпеливо ждал в машине, пока она соберет свои и дочкины вещи, потом вез ее в подмосковную Балашиху, где жили родители Наташи, и все последующие месяцы был рядом, каждый день, поддерживал ее, помогал пережить тяжелые выяснения отношений с Павлом. Павел ни в чем не признавался, кричал, что это монтаж, что его подставили, потому что работа у него такая, и врагов у него великое множество, и как же она, Наташа, не понимает, что наркотики — это минное поле, по которому гуляют такие огромные деньжищи, что и подумать страшно, и за эти деньжищи наркодельцы, которых он, Павел, отлавливает, пойдут на все, что угодно, и что кассета эта — просто попытка запугать его, показать, на что они способны, чтобы попридержать ретивого мента, заставить его остановиться, оглядеться, задуматься и сделать правильные выводы. Наташа слушала его и думала, что это вполне может быть правдой, но смотрела на мужа и одновременно понимала, что на кассете тоже правда. Никакой это не монтаж. Просто две отдельные правды, идущие параллельно, каждая своей дорогой. Да, у него наверняка есть враги, и конечно же, наркобизнес — это вам не в палатке поддельной водкой торговать, но и групповуха со срамными девками, да открытая, на глазах у двоих мужиков и какой-то абсолютно голой барышни, под пьяные шуточки и мерзкие смешки, — все это было.

Потом последовал быстрый развод и сложные, долгие и запутанные варианты купли-продажи квартир и дачи, в результате которых Павел оказался в однокомнатной квартире, Наташа с дочерью — в двухкомнатной, а Наташины родители переехали в теплую зимнюю дачу все в той же Балашихе.

Спустя короткое время в жизни Павла появилась молоденькая красавица Милена, о чем Наташе сообщила Соня, регулярно встречавшаяся с отцом. Сама девочка быстро привыкла к Илье, вернее, к тому, что и у мамы есть «друг», и все вошло в спокойную колею, и все как-то устроилось, устаканилось, но... так и оставалось все в той же колее, словно забуксовало. Павел не женился на Милене, но она все-таки жила у него, и они, благодаря высокооплачиваемой Милениной работе, вместе переехали из маленькой «однушки» в квартиру побольше, сделали в ней дорогой ремонт, купили дорогую мебель и вообще вели совместное хозяйство и ездили каждый год отдыхать на престижные и потому отнюдь не дешевые курорты, а Наташа так и продолжала «встречаться» с Ильей, а в отпуск ездила с дочерью. В принципе ее все устраивало, но все-таки непонятно было, почему он не хочет на ней жениться. Ведь он же предлагал переехать к нему тогда, в ту ночь, когда ворвалась в Наташину размеренную скучную жизнь эта кассета-освободительница, предлагал же, значит, готов был жить с ней вместе, хотел этого. А сейчас что же? Больше не хочет? Или меньше любит?

Глава 2

Человека, который стоял рядом с начальником отдела Вячеславом Михайловичем Афанасьевым, Настя Каменская узнала сразу. То есть в первый же момент она поняла, что где-то видела его, видела неоднократно, но очень давно, но никак не могла припомнить, где именно и при каких обстоятельствах. Молодой, лет тридцати пяти, не больше, спортивный, высокий, с идеально подстриженными волосами. Красивый. Глаза умные. Да где же, черт возьми, она его встречала? А ведь точно встречала, она не ошибается, потому что и он сам то и дело поглядывает на нее и улыбается краешками губ.

Начальник и спортивный красавец о чем-то негромко разговаривали, ожидая, пока в кабинете соберется весь личный состав отдела. Настя пришла одной из первых, села на свое обычное место — в самом уголке, подальше от руководства, и теперь маялась от дурных предчувствий. Неужели это и есть их новый шеф? Неужели сейчас Афоня представит его и сообщит о своем переходе на другую работу? Конечно, этого события ждали со дня на день, но ведь не этот же... Молодой. И красивый. И глазки умненькие. Наверняка опыта кот наплакал, зато амбиций — выше Эйфелевой башни. И самое плохое, что Настя с ним, по-видимому, знакома, а она никак не может вспомнить, что это было за знакомство. А вдруг они расстались врагами? Вот будет ему теперь на ком отыграться-то!

Народ понемногу подтягивался, и больше всего на свете Насте хотелось, чтобы рядом, как в старые добрые времена, еще при Гордееве, плюхнулся Юрка Коротков, с которым можно было бы поделиться своими опасениями и посплетничать. Но Коротков, увы, рядом не сядет, он — заместитель начальника отдела, и место его — самое первое за длинным приставным столом для совещаний. Вместо Юрки рядом сел молоденький лейтенант, только два месяца как пришел в отдел. С ним не поговоришь и уж тем более ничем не поделишься. Настя горестно вздохнула, подумав, что день не задался с самого утра. Еще только десять часов, а уже с соседом не повезло. Что же дальше-то будет?

Внезапно подскочил Сережа Зарубин и бесцеремонно потянул молоденького лейтенанта за руку.

— Ну-ка встань, пусти старшего товарища на почетное место, — потребовал он, подмигивая хитрым глазом. — Право сидеть рядом с Каменской еще заслужить надо, салага.

Лейтенантик покорно поднялся и пересел вперед. Зарубин немедленно угнездился, занимая позицию на освобожденном плацдарме.

— Здорово, Пална. Чего с утра не в духе?

— Да нет, все нормально, — улыбнулась она в ответ.

— А это что за кекс рядом с Афоней?

— Похоже, тот самый, — неопределенно ответила Настя.

— Да иди ты?! Что, вот этот красавчик? — не поверил Сергей.

— Похоже, да. А чему ты удивляешься? Нам же говорили, что назначают кого-то из молодых, да ранних. Вот тебе пожалуйста, молодой, как обещали.

— Лучше б они нам зарплату повысить пообещали, — проворчал он. — Как погуляли в субботу?

— Отлично. Жалко только, что без тебя.

— Мне тоже жалко, но куда ж с дежурства денешься. Скажи спасибо, что я вам ничего серьезного не надежурил, всего два трупа, оба — бытовуха, ребята из округов сами раскрыли по горячим следам.

Настя хотела попросить Зарубина присмотреться к незнакомцу повнимательней, ведь может оказаться, что он вспомнит его, но не успела: совещание началось.

— Довожу до вашего сведения, что с сегодняшнего дня начальником отдела назначен Большаков Константин Георгиевич, подполковник милиции, кандидат юридических наук...

Ну точно. Большаков. Конечно, Большаков. Красивый мальчик с умненькими глазками, Костя Большаков. Но вот где, где она с ним познакомилась? Откуда его знает? Нет, в этом пункте память упорно бастовала. Значит, он теперь будет ее начальником. Лихо.

— А вы куда, Вячеслав Михайлович? — спросил кто-то с места.

— Меня переводят в министерство, в Департамент уголовного розыска, на должность начальника отдела в Управлении организации розыска.

Ишь ты, переводят его. Нет бы сказать: «Я ухожу», это было бы честнее, ведь ежу понятно, что такой человек, как Афоня, упорно присматривается и принюхивается, куда бы уйти с повышением, независимо от профиля работы. Присмотрел себе освобождающееся местечко да и нажал на все доступные кнопочки, чтобы его занять. Так нет же, переводят его! В министерство! То есть понимать надо так, что его, полковника Афанасьева, заметили «сверху», оценили его недюжинные организаторские способности и перевели туда, где его таланты нужнее.

Еще минут двадцать Афоня изображал из себя строгого, но справедливого руководителя, требовал отчета по текущим делам, хмурил бровки, ставил их домиком, демонстрируя начальственное недоумение, в отдельных местах покровительственно советовал своему преемнику «особо проследить» и «постоянно держать на контроле», потом деловито глянул на часы и с плохо скрываемым облегчением произнес:

— Ну что ж, Константин Георгиевич, оставляю вас, так сказать, на хозяйстве, берите бразды правления в свои руки. А я, с вашего позволения, поеду в министерство.

И вышел из кабинета.

— Слыхала? — шепнул Насте Зарубин. — В министерство он поехал. На часы поглядел и заторопился, Смоктуновский недоделанный. Там без него никак не обойдутся. Прямо извелись все, ожидаючи, когда же, наконец, Афоня наш к ним припожалует завалы разгребать и работу организовывать. Помрешь со смеху.

Новый начальник почему-то продолжал стоять, в Афонино кресло садиться не собирался. Он ничего не говорил, просто молча обводил глазами всех присутствующих, будто пытался рассмотреть и запомнить каждого.

В кабинете висела недоуменная тишина, в первые секунды слегка разбавленная шепотом, который постепенно становился все слабее, пока наконец не прекратился вовсе, и тишина стала плотной и неприятной.

— Не буду сейчас отнимать у вас время, все свободны. Руководителей подразделений прошу собраться в этом кабинете в пятнадцать часов.

Сотрудники отдела ошарашенно закрутили головами и стали подниматься с мест. Так как Настя и Сережа Зарубин сидели в самом дальнем углу, к двери они подошли последними.

— Анастасия Павловна, — внезапно окликнул ее новый начальник.

Настя вздрогнула и обернулась. Он знает, как ее зовут. Значит, помнит, что они знакомы. Ах, как неловко может выйти! Да что ж она никак не вспомнит-то?! Вот напасть, право слово. Она всегда гордилась своей памятью, но память, будто в отместку за безжалостную эксплуатацию, из вредности, иногда подводила ее в самые неподходящие моменты.

— Да?

— Задержитесь, пожалуйста.

Ну вот, знаменитая сцена Мюллера и Штирлица. Как там было? «Штирлиц! А вас я попрошу остаться». Хитрым таким голосом. А потом последовал крайне странный и тяжелый для Максим Максимыча Исаева разговор. Сейчас, наверное, тоже ничего хорошего для Насти не будет. Наверняка Афоня успел напеть своему сменщику о том, что у подполковника Каменской вышел срок возможного пребывания в рядах МВД, поскольку она достигла сорокапятилетнего возраста, что этот самый подполковник наверняка попытается подсунуть новому начальнику рапорт с просьбой о продлении срока службы, так вот он, Вячеслав Михайлович Афанасьев, настоятельно не рекомендует этот рапорт визировать и двигать по инстанциям, потому как от старшего оперуполномоченного Каменской толку никакого, одни проблемы. Ее приглашают на преподавательскую работу — вот пусть туда и идет, если уж так погоны снимать не хочет.

Настя молча развернулась, прикидывая, куда бы

сесть. Устроиться на прежнем месте, в уголке? Невежливо, получится слишком далеко от начальника, демонстративно далеко. Придется сесть за стол.

— Анастасия Павловна, я понимаю, что вряд ли вы меня помните. Но мне все-таки показалось, что вы меня узнали. Я ошибся?

Настя удивленно посмотрела на Большакова.

— Нет, вы не ошиблись. Я вас узнала. Но если честно, я не могу вспомнить, откуда знаю вас.

Он весело рассмеялся, сверкая белоснежными ровными зубами.

— Анастасия Павловна, я бы страшно удивился, если бы вы вспомнили. Я учился в начале девяностых в Высшей школе милиции, а вы несколько раз проводили у нас практические занятия по криминалистической тактике. По теме «Методика и тактика расследования убийств». Не можете же вы помнить всех слушателей, у которых вели практикумы, нас же много, а вы одна.

Все. Теперь она вспомнила окончательно. Костя Большаков, красивый мальчик с умными глазками, приятно удивил ее неординарностью суждений, четкой логикой и широким, каким-то нескованным, незашоренным мышлением. Она тогда рассказала о нем Гордееву, и Колобок пытался добиться, чтобы Костю распределили после окончания Школы на Петровку, к ним в отдел, но ничего не вышло. Костю рекомендовали к поступлению в адъюнктуру, он был круглым отличником, шел на «красный» диплом и собирался заниматься наукой и писать диссертацию. Да вот и Афоня же сказал, что новый шеф — кандидат юридических наук. Интересно, по какой специальности?

Ну вот, дожила. Теперь уже ее ученики будут ею командовать. И будут намекать ей на уход с должности. Как говорится, случилось то, о чем мы так долго мечтали...

— Я вас хорошо помню, Константин Георгиевич, —

произнесла Настя ровным голосом. — Теперь вспомнила. Вы очень оригинально и нестандартно решали задачу, которую я вам предложила. Если не ошибаюсь, это было дело о трупе, обнаруженном в салоне самолета.

— Совершенно верно, — с улыбкой кивнул Большаков. — И вы меня похвалили. Мне бы очень хотелось заслужить вашу похвалу еще раз.

Она с удивлением уставилась на него. Что он такое говорит? Где вы видели начальников, которым важна похвала подчиненных? Да в гробу они их видали, и их мнение о себе тоже.

— Анастасия Павловна, у меня к вам серьезный разговор, если не возражаете.

Настя внутренне сжалась. Удивление быстро прошло, уступив место тоскливому ожиданию. Серьезный разговор. О пенсии, конечно. О чем еще может серьезно говорить новый начальник с подчиненным? Не о работе же, не о текущих делах, о которых он сам пока ничего не знает.

— Я слушаю вас.

— Вячеслав Михайлович проинформировал меня о том, что вам исполнилось сорок пять лет...

Так и есть. День определенно не задался. Если что-то может разбиться, оно обязательно разобьется. То, что разбиться не может, разобьется тоже. Закон физики.

— ...и что вы заканчиваете работу над кандидатской диссертацией и уже получили предложение о переходе на преподавательскую работу. Это так?

— Так, — угрюмо кивнула Настя.

Пусть уже все скорее закончится. Она больше не может выносить этот унизительный страх перед потерей работы, которую она так любит.

— Я могу что-нибудь сделать для того, чтобы вы это предложение не приняли?

— Что?!

— Постараюсь выразиться яснее. Анастасия Павловна, что я должен сделать, чтобы вы остались здесь? Завизировать ваш рапорт о продлении срока службы? Назначить вас на более высокую должность, чтобы вы могли получить звание полковника и спокойно служить дальше? Что? Скажите мне, чего вы хотите, и я это сделаю немедленно.

— Я вас не понимаю, — сказала она противно дрожащим голосом.

— Что же здесь непонятного? — Большаков обезоруживающе улыбнулся. — Я не хочу, чтобы вы уходили. Я не хочу терять опытного сотрудника. Я хочу, чтобы вы продолжали работать со мной. Разве это непонятно?

— Понятно.

— Более того, я бы хотел, чтобы в отделе остались те, кто служит давно, имеет большой опыт и может чему-то научить молодых сотрудников. Я смотрел личные дела всех, кто работает в отделе...

О как. Дела смотрел. Готовился. Предварительно изучал техническое состояние орудий, при помощи которых ему придется вспахивать новую ниву.

— ...и с сожалением вынужден констатировать, что после выхода в отставку полковника Гордеева почти весь личный состав разбежался. Остались только вы и Юрий Викторович Коротков.

Смотри-ка, Юркино имя назвал без ошибки, причем даже в бумажку не посмотрел, наизусть выговорил. Видно, и впрямь готовился. Ах ты, красивый мальчик Костя с умными глазками!

— Совсем недавно снял погоны Михаил Доценко, — невозмутимо продолжал Большаков, по-прежнему не глядя в записи, — и вряд ли удастся чем-то привлечь его, чтобы убедить вернуться. К сожалснию, Вячеслав Михайлович не смог его удержать. Или не захотел?

Он вопросительно посмотрел на Настю и выдержал

паузу, но Настя удержалась и промолчала, хотя имела сказать много чего по этому поводу.

— А вот Игорь Валентинович Лесников все еще служит, правда, уже в департаменте, но я хотел бы приложить максимум усилий, чтобы его вернуть. И я очень рассчитываю на вашу помощь и поддержку. И конечно же, я рассчитываю, что вы не уйдете из отдела.

Это не может быть правдой. Так не бывает. Это все ложь, это какая-то хитрая каверза, немыслимая по степени коварности. Он пытается усыпить Настину бдительность, расслабить ее, чтобы она поверила, распустила сопли и сказала что-то такое, какие-то такие слова, после которых он бы с легким сердцем «отпустил» ее на преподавательскую работу. Или на пенсию. В чем же каверза? Где подвох? Надо быстро собрать мозги в кучку и начать соображать, чтобы не оказаться застигнутой врасплох. Если этот новенький, сверкающий, как только что сошедший с конвейера автомобиль, начальничек хочет от нее, Насти Каменской, избавиться, если он не хочет с ней работать, то и не надо, навязываться она не станет, сама уйдет. Но именно сама. Она сама сделает первый шаг, а не пойдет на поводу у хитромудрого интригана.

А что, если попробовать применить старое, хорошо испытанное оружие? Прямота, ее знаменитая убойная прямота. Прием давно известный, но к нему почему-то никто никогда не бывает готов, все настраиваются на намеки, недомолвки и интриги, а прямота срабатывает на эффекте неожиданности.

— Чего вы добиваетесь, Константин Георгиевич? — спросила Настя.

Он вздохнул и посмотрел на нее почему-то печально.

— Я был к этому готов.

— К чему — к этому?

— К тому, что вы мне не поверите. И тот факт, что вы мне не поверили, лишний раз свидетельствует о том, как далеко зашла кадровая разруха. Вы не только уже не ждете нормального начальника, вы даже не верите в то, что такие в принципе существуют на свете. После ухода полковника Гордеева прошло всего четыре года, и этого хватило, чтобы вы утратили веру. Анастасия Павловна, тот факт, что когда-то я сидел на месте ученика, а вы стояли за кафедрой и были моим преподавателем, отнюдь не означает, что я так и остался несмышленым пацаном. С тех пор прошло пятнадцать лет, и я кое-чему научился и кое-что понял.

Да, он хорошо подготовился, этот мальчик с умненькими глазками, его голыми руками не возьмешь. Он даже знает, как хорошо им работалось при Колобке, он даже поинтересовался тем, как они жили при Афоне. И что теперь? Поверить ему? Или пытаться разгадать его игру? А, была не была! Все равно Насте с ним, видимо, работать не придется.

— В какую игру вы играете, Константин Георгиевич? Чего вы хотите?

— Я хочу, чтобы вы остались. Более того, я хочу вернуть отделу его профессионализм, который за четыре года оказался полностью утраченным. Поэтому у меня к вам будет несколько просьб. Первое: скажите мне, на каких условиях вы готовы остаться, и я их выполню, все до единого. Второе: посоветуйте, что нужно сделать, чтобы, не дай бог, не ушел Коротков. Он — мой заместитель, повышать его в должности уже некуда, так что здесь мои возможности ограниченны. Но вы дружны много лет...

Елки-палки, он и об этом знает. Любопытно, а есть что-нибудь такое, чего он не знает?

— ...и только вы можете подсказать мне, чем я могу его удержать. Третье: я попрошу вас написать мне список тех сотрудников, которых вы считаете наиболее толковыми и перспективными, и я постараюсь предпринять все, что нужно, чтобы они закрепились в отделе. И последнее: я прошу вас представить меня Виктору Алексеевичу.

— Кому-кому? — Настя ошалело помотала головой.

— Виктору Алексеевичу, — спокойно и терпеливо повторил новый начальник. — Гордееву. Я прошу вас познакомить меня с ним. Я знаю, что у вас и Короткова сохранились теплые неформальные отношения с вашим бывшим начальником. Я буду просить его быть моим наставником и советчиком и очень надеюсь, что он мне не откажет. Если, конечно, вы и Юрий Викторович за меня походатайствуете.

Это был удар ниже пояса. Удар, которого Настя вынести уже не могла. Чудес не бывает, это всем известно. И сбываются только плохие сны, а хорошие так и остаются светлым пятном в грустных воспоминаниях, не более. То, что сейчас происходило, было слишком чудесным, чтобы быть правдой, слишком невозможным, слишком неправдоподобным. Слишком сказочным. Как в плохом кино. Здесь явно что-то не то, где-то зарыта дохлая, долго болевшая собака, а она, Настя, уже старая, она утратила чутье, она упустила стремительное развитие новых вариантов служебно-аппаратных игр и теперь не может справиться с ситуацией, просчитать ее и найти то место, где покоится с миром несчастная закопанная псина. Ей действительно пора уходить с практической работы, не место ей здесь, старой и отсталой, утратившей нюх и оперативную хватку.

Она молчала, уставившись в стол, и тупо считала царапины на деревянной поверхности. Большаков тоже взял паузу и молча выжидал. Но не тут-то было! Поняв, что убойная прямота не сработала, Настя решила взять его измором. Она будет молчать и смотреть в стол, а он пусть как хочет. Если он ждет от нее каких-то слов, которые сможет обернуть против нее же, то не дождется. Она не выйдет из этого кабинета обманутой и побежденной. Ни за что.

Пауза затягивалась и становилась неприличной. Большаков смотрел на подполковника Каменскую, подполковник Каменская смотрела на царапины, и ничего не происходило. Наконец в кабинете прозвучало:

— Анастасия Павловна, вы нужны мне. Вы нужны отделу. Пожалуйста, я прошу вас, останьтесь и помогите мне. Без вас и Короткова я просто не справлюсь.

И она сдалась.

— Мне нужно звание полковника и возможность защитить диссертацию, — холодно произнесла Настя.

— Я сегодня же напишу представление о назначении вас старшим оперуполномоченным по особо важным делам. На этой должности потолок подполковник, но можно ходатайствовать о присвоении звания полковника за особые заслуги. И у вас будет столько свободных дней, сколько вам нужно, вплоть до самой защиты. Я эту процедуру проходил, так что знаю, сколько беготни и хлопот она требует.

— Короткову нужна квартира, хотя бы самая маленькая. Он уже двадцать лет стоит в очереди на жилье. У него сын вырос, жениться собрался.

— Я понял. Что насчет Лесникова?

— Если только вашим замом... У вас же два заместителя, но на одной должности Коротков, вторая тоже занята.

— Она будет свободна, если Игорь Валентинович будет готов вернуться.

Вот это размах! Просто-таки раздача слонов. Откуда у него такая уверенность, что он выбьет квартиру для Юрки и освободит должность для Игоря? На ней, между прочим, живой человек сидит, правда, поганенький, бестолковенький, Афонин протеже, но куда ж его девать? Впрочем, это не ее дело, Большаков задал вопрос и получил ответ, а уж что ему с этим ответом делать — пусть у него голова болит.

— А как со списком? Вы готовы его составить?

Она кивнула, и Константин Георгиевич протянул ей листок бумаги и ручку. Много времени Насте не потребовалось, по-настоящему толковых, преданных делу и готовых учиться ребят в отделе было меньше, чем пальцев на одной руке, и первым среди них шел, конечно же, Сережка Зарубин.

Большаков внимательно прочел составленный список и усмехнулся:

— Негусто.

— За этих я могу ручаться, остальных знаю хуже. Наверняка Коротков даст вам более полную информацию.

— Да, конечно, — Большаков рассеянно кивнул. — Я могу рассчитывать, что вы позвоните Лесникову?

— Позвоню.

— А Гордееву?

— Тоже позвоню.

— Тогда все, — он широко улыбнулся. — Спасибо, Анастасия Павловна.

Настя вышла из кабинета начальника и, не заходя к себе, кинулась к Короткову. Юра с озабоченным видом разговаривал по телефону, одной рукой держа трубку, другой роясь в сейфе. Увидев Настю, он кивнул и указал глазами на стул, мол, садись и жди. Но ждать не было мочи, и она принялась бессмысленно суетиться, наливать воду в чайник, доставать чашки и банку с кофе, чтобы хоть чем-то себя занять. Наконец Коротков закончил разговор и швырнул трубку на стол.

— Придурки, — зло проворчал он. — Покоя от них нет. А ты что такая взъерошенная?

— Со мной новый шеф беседу проводил.

— Да ну? И что? Как он?

— Юр, я ничего не поняла, — честно призналась она. — Или он очень хитрый, или нам фантастически повезло. Юра, я ему сказала, что тебе нужна квартира, и он обещал сделать все, что можно. Ты представляешь?

— Чего-о-о?! — взревел Коротков. — Чего он тебе пообещал?!

— Что слышал, то и пообещал. Он спросил, что нужно сделать, чтобы ты не ушел из отдела, и я сказала, что ты двадцать лет стоял в очереди на квартиру и так и не дождался, а теперь у тебя сын вырос, и если он хочет, чтобы ты почувствовал, что все было не зря и тебя здесь ценят и тобой дорожат, то тебе нужно эту квартиру дать. Что тут непонятного?

— Та-ак, — протянул он. — А тебе он что пообещал, этот добрый волшебник? Какую золотую горку?

— Должность важняка, звание на одно выше «потолка» и свободные дни для беготни с диссертацией.

— А зачем?

— Не знаю, — она пожала плечами. — Якобы он хочет сохранить и приумножить наш упавший потенциал и вернуть нам былую славу, как было при Колобке. Ты в это веришь?

— Я? Нет.

— И я не верю. Но я не могу придумать, зачем ему все это нужно. Ты, Юра, еще не все знаешь.

— Господи! — он в ужасе схватился за голову. — Что еще?

— Он спрашивал, что нужно сделать, чтобы Игоря Лесникова вернуть.

— Ни фига себе...

— Вот именно.

— И что ты ответила?

— Что нужно освободить должность второго зама. На меньшее Игорек не согласится, у него и в министерстве должность хорошая. Но и это еще не все.

— Ладно, добивай, чего уж там.

— Он просил познакомить его с Колобком, якобы он хочет, чтобы Колобок стал его наставником и советчиком в нелегком деле руководства нами. Ну, каково?

— Врешь? — недоверчиво переспросил Юра.

— Да как бог свят! Просил, чтобы мы с тобой за него перед Колобком походатайствовали. Юра, он ведет какую-то мощную игру, в которой я не могу разобраться. Тут в чем-то большая подстава, но я никак не пойму, в чем именно.

Коротков задумчиво посозерцал потолок и глубокомысленно произнес:

— Да, мать, кажется, мы с тобой попали. Причем покрупному. Может, нам пора валить отсюда, пока нам головы не снесли, а?

— Решай сам. Как ты скажешь, так и сделаем.

— Или побарахтаемся еще чуток? — задумчиво продолжал Юра. — Поиграем с ним в его игру.

— Так мы же правил не знаем, — возразила Настя. — Как играть, когда правила неизвестны?

— Ну уж как-нибудь. Мы с тобой старые сыскные собаки или кто? Мы и без правил сыграем с этим щенком. Зелен он еще на нас с тобой пасть разевать.

— Он очень умный, Юрка. Он еще пятнадцать лет назад был умнее всех своих сокурсников, вместе взятых. Я его вспомнила, я в его группе занятия вела.

— Умный, говоришь? — хмыкнул Коротков. — Ну и ладно. Умному и проиграть не стыдно. Ты чего сидишь-то без дела? Ты давай кофе наливай, чайник уж вскипел давно.

Настя едва успела разлить кипяток по чашкам, как треньк нул внутренний телефон.

— Иду, Константин Георгиевич, — коротко ответил Юра в трубку.

Попили кофейку, называется...

* * *

Евгений Леонардович Ионов всегда боялся старости. Вот сколько себя помнил, столько и боялся. В его роду было много долгожителей, одна из прабабушек умерла, когда ему было пятнадцать, вторую он хоронил в двадцать два года. Прадедушки жили чуть поменьше, но все равно он застал в живых обоих и хорошо их помнил. Помнил их старческую беспомощность, слабость, зависимость от детей и внуков, которые должны были ухаживать за ними, терпеть их забывчивость, неопрятность и сенильное слабоумие, в простонародье именуемое старческим маразмом. Помнил, как шушукались взрослые, обреченно вздыхали и ссорились между собой, выясняя, кому ехать в отпуск, а кому оставаться ухаживать за стариками. Он много всякого помнил, и из этих воспоминаний выросло твердое убеждение, что он ни за что на свете не хотел бы оказаться в таком положении, когда уход за ним, даже просто присутствие рядом с ним станет его родным в тягость и они, пусть и не признаваясь в этом, станут с нетерпением ждать, когда же он их наконец освободит от всех этих мучительных и обременительных забот.

Он понял, что помочь могут только деньги. Он не будет заставлять детей и внуков ухаживать за собой, он будет жить один, обязательно один, наймет сиделку, домработницу, кого там еще надо, и в его доме всегда будет чисто, будет пахнуть хорошим свежесваренным кофе и пышными сладкими булочками, и сам он, чисто выбритый, с вымытыми волосами, в брюках, наглаженной сорочке и домашней шелковой куртке, интеллектуально сохранный, мудрый и понимающий, осведомленный обо всех новинках кино и литературы, хорошо разбирающийся в текущей политике, станет тем «папой-дедушкой-прадедушкой», в гости к которому приходят не по принуждению, а с радостью, с удовольствием и, что немаловажно, даже чуть чаще, чем ему хотелось бы.

Вот такой намечтал себе Евгений Леонардович собственную старость и загодя начал закладывать материальный фундамент для осуществления своей мечты. Это не означает, что он превратился в скопидома, засовывающего в чулок каждую копейку, остававшуюся после приобретения самого минимально необходимого. Отнюдь. Лет с сорока он принялся тщательнейшим образом заботиться о своем здоровье, ежегодно проходил диспансерное обследование, чтобы, не дай бог, не упустить какую нито зарождающуюся хворобу, постоянно занимался спортом, плавал, ходил на лыжах, играл в теннис, ежедневно пробегал по утрам пять километров, принимал контрастный душ, раз в неделю непременно парился в бане, строго следуя методическим рекомендациям, чтобы пошло исключительно на пользу здоровью, а никак не во вред. Из спиртного употреблял только красное вино, причем очень хорошее, дорогое, и не более одного стакана в день. Соблюдал режим питания — «поменьше жирного и сладкого, побольше овощей и фруктов», рано ложился спать — «самый полезный для здоровья сон — это часы до полуночи» — и рано вставал, а уж если чем-то заболевал, то лечиться предпочитал народными средствами, «чтобы не засорять организм лишней химией». Понятно, что на такую жизнь тоже требовались деньги, да хоть питание взять: чтобы при советской торговле обеспечить на своем столе разнообразие овощей и фруктов, не гнилых и не мороженых, нужно было постоянно покупать продукты на рынке, а это выходило раз в пять, а то и в десять дороже, чем в магазине. А горнолыжное оборудование? А фирменные теннисные ракетки? А бесконечные взятки медицинским работникам, от которых зависела возможность пройти обследование не в районной поликлинике, а там, где есть новейшая диагностическая аппаратура? Короче, все стоило денег, а уж когда советская власть скончалась и началась власть непонятно какая, но новая, денег на поддержание здоровья стало требоваться еще больше, только теперь на смену слову «взятка» пришли «коммерческие цены». Можно лечиться в самых лучших клиниках, можно проходить обследование на компьютерном томографе, можно покупать лекарства за рубежом, чтобы не нарваться на подделку, можно ежедневно потреблять такие продукты, о которых в прежние времена и не слыхивали. Все можно, только плати.

И Евгений Леонардович платил, не скупясь. Нет ничего дороже здоровья, и никаких денег на это не жалко.

Однако же, чтобы не жалеть денег, надо по крайней мере их иметь, это уж как минимум. И начиная с тридцати лет, с того самого дня, когда он принял судьбоносное решение касательно собственной старости, Ионов зарабатывал деньги, зарабатывал исступленно, самозабвенно, не гнушаясь никакими приработками, в рамках дозволенного, разумеется. Он подчинил этому свою карьеру.

И вот сегодня, в день своего восьмидесятилетия, он впервые понял, что попал в капкан. Все получилось так, как он и задумывал: у него прекрасная квартира, в которой Евгений Леонардович живет один (жена умерла почти десять лет назад), у него машина и нанятый водитель, в любой момент готовый отвезти-привезти, к нему ежедневно приходит домработница, убирает, покупает продукты, готовит, стирает и гладит. Он прекрасно выглядит для своего возраста, одет с иголочки, благоухает дорогой туалетной водой. У него есть личный врач, каждую неделю осматривающий Ионова, снимающий кардиограмму и присылающий к нему на дом разных специалистов (по мере надобности, УЗИ, к примеру, сделать, рентген или взять анализ крови). Есть и массажист, который приходит каждый день, кроме воскресенья. Чувствует себя Евгений Леонардович превосходно, и хотя пять километров уже по утрам не пробегает, но проходит их быстрым энергичным шагом. Дважды в неделю плавает в хорошем бассейне в дорогом спортивном клубе. Дети и внуки не знают с ним никаких забот, он даже не просит их помочь, когда с компьютером что-то не ладится, вызывает спецов из фирмы.

Все получилось так, как задумывалось. И все-таки не получилось. Это Ионов сегодня отчетливо почувствовал.

Встал, как обычно, в пять утра, съел сваренную на воде овсянку, выпил кофе и отправился на прогулку по пустым темным улицам, с удовольствием вдыхая пока еще не переполненный выхлопными газами воздух. Вернувшись, принял контрастный душ, вымыл голову, съел яйцо всмятку с ломтиком сыра, выпил еще одну чашку кофе, посмотрел новости по телевизору и ровно в половине девятого вышел из дома. Машина уже ждала его возле подъезда.

— С днем рождения, Евгений Леонардович, — весело поприветствовал его водитель, жизнерадостный и неунывающий мужчина средних лет по имени Валера, к которому Ионов обращался не иначе как по имени-отчеству.

— Спасибо, Валерий Иванович.

— Куда едем с утра пораньше?

— В Фонд.

Фонд, куда направился Евгений Леонардович, имел длинное и трудназапоминающееся название, в котором, помимо собственно слова «фонд», имелись еще слова «социальные», «прогнозирование», «исследования» и «последствия», но все сотрудники, в том числе и Ионов, давно уже называли его просто Фондом и никак иначе. Тем более что название примерно раз в два года менялось, становясь все более длинным, сложным и расплывчатым, хотя суть оставалась прежней. Располагался Фонд на двенадцатом этаже многоэтажного, недавно построенного офисного центра. Миновав просторный холл на первом этаже, Ионов вставил электронную карту-ключ, прошел через турникет к лифтам и через несколько минут шагал по длинному коридору, привычно читая надписи на табличках. Вот здесь сидят социологи, здесь — математики, здесь — политологи, за этой дверью отдел, где работают аналитики. А вот и его последнее детище, «Отдел комплексных монографических исследований».

Ионову стоило немалого труда убедить руководство Фонда в необходимости таких исследований, и теперь он с особым трепетом следил за работой отдела. Следил... Вот в этот момент впервые и кольнуло. Он только следил за работой, а не руководил ею. Стар? Возраст не тот для руководства? Да бросьте, вон сколько восьмидесятилетних профессоров руководят кафедрами и отделами в академиях и институтах. Впал в немилость? Тоже нет. Его уважают, с ним советуются, его постоянно приглашают консультировать, ни один итоговый документ не выходит из стен Фонда без правок и окончательного одобрения Евгения Леонардовича. Специально для него в свое время, лет эдак пятнадцать назад, в штатное расписание Фонда была введена должность «главного специалиста», это уже потом таких «главных» стало несколько, а в то время он был единственным. Так в чем же дело?

Он сам виноват. Он слишком усердствовал в погоне за деньгами, и когда вставал вопрос, взять ли на себя научное руководство новой темой или выполнить работу по гранту или коммерческий заказ, предпочитал второе. Работа по гранту или коммерческому заказу предполагала либо индивидуальную работу, либо создание временного научного коллектива, который распадался, как только законченное исследование сдавалось заказчику. Если бы он наплевал на деньги, если бы руководил темами, разрабатывающимися постоянными штатными сотрудниками Фонда, его связь с этими сотрудниками оставалась бы крепкой и непрерывной. Евгений Леонардович помнил, как когда-то, много лет назад, они горели новыми идеями, обсуждали их до голодного обморока, забывая про еду и отдых, сидели на работе, не глядя на часы, а порой и оставаясь ночевать в кабинетах, потому что машин еще ни у кого не было, метро уже закрылось, а поймать такси ночью в Москве в конце семидесятых было весьма проблематичным, да и дорого по их-то тогдашней зарплате. Они собирались по выходным у кого-нибудь дома или приезжали на работу, в Академию МВД, чтобы продолжить обсуждения, расчеты, одним словом, мозговой штурм. Каждая новая мысль казалась гениальной, каждая новая формула грозила перерасти в научное супероткрытие... И конечно же, они все дружили, несмотря на разницу в возрасте. Евгению Леонардовичу, самому старшему, к тому времени доктору наук и профессору, было за пятьдесят, самому молодому, Диме Шепелю, — двадцать семь, он только-только закончил аспирантуру и защитил диссертацию в Инженерно-физическом институте. Боже мой, какое было время! И Ионову казалось, что так будет всегда. Он состарится, но не уйдет на покой, будет заниматься наукой, и вокруг него всегда будут ученики, сотрудники, коллеги, и его квартира будет постоянно открыта для них, и они будут приезжать, советоваться, консультироваться, обсуждать результаты исследований, как и прежде, а он, Евгений Леонардович, будет, как и прежде, окружен талантливыми молодыми учеными, учениками и последователями, он останется в самой гуще событий.

А вот не получилось. Что-то пошло не так. И с каждым днем Ионов все отчетливее ощущал пропасть, лежащую между ним и остальными сотрудниками Фонда. Может быть, действительно дело в старости? Мозг уже не так гибок, не так быстро обрабатывает информацию, не поспевает за новыми разработками и открытиями, и он постепенно становится пусть уважаемой (по привычке), главной (по статусу), но все-таки номинальной фигурой. Ах, как хотел бы он вернуть тот день два года назад, когда руководством Фонда был подписан приказ о создании отдела комплексных монографических исследований и замначальника Фонда по научной работе спросил, не хочет ли профессор Ионов возглавить отдел. Сегодня Евгений Леонардович без промедления ответил бы согласием, а тогда он, дурак старый, отказался, потому что буквально за неделю до этого ему предложили руководство проектом по созданию программы борьбы с преступностью для одного из федеральных округов России. За очень хорошие деньги. Проект был рассчитан на полтора года: полгода на разработку самой программы и еще год — авторское сопровождение. Ионов предпочел программу, и руководителем отдела был назначен другой человек. Кстати, бывший ученик самого Ионова.

Евгений Леонардович замедлил шаг перед дверью, за которой находились помещения отдела, посмотрел на часы. Две минуты десятого. В коридорах еще пусто, ни один человек не попался ему навстречу, рабочий день в Фонде официально начинался в десять. Ионов любил приезжать рано, потому что точно знал: в двух-трех отделах наверняка уже сидят научные трудоголики, которым не терпится возобновить прерванную накануне работу. Эти искрящиеся идеями ребята напоминали ему о прошлом, и он с удовольствием включался в обсуждение очередной суперидеи. Но в последние полгода, после окончания заказной работы над программой, он по утрам заходил только в «свой» отдел. «Свой» — потому что он придумал его, разработал концепцию, отстоял перед руководством и считал для себя обязательным постоянно подтверждать нужность и полезность этого подразделения.

Дверь оказалась незапертой, значит, кто-то уже работает. Ионов остановился в квадратном холле с большим, стоящим у окна столом секретаря и обвел глазами четыре двери, прислушиваясь. Уловив, откуда доносятся приглушенные голоса, он мысленно порадовался своему не утратившему остроты слуху и решительно вошел в кабинет. Он не ошибся, именно здесь уже шло бурное обсуждение. Увидев профессора, все замолчали, причем Евгению Леонардовичу показалось, что все трое сотрудников как-то растерялись, словно говорили о чем-то таком, что не предназначалось для его ушей.

— Ой, здрасте, — сдавленно пискнула Верочка, специалист по психологическим аспектам подбора и расстановки кадров, и бросила вороватый взгляд на стоящий в углу кабинета сейф.

Что у них там? Какие-то материалы, которые не хотят показывать Ионову? Почему? Что за секреты?

И тут Ионов ощутил еще один болезненный укол. Они отрываются от него, отрываются его ученики и последователи, им больше не нужно его заскорузлое мышление, его заплесневелые взгляды и устаревшие методы. Вот если бы он руководил сейчас отделом, разве такое произошло бы?

Сергей Александрович, немолодой подтянутый бородач с типичной внешностью любителя самодеятельной песни, пришел в себя быстрее.

— С днем рождения, Евгений Леонардович!

Не забыли. Что ж, приятно. А Сережа молодец, опытный оперативник, никогда не теряется и моментально находит способ выкрутиться из любой ситуации.

— Спасибо, Сережа, — сдержанно поблагодарил Ионов.

— С днем рождения! — хором повторили следом за Сергеем Верочка и опомнившийся наконец третий участник дискуссии, Геннадий, бывший следователь.

— И что у вас там в сейфе? — скептически осведомился Ионов.

Верочка залилась румянцем, остальные расхохотались.

— Ничего-то от вас не спрячешь, профессор, — ответил Сергей Александрович. — Там подарок для вас. Но мы думали, вы придете попозже, и мы всем отделом во главе с начальником явимся вас поздравлять.

— Ну так поздравьте сейчас, — предложил Ионов. —

Как говорится, с утра выпил — весь день свободен. В чем проблема?

Он все еще не верил, что в сейфе именно подарок, убежден был, что от него пытаются что-то скрыть, а подарок — просто отговорка. В нем внезапно проснулось нехорошее, злое стремление уличить ребят во лжи, чтобы не думали, что он уж совсем старый, глупый и никчемный и его ничего не стоит обвести вокруг пальца.

— Ну как же, Евгений Леонардович, а цветы? — возмутилась Вера. — Толик должен цветы принести, мы же рассчитывали попозже... А Толика еще нет.

— А ничего, вы пока без цветов, — великодушно разрешил Ионов. — Дарите подарок, а потом всем коллективом придете с цветами. Давайте-давайте, не томите.

Он злорадно следил за вконец растерявшейся Верочкой, медленно двигавшейся к сейфу. Интересно, что будет дальше? Нет там никакого подарка. И что они станут делать теперь?

Но Ионов ошибся. В сейфе оказался именно подарок. Настроение заметно улучшилось, Евгений Леонардович тепло поблагодарил сотрудников и пошел в свой кабинет, самый просторный из пяти кабинетов, скрывающихся за дверью с табличкой «Главные специалисты».

Для научной работы день был полностью потерян, с половины одиннадцатого потянулись поздравляющие, кто в одиночку, кто группами и целыми отделами, а в три часа устроили официальное чествование в конференц-зале с речами и фуршетом. Ионов сиял: помнят, ценят, уважают.

— Евгений Леонардович, есть пара вопросов, — раздался рядом голос Дмитрия Шепеля. — Или вас сегодня не трогать?

Шепель давно уже не тот худенький чернявый мальчик, физик-математик, почти тридцать лет прошло, поседел, растолстел. Когда создавался Фонд, Ионову предложили взять с собой из академии всех, кого он сочтет нужным, и имя Димы Шепеля было первым, которое назвал Евгений Леонардович. Именно Дима со своими динамическими моделями дал тогда, в семьдесят шестом году, новый толчок научному направлению, начало которому положил за десять лет до этого сам Ионов, написав монографию «Использование математических методов в изучении преступности». До Шепеля математика, которой пользовались криминологи, была статичной, она описывала то, что было и есть, и позволяла строить прогнозы развития преступности исходя только из динамики самой преступности, Димины же модели давали возможность рассчитывать то, что будет с преступностью в зависимости от того, как будут вести себя различные факторы, оказывающие на нее влияние. Сегодня Шепель руководит отделом математического моделирования и является правой рукой начальства. И снова Ионов почувствовал укол. Димка, его ученик, — правая рука, он сам — всего лишь главный специалист.

— А в чем дело? Какие-то проблемы?

— Нет, никаких проблем, текущие вопросы. Мы получили очередной обзор по диссертациям, и есть предложение по кадрам. Хотелось бы обсудить.

— Хорошо, — кивнул Ионов, отставляя бокал с шампанским. — Прямо сейчас?

— Через полчасика, ладно?

— Приду.

— Да ну что вы, Евгений Леонардович, мы сами к вам зайдем.

Уважают.

Ровно через полчаса в кабинете Ионова собрались Дмитрий Шепель и еще двое: начальник отдела научной информации и Кувалдин, начальник отдела комплексных монографических исследований.

— У нас на ноябрь назначена организация полевых экспериментов в десяти точках, — начал Шепель.

Ионов недовольно поморщился. Он прекрасно это знает, зачем напоминать? Полевые эксперименты — тоже его идея, его собственная, и за их ходом он намерен следить тщательнейшим образом.

— Я помню, — сухо произнес он.

— Я только хотел сказать, что во всех точках работа начата, — уточнил Шепель. — Мы идем строго по графику.

— Замечательно, — отозвался Ионов. — И в чем состоит вопрос, который нужно решать?

Начальник отдела научной информации откашлялся, достал из папки несколько скрепленных между собой листков и протянул профессору.

— Это обзор диссертационных исследований по проблемам борьбы с преступностью, выполненных в текущем году. Посмотрите, пожалуйста.

Ионов быстро пробежал глазами названия диссертаций. Да, мельчает наука, мельчает. Серость, скука, нигде ни проблеска оригинальной мысли, новаторского подхода. А вот это что? Очень интересно, очень... Кто автор? Он вернулся глазами к началу абзаца. Каменская А.П.

— Вот, Евгений Леонардович, — радостно заговорил Шепель, — вижу, вы тоже на этом месте зацепились. Каменская, да?

Ионов кивнул, еще раз вчитываясь в краткое изложение диссертации.

— Мы все обратили внимание. Все, кто читал обзор, выделили только Каменскую. Она мне кажется очень перспективной. Я хочу поставить вопрос перед руководством о приглашении ее на работу в Фонд.

— Разве у нас есть вакансии? Мне казалось, мы полностью укомплектованы.

— С Нового года нам увеличивают финансирование, и уже принято решение о введении одной дополнительной должности у математиков и еще одной — в отделе у Кувалдина, в комплексных исследованиях.

— Так в чем проблема? — поднял голову Ионов. — Приглашайте.

— Проблема в том, Евгений Леонардович, — медленно произнес Кувалдин, — что подполковник Каменская в настоящее время работает в зоне эксперимента. И ее никак нельзя оттуда изымать. Чистота эксперимента будет нарушена.

— Досадно, — вздохнул Ионов. — А ничего придумать нельзя? Может, как-то совместить одно с другим?

— Да как же совмещать? — возразил Кувалдин. — Никак не получится. И потом, мы ее не изучали совсем. Может, она нам не подходит.

Это и был тот самый спорный вопрос, с которым пришли к Евгению Леонардовичу. Высказывали аргументы за и против, спорили о том, какие моменты являются принципиальными, а какими можно пренебречь, и в результате почти ни до чего не договорились. Ясно было одно: подполковник Каменская со своими взглядами и подходами оказалась бы в научных подразделениях Фонда очень даже на месте, но совершенно непонятно, насколько она надежна, это во-первых, и можно ли ее забирать из зоны, в которой проводится плановый эксперимент, во-вторых.

— Пусть пока начнут собирать материалы о Каменской, — решительно заявил Шепель, — а там видно будет, когда эксперимент закончится.

— В зонах эксперимента комплексные исследования уже начались? — спросил Ионов.

— Да, во всех, кроме Москвы.

— Вы что, какого-то особого случая ждете? — Ионов

вперил недовольный взгляд в Кувалдина, начальника «его» отдела.

— Нет, но эксперимент только-только начался. Вы же понимаете, Петровка — это не земля, к ним не все подряд преступления попадают. Сегодня они в работу не взяли ничего нового. Как только у них появится новое дело, так сразу и приступим.

— Только первое же дело, — строго напомнил Ионов. — Первое же, какое будет. Не вздумайте выжидать и выискивать что поинтересней.

Оставшись один, Евгений Леонардович прочел несколько документов, внес правки, отдал секретарю и отправился домой. Сегодня ему восемьдесят. Никаких банкетов и пышных празднований, скромное семейное торжество, все-таки будний день, всем завтра на работу.

И только поздно вечером, проводив гостей, Ионов стал разбирать подарки, наткнулся на тот, что подарили сотрудники «его» отдела, и вспомнил, что они ведь так и не сказали ему тогда, утром, о чем так горячо спорили, собравшись на работе так рано. Не сказали. И нет там никаких тайн, какие тайны могут быть в научной работе, пусть и столь специфической и неизвестной широкому кругу. Просто легла пропасть, огромная, глубокая и непреодолимая пропасть между ним, профессором Ионовым, и молодым поколением. Он не сумел удержать их возле себя, вернее, не сообразил вовремя, увлекшись зарабатыванием денег, что нужно сделать, чтобы не остаться в одиночестве. Нельзя всю жизнь зарабатывать деньги и в старости оказаться окруженным молодежью, не бывает так. Не получается. Деньги имеют много разных свойств, как явных, так и скрытых, коварных, проявляющихся далеко не сразу. Деньги могут наносить удар в спину как раз тогда, когда ждешь этого меньше всего. Они разрушают отношения между близкими людьми, они разрывают дружбу и в конечном итоге приводят к одиночеству. И чем больше денег, тем пронзительнее оказывается одиночество в старости. Странный закон...

* * *

Понедельники Милена не любила больше всего. Ну надо же так составить расписание, чтобы в один день были подряд три лекции — одна другой скучней! Она была добросовестной девушкой и прогуливать не хотела, но слушать бесконечную нудятину о доисторических временах никаких сил не было. Иногда она брала себя в руки и писала конспекты, но чаще прятала на коленях книгу и читала или, как и большинство ее сокурсников, писала SMS-сообщения, получала ответы и составляла новые. Или играла в какую-нибудь встроенную в мобильник игру.

Слава богу, уже третья пара, еще полчаса мучений — и все. Милена перевернула страницу книги, которую читала, и почувствовала, как беззвучно дрогнул лежащий в кармане пиджака телефон. Кто-то прислал сообщение. Она вытащила телефон и посмотрела на дисплей: «Мила, срочно позвони, очень срочно!!! О.». О. — значит Олег. Что там у него стряслось? Полчаса осталось, но ведь он пишет «очень срочно», да еще с тремя восклицательными знаками.

Она принялась быстро нажимать кнопки: «Я на лекции. Полчаса терпишь?» Через две минуты пришел ответ: «Нет! Это очень срочно!» Милена быстро сунула книгу в сумку и выскользнула из аудитории, провожаемая неодобрительным взглядом лектора. Ну и что такого? Может, у нее живот схватило, мало ли что бывает. Все люди, все человеки.

Оказавшись в коридоре, она набрала номер Олега.

— Мила, у тебя ключи от моей квартиры с собой? — быстро и озабоченно заговорил он.

— Да, конечно, как всегда. А в чем дело-то?

— Ты можешь сейчас поехать ко мне?

— В принципе могу... А ты разве не на работе?

— В том-то и дело, что на работе. То есть... я в бегах, мотаюсь по городу, у меня полный завал, я никак не успеваю. А мне только что позвонил сосед снизу, сказал, что я их заливаю. Я два часа назад заметил, что рядом с унитазом подтекает, но очень торопился, времени не было разбираться. Видно, подводку все-таки сорвало, и вода хлещет на пол.

— Черт! — вырвалось у нее. — Сильно его залило?

— Говорит, потоп, с потолка течет. Милка, поезжай, перекрой стояк, если не разберешься, где он, спустись в квартиру на этаж ниже, пусть этот сосед сам тебе поможет. Если надо, вызови аварийку. Справишься?

— Ну конечно, Олеженька, я все сделаю, не беспокойся. Тебя ждать?

— Я же уезжаю... Ах да, я не успел тебе сказать, я сегодня срочно уезжаю в командировку на три-четыре дня, не больше, у меня поезд через два часа, а мне еще все документы надо оформлять, мне домой никак не вырваться. Мила, выручай, а?

— Да не беспокойся ты, — она улыбнулась, — я все сделаю. Прямо сейчас поеду. Поезжай спокойно в командировку, все будет в порядке, с соседом твоим я разберусь.

Она ни капли не беспокоилась. Ну и что, что она в глаза этого соседа с нижнего этажа не видела? Милена ни секунды не сомневалась, что он не станет на нее орать, более того, не станет даже настаивать на том, чтобы Олег немедленно оплатил ремонт залитой квартиры. На свете есть только один мужчина, способный на нее орать, это ее бывший муж, но именно поэтому он и стал бывшим. Больше такие фокусы как-то ни у кого не получались, и не потому, что Милена умеет что-то особенное, нет, просто такая у нее внешность, такие глаза, такая улыбка, что невозможно ни отказать ей в чем-то, ни сердиться на нее. Сейчас она сядет в свою машину, новенький «Ситроен», поедет к Олегу и все устроит наилучшим образом. Может быть, ей даже удастся быстро найти рабочих, устранить неисправность в квартире Олега и организовать и оплатить ремонт у соседа, так что к возвращению Олежки из командировки все будет в полном порядке.

* * *

Чигрик ничего не понимал. Он понимал только, что ничего не понимает. Как-то все идет наперекосяк...

Он успел с утра раскумариться и теперь пребывал в состоянии одновременно эйфории и легкого раздражения. Эйфория заставляла его быть уверенным в собственных способностях, в том, что весь мир принадлежит ему и будет вертеться вокруг него так, как Чигрику хочется, раздражение же возникло оттого, что он никак не мог сосредоточиться и начать четко соображать.

Сегодня он был во всеоружии, при фотоаппарате, видеокамере, нескольких бутылках пива и даже с бутербродами, предусмотрительно захваченными из дому. В субботу от пива с чипсами у него разболелся желудок, и он хвалил себя за то, что позаботился о еде в преддверии длинного «рабочего» дня. Он вовсе не был уверен, что именно сегодня ему будет что снимать, но предварительные наблюдения говорили о том, что если не сегодня — так завтра, в крайнем случае — послезавтра, потому что «всякое такое интересное» происходило в квартире на девятом этаже панельного дома не реже одного раза в три дня. А бывало и чаще.

Чигрик занял свой пост в десять утра, угнездился удобно, даже несколько раз впадал в дрему, но при звуке движущегося лифта моментально просыпался и напружинивал ноги, готовый в любую секунду соскочить с подоконника и спрятаться за поворотом лестницы, ведущей на чердак.

Около полудня или чуть позже начало происходить непонятное. В интересную для Чигрика квартиру пришли два мужика, минут через двадцать вышли с дорожной сумкой. Потом, где-то через час-полтора, один из них вернулся. Потом пришла баба, та самая, которая, собственно, и нужна была Чигрику. Чигрик все старательно фиксировал при помощи имеющейся техники. После прихода женщины он решил, что можно расслабиться на какое-то время, попить пивка и закусить бутербродами, ведь то, ради чего женщина приходит в эту квартиру, за пять минут не делается. В запасе у него как минимум час, ну, минут сорок — точно. Открыв бутылку, он сделал несколько глотков, предвкушая, как сейчас развернет пакет с бутербродами и вонзит зубы в мягкий белый хлеб с маслом и свежей колбасой, но дверь «интересной» квартиры вдруг начала открываться. Чего это они так быстро? Поссорились, что ли?

Дальше стало происходить совсем уж такое, с чем ослабленные наркотиками мозги Чигрика справиться не смогли. Из квартиры вышел мужик, аккуратно запер за собой дверь, постоял несколько секунд на лестничной площадке, словно прислушиваясь или даже принюхиваясь, внезапно резко поднял голову и направился вверх по ступенькам прямо к Чигрику.

* * *

Павел Седов открыл дверь квартиры и сразу понял, что Милены дома нет. Свет всюду выключен, и ставших уже привычными запахов вкусной еды, всегда встречающих его прямо у порога, не чувствовалось. Наверное, Милка поехала навестить родителей и задержалась у них, небось опять ее брат-алкаш какой-нибудь фортель выкинул. Брат этот придурочный — постоянная головная боль, то у него запой, то он лечится, то унес из дома что-нибудь ценное, продал и пропил. На лечение и на восстановление пропитого все время нужны деньги. Бедная Мила, сколько же сил у нее отнимают семейные дела! А она ничего, терпит, не жалуется, только горестно вздыхает.

Он разделся в прихожей и сразу прошел на кухню. Очень хотелось есть, и Павел был уверен, что перед поездкой к родителям в Подмосковье Мила что-нибудь приготовила ему на ужин. Однако на плите было пусто, ни сковородки, ни кастрюли с супом. Ничего. Он заглянул в холодильник — там лежали только продукты, купленные в магазине, ничего приготовленного, что можно было бы разогреть.

Павел недовольно поморщился и достал мобильник. Где ее носит?

В трубке раздавались длинные гудки, Милена не отвечала. Тогда он позвонил ее родителям.

— А она сегодня не приезжала, — удивленно ответила мать Милы. — И не собиралась. Она же на прошлой неделе у нас была.

Павел устало опустился на диван и попытался сосредоточиться. Может быть, они с Милой о чем-то договаривались на сегодняшний вечер, а он забыл? Может, она предупреждала его, что у подруги, например, день рождения и она придет поздно? Или еще что? Ничего не вспоминалось. У него не было привычки звонить своей подруге с работы просто так, чтобы узнать, как дела, вот он и не звонил, если не случалось чего-то из ряда вон выходящего. О чем же они говорили утром? Она собиралась в университет к первой паре, к девяти часам, они вместе вышли из дома, Павел сел в свой джип, Милена — в «Ситроен»... Вроде ничего такого, касающегося вечера, сказано не было. В парикмахерской, что ли, сидит? Впрочем, какая парикмахерская, время-то уже к одиннадцати. Он еще раз набрал ее номер, но, кроме длинных гудков, ничего не услышал. Значит, у подружки сидит, заболталась, телефон небось в сумке оставила, а сумку — в прихожей, вот и не слышит звонка. Что ж, бывает. Наверняка ведь предупреждала его, она вообще-то девка обязательная и внимательная к мелочам, а он, как обычно, мимо ушей пропустил. Павел усмехнулся про себя, подумав, что не имеет привычки внимательно прислушиваться к тому, о чем они с Миленой говорят по утрам. По утрам он злой, невыспавшийся и вообще относится к той породе людей, которые в нормальное расположение духа приходят только ближе к вечеру, а в первой половине дня к ним лучше не подходить.

Он снова полез в холодильник, нашел что-то пригодное для еды, положил в тарелку, уселся на диване перед телевизором и включил спортивный канал. На секунду прикрыл глаза и мгновенно провалился в тяжелую мутную дрему.

Когда очнулся и посмотрел на часы, было уже половина первого. Странно, что Мила его не разбудила, когда вернулась. Она терпеть не может, когда Павел спит, не раздевшись, всегда будит его и укладывает в постель. Он потянулся, зевнул, выключил телевизор и, стараясь не шуметь, побрел в спальню. В прихожей бросил взгляд на вешалку и не увидел ничего, кроме своей куртки. Мила, аккуратистка, всегда вешает свои вещи в стенной шкаф-купе, а ему лень. И обувь свою она туда прячет, а ботинки Павла вечно посреди прихожей валяются. Милка ругается...

Он собрался уже пройти в ванную, чтобы принять душ и быстренько юркнуть в постель, постаравшись не разбудить Милену, когда сообразил, что не видит ее сумки. Она же всегда вот здесь стоит, вот на этой низенькой тумбочке с всевозможными принадлежностями для чистки обуви. А ее нет... На Милу не похоже, у нее все вещи по своим местам разложены, она порядок любит.

Павел рванул дверь спальни. Там никого не было. Вот черт! Мила до сих пор не пришла. И даже не позвонила, чтобы предупредить. Совсем не в ее стиле.

А если... Да нет, чушь, не может этого быть! Ну какой любовник? Откуда ему взяться? Никогда он за Миленой не замечал ничего такого. Она очень красивая, спору нет, и мужикам нравится, они всегда вокруг нее вьются, познакомиться норовят, но это же нормально, она сама-то никаких авансов никому не выдавала, глазки не строила. Или он чего-то не заметил? Нет, не может быть. Это в принципе не в ее характере, уж за столько-то лет он Милу изучил, знает ее как облупленную.

С ней что-то случилось.

Он снова набрал номер ее мобильника, но на этот раз механический голос сообщил, что аппарат абонента выключен или находится вне зоны действия сети. Дьявольщина! Как это «вне зоны»? Два часа назад были длинные гудки, значит, Мила была «в зоне», а теперь уже вне зоны? Куда она поехала? За город, что ли? Так теперь ретрансляторы куда хочешь достанут, их по всей стране понатыкано, разве что в тайге приема нет, так за два часа до тайги не доедешь ни на поезде, ни на машине. Ее похитили и увезли, это же ясно!

«Нет, ты определенно сошел с ума», — громко сказал сам себе Павел и вздрогнул: в пустой квартире ночью собственный голос показался ему оглушительным и еще почему-то неприятным. Никто Милку не похищал и не увозил, кому она нужна? Просто у нее сломалась машина, и она стоит где-нибудь, пытаясь найти того, кто ей поможет. А батарея в телефоне села, и телефон отключился. Вот и все. И вообще, ей не до звонков сейчас, она машиной занимается. Сидит в каком-нибудь занюханном круглосуточном автосервисе и ждет, когда устранят неисправность. Вообще-то в сервисе есть телефон, могла бы позвонить. Но она же понимает, что я пришел усталый и лег спать, она просто не хочет меня будить. Починит машину и приедет. Вот уже совсем скоро приедет, наверное, минут через двадцать или через полчаса, ночью дороги свободны, и как бы далеко она ни находилась, все равно доедет быстро. «Сейчас я приму душ, а когда выйду из ванной, Милка уже будет дома», — решил Седов.

Он долго стоял под горячим душем, специально тянул время, чтобы уж наверняка: вот он выйдет, а она уже дома.

Он вышел. А Милены по-прежнему не было. Павел запахнул поплотнее халат и снова сел к телефону. На этот раз он позвонил к себе на работу, Вадику Андрееву, который отбывал суточное дежурство.

— Слушай, позвони дежурному в ГИБДД города, узнай, не было ли ДТП с машиной... — он назвал марку и номер машины Милены.

— А что случилось-то, Паша? — сонным голосом поинтересовался Вадик.

— Да Мила моя куда-то делась, до сих пор дома нет.

— А сам чего не позвонишь?

— Ты при исполнении, тебе сразу скажут, а мне будут всю душу выматывать, кто я да что я... Уж сколько раз нарывался.

— Ладно, — вяло протянул Андреев. — Узнаю — отзвонюсь.

Вадик перезвонил минут через десять. Никаких дорожно-транспортных происшествий с участием Милениной машины не зафиксировано. Но это отнюдь не означает, что их не было вовсе. Могла быть обыкновенная подстава, лихие опытные ездоки в пять секунд сделали так, что Мила зацепила чужую дорогую машину крылом или бампером, и теперь здоровенные бандюки требуют, чтобы она возместила ущерб. Милицию они не вызывают, зачем им милиция? А Милка сама никуда позвонить не может, у нее батарея села, а они ей свой телефон, само собой, не дают. Или эти бандюки отобрали у нее телефон и выключили его. И машину тоже отобрали. И деньги. И она теперь идет пешком, и у нее даже нет денег, чтобы купить телефонную карту и позвонить из автомата. Но ведь в Москве огромное количество заведений, работающих круглосуточно, неужели нельзя зайти и попросить разрешения позвонить? Ей бы не отказали, не родился еще человек, особенно мужчина, который мог бы хоть в чем-то отказать Милене, в этом Павел Седов был на сто процентов уверен.

Почему же она до сих пор не пришла домой? И почему не позвонила?

Он посмотрел на часы и похолодел: без четверти три. И почему время так интересно устроено? Когда ждешь какого-нибудь желанного события, то время до назначенного часа тянется невыносимо медленно, это всем известно. А когда в назначенный час должно, обязательно должно что-то произойти, но почему-то не происходит, время мчится как оглашенное. Ты уговариваешь себя, что пять минут опоздания — это ерунда, и двадцать минут — тоже ерунда, этому можно найти миллион разумных объяснений, и ничего катастрофического пока не произошло, ну еще минута, ну еще пять, ничего страшного, вот сейчас, вот уже сейчас... И вдруг обнаруживаешь, что прошло не двадцать минут, и не двадцать пять, и даже не тридцать, а три часа. Пять часов. Восемь. И ни одно из миллиона разумных объяснений уже не годится, и это означает, что пора переходить к объяснениям неразумным и оттого страшным.

Страшных объяснений Павел Седов не хотел. Он снова включил телевизор, устроился на мягком уютном диване и прикрыл глаза, мысленно представляя, как Мила придет и как он станет ругать ее за то, что не позвонила, за то, что вовремя не заряжает батарею, за то, что не предупреждает, куда поехала, за то... Он опять провалился в дрему и проспал до шести утра.

Милены все еще не было. Павел снова потянулся к телефону. Ее аппарат по-прежнему «выключен или находится вне зоны действия сети». Зато у дежурного по городу на Петровке с аппаратом все было в полном порядке. Имя Милены Юрьевны Погодиной по сводкам не проходило. Он набрал номер, по которому давали справки о несчастных случаях и экстренных госпитализациях: а вдруг ей стало плохо? Упала, сломала ногу или руку, головой ударилась? Да мало ли как бывает. Правда, врачи обычно звонят домой, ставят родственников в известность, но врачи тоже всякие бывают, могли и не позвонить. Но и по этому номеру о Милене информации не дали.

Павел проклинал себя за то, что так мало интересовался жизнью Милы, ведь он даже телефонов ее подружек не знает. И самих подружек почти не знает, в памяти осели парочка имен и лиц, но ни фамилий, ни адресов, ни телефонов... Оля, Марина... Какие-то «девочки» с курса. Еще была, кажется, Тамара, с ней Милена в больнице лежала, вернее, не в больнице, а в клинике в Швейцарии. Вот, пожалуй, и все. И записной книжки у нее нет, она все номера в телефон записывала.

Он торопливо оделся, выскочил из дома, сел в машину и поехал на Петровку. Ему повезло, почти всю дежурную группу он знал если не по именам, то хотя бы в лицо. До создания Федеральной службы по контролю за оборотом наркотиков Павел боролся с наркопреступлениями, будучи сотрудником МУРа, и здесь, на Петровке, его еще не забыли.

— Паш, а ты не гонишь? — недоверчиво переспросил его следователь. — Ну молодая же баба, с кем не бывает. Всего один раз дома не ночевала, а ты уже волну поднимаешь.

— С Миленой такого быть не может, — твердо проговорил Седов. — Ты ее не знаешь, а я знаю. Она очень ответственная и обязательная. Она не может просто так взять и загулять.

— Да может, Паша, может. Все могут. Ты не обольщайся.

— Ты не понимаешь.

— Чего я не понимаю? Что жена Цезаря вне подозрений? — устало усмехнулся следователь.

— Да при чем тут это! Я наркотиками занимаюсь, и чтобы на меня воздействовать, могут сделать все, что угодно! Машину мою взорвать, квартиру поджечь, меня избить, бабу мою похитить. Ты что, тупой?!

— А у тебя что, серьезная разработка идет?

— В том-то и дело. Там не один миллион крутится.

— Ладно, — кивнул следователь, — придется возбуждаться. Садись, пиши заяву. И номер ее мобильника укажи, я сейчас запрос быстренько напишу, к судье сам сгоняешь. Говоришь, телефон выключен?

— Выключен.

— Это жаль. А то установили бы, где сейчас аппарат. Ну да ладно, посмотрим, с кем она по телефону в течение дня разговаривала, а там видно будет. Да, и номер машины не забудь, марку там, модель, цвет ну, короче, сам знаешь.

Седов знал. Ему никогда и в голову не приходило, что эти знания понадобятся ему самому, и от осознания этого тревога внезапно сменилась безысходностью. В тревоге всегда есть частичка надежды, что все обойдется. В безысходности же нет ничего, кроме самой безысходности.

Глава 3

Настя Каменская пришла на работу расстроенной и невыспавшейся. Накануне она до поздней ночи обсуждала с мужем своего нового начальника, пересказывала раз десять разговор с Большаковым, пережевывала детали и все пыталась с помощью Алексея вникнуть: где же здесь подвох, в чем закавыка? Чистяков относился к ее тревоге с пониманием, но ничего вразумительного в качестве объяснения предложить не смог. Он тоже не понимал, почему новый шеф ведет себя так... странно, что ли. По нынешним временам можно было бы даже назвать его поведение неадекватным, хотя, строго говоря, по всем управленческим меркам то, что он сделал в первый день пребывания в должности, было безупречным. Он заручился поддержкой наиболее авторитетных членов коллектива, он выразил готовность укреплять кадровое ядро, он отлично подготовился к вступлению в должность, он знал всех сотрудников, не только действующих, но и бывших, по именам-отчествам, он был безукоризненно вежлив и безоговорочно признавал старшинство более опытных коллег. Ну не к чему придраться!

А так не бывает. Особенно сегодня.

— Асенька, а может быть, это у тебя профессиональная деформация? Ты просто привыкла всех подряд подозревать, — осторожно предположил Чистяков. — А он, Большаков твой, такой же, как большинство нынешних ментов, просто по первости прикидывается. Пройдет месяц-другой — и все будет как обычно. А? Все, что он тебе наговорил, это пустой звук, вот увидишь. Ничего он не станет делать, и ребят возвращать в отдел не будет, и тебя не повысит. Так, треплется для создания впечатления.

— А если сделает? Ну представь себе, за эти два-три месяца он сделает то, что обещал, и как ему потом жить? Он повысит меня в должности, он заменит одного из замов на Игоря Лесникова, выбьет квартиру для Короткова, избавится от балласта, наберет толковых ребят, хотя вообще-то непонятно, где он их возьмет, но допустим. И что? Если он такой же, как Афоня, что он станет делать с нами со всеми? Он же работать не сможет, мы ему все карты поперепутаем. Он просто не сможет нами руководить, особенно если один зам — Коротков, а другой — Лесников. Если у него хватило мозгов так повести себя в первый день, то он очень не дурак, а коль не дурак, то должен был просчитать перспективу.

Они так ни до чего и не договорились, Настя потом долго не могла уснуть и в результате встала утром с тяжелой головой, которую будто набили стекловатой. Первоначальный шок, еще накануне сменившийся тревогой, сегодня трансформировался во враждебность. В новом начальнике она готова была видеть врага и собиралась обороняться всеми доступными способами.

Мобильник в ее сумке заверещал, когда Настя подходила к зданию на Петровке. Звонил Коротков.

— Ты еще дома?

— Нет, уже у проходной.

— Зайди сразу ко мне, ладно?

— Что-то случилось? — испугалась она.

— Зайди, — коротко повторил Юра и отключился.

Еще не было девяти, Настя специально пришла пораньше, чтобы заняться бумажной рутиной. А Юркато что же? На работе ночевал, что ли? Значит, действительно что-то случилось. Не иначе, олигарха какого-нибудь грохнули. На всякий случай она, прежде чем подниматься на свой этаж, заглянула в дежурную часть. Нет, все как обычно, ночь прошла спокойно, все олигархи, звезды шоу-бизнеса и политики живы-здоровы. Уже легче.

— Чего так долго? — проворчал Коротков, когда она вошла в кабинет. — От проходной можно было уже десять раз дойти.

— А ты чего с утра такой агрессивный?

— Ничего. Садись. На вот, держи, я тебе кофе сделал. Остыл уже, пока ты неизвестно где гуляла.

Ей показалось, что Юра избегает смотреть ей в глаза. Настя взяла чашку, сделала несколько глотков еще вполне теплого кофе. Она решила, что будет молчать. Раз сам позвал, так пусть сам и начинает разговор. Почему в глаза не смотрит? Нашкодил? И кофе сделал... Как будто вину хочет загладить. А пауза-то явно затягивается.

— Ася, я с утра имел деловое рандеву с Большаковым, — начал наконец Коротков. — Он вчера вечером мне позвонил и попросил прийти к восьми, чтобы посовещаться.

— Ну и?

— Он был вчера у руководства, носил представление на тебя и на Сережку Зарубина. Сережкино представление подписали, а твое — нет.

Ну вот, Чистяков оказался прав, как всегда. Никто ее повышать в должности не собирается.

— Он объяснил почему? — спросила Настя, стараясь, чтобы голос не дрожал.

— Сказал, что по поводу тебя подняли жуткий крик и припомнили все твои неудачи за последний год. Видно, Афоня изо всех сил постарался, чтобы тебя выперли на пенсию и срок службы не продлевали, если ты напишешь рапорт. Конечно, оперу с твоим стажем срок службы продлили бы без разговоров, еще и спасибо сказали бы, так он сделал все возможное, чтобы этого не произошло. Очень ему неудобно было с тобой работать, очень ты ему мешала.

— Это Большаков тебе так сказал? Или информация из другого источника?

Юра пожал плечами:

— А какая разница?

— Большая, Юрочка. Если ты точно знаешь, что все было именно так, я готова поверить. Но если ты знаешь это только со слов Большакова, то я уверена, что это вранье. Никуда он не ходил с моим представлением. Он просто морочит мне голову, чтобы я думала, что он такой хороший и радеет о деле и лично обо мне. На самом деле это сплошная показуха.

— Ася, ты не права.

— Почему?

— Потому что он спрашивал меня, на какие рычаги можно нажать. Он спрашивал, к кому из людей, имеющих влияние на наших начальников, можно обратиться.

— И что ты ответил?

— Посоветовал ему позвонить Заточному.

Настя залпом допила кофе и поставила чашку на стол.

— Юрка, в твои годы уже пора перестать быть наивным. Это все спектакль, игра, неужели ты не понимаешь? Он просто морочит нам голову. Кстати, на какую должность он собирается назначать Зарубина? У нас же нет свободной ставки старшего опера. То есть с Зарубиным — это тоже спектакль.

— Он имел в виду назначить тебя старшим опером по особо важным, а Сережку перевести на твою должность. Поэтому он и носил два представления сразу.

— Это тоже с его слов? — усмехнулась Настя. — Вот видишь, как славно все получается, меня повышать руководство отказывается, стало быть, и Зарубина повышать некуда. Большаков сделал все возможное, а ему плохие дядьки-начальники кислород перекрыли. И он весь в белом, и мы с мытыми шеями. Вроде как обещание не выполнил по не зависящим от него причинам.

— Но он же сказал, что представление на Серегу подписали...

— Интересно, каким это образом? Ты же сам сказал, что свободной должности нет.

— Слушай, я как-то не подумал, — растерянно ответил Коротков. — Вообще-то ты права... Это я лоханулся. Я в кадровых вопросах несилен, Афоня их как-то без меня решал, с другим замом, со своим друганом. Погоди-ка, я сейчас кое-что выясню.

Он снял трубку и начал листать телефонный справочник.

— Юра, еще рано, никого на месте нет, — Настя попыталась его остановить. — Ну кому ты собираешься звонить? В кадры? Выяснять, на какую ставку назначат Зарубина? Это же смешно.

— Кому надо, тот уже на месте, — буркнул Юра. — Не мешай. Але, Михалыч? Здоров будешь. Это Коротков. Слушай, глянь в свою разблюдовку, сколько по нашему отделу числится должностей старших оперов и сколько из них свободны. Сколько-сколько? Две? А откуда они взялись? Когда? Нет, не знал. Ну бывает, что ж теперь... Спасибо тебе, Михалыч.

Он осторожно положил трубку на аппарат и задумчиво посмотрел на Настю.

— Во как, подруга. Ни хрена не понимаю. У нас, оказывается, две свободные должности старшего опера.

— Откуда? — удивилась Настя. — Я была уверена, что Афоня их все занял своими протеже.

— Афоня занял, а Большаков освободил. Вчера. Он, оказывается, вместе с вашими представлениями принес два рапорта, от Симакова и Дуненко. Они просят перевести их в другие отделы. Симаков просится в седьмой отдел. Дуненко — в девятый. И в том, и в другом отделе есть вакансии, руководители отделов рапорта завизировали, то есть ходатайства поддерживают. И представления на них вчера же и написали. Вот такие дела.

— Господи! Как же ему удалось их выпихнуть? — изумилась Настя.

— А это ты у него спроси. Я, как видишь, тоже не в курсе. Слушай, а он немало успел, Большаков-то наш, за первый день работы, а?

— Да, немало, — медленно протянула Настя. — Только не нравится мне все это. Ну ладно, пойду я, у меня там бумажки на столе дожидаются.

— Погоди, Ася, это еще не все. Сегодня рано утром приняли заявление об исчезновении одной молодой особы, завели разыскное дело. А потом и уголовное дело возбудили.

— Уголовное? Это с какой же стати? Труп, что ли, нашли?

Насте было чему удивляться. Когда пропадает человек, оперативники заводят разыскное дело и ищут. А уж уголовное дело следователь возбуждает только тогда, когда находят труп этого человека или когда есть серьезные основания полагать, что пропавший стал жертвой насильственного преступления. В этом случае возбужденное дело дает основания проводить обыски, выемки и прочие необходимые следственные действия.

— Трупа пока нет, слава богу. Но пропавшая женщина — сожительница нашего коллеги, который занимается преступлениями, связанными с незаконным оборотом наркотиков. У него сейчас в разработке очень крупное дело, и есть основания полагать, что исчезновение дамы является элементом давления и устрашения. Кстати, ты этого мужика, наверное, помнишь. Паша Седов.

— Помню, но смутно. Так, сталкивались пару раз. Ну и зачем ты мне это рассказываешь? Мы же розыском не занимаемся, для этого есть другой отдел.

— Большаков сказал, что если обнаружат труп пропавшей, то нам придется этим заниматься. Убийство с целью устрашения сотрудника правоохранительных органов — как раз наше дело. И он предупредил, что в этом случае следователь позвонит прямо тебе, чтобы ты подключалась. Просил тебе передать, если я увижу тебя раньше, чем он.

— Теперь все? — сухо спросила Настя.

— Теперь все, — облегченно выдохнул Коротков.

— Спасибо, гражданин начальник. Утро рабочего дня выдалось весьма оптимистическим. Меня отказываются повышать в должности и заставляют заниматься чьей-то любовницей.

— Ася, не передергивай, тебя пока еще никто ничем заниматься не заставляет. Трупа-то нет. Может, она жива и здорова, дай бог ей долгих лет жизни. Просто будь готова и не удивляйся, если тебе позвонит следователь прокуратуры и попросит выехать на место происшествия.

Настя осеклась. Враждебность, которую она испытывала по отношению к новому шефу, перекинулась и на Короткова, ее давнего верного и преданного друга. Так нельзя. Надо взять себя в руки.

* * *

С запросом в компанию мобильной связи Павел поехал сам. Ему казалось, что, если он лично привезет запрос и будет стоять над душой у девочек-операторов, дело пойдет быстрее. Получив на руки распечатку телефонных звонков Милены за последнюю неделю и прочие сведения, он помчался к следователю, только не к тому, давно знакомому, который возбуждал дело утром, будучи дежурным по городу, а уже к другому, получившему дело в производство. Следователь этот по фамилии Давыдов сразу не понравился Седову. Он был очень пожилым и каким-то медленным, словно заторможенным. «Скинули дело кому попало, самому негодящему работнику, лишь бы отвязаться», — злобно думал Павел.

По дороге он быстро просмотрел распечатку и не увидел там ни одного знакомого номера, кроме, разумеется, своего домашнего, служебного и мобильного. Все остальные номера были ему неизвестны. Последний звонок, когда Милена с кем-то разговаривала, зафиксирован около двух часов дня, после этого значились только вызовы, оставшиеся без ответа. Вот и его собственные звонки, начиная с половины одиннадцатого вечера...

— Ну что, сынок, привез? — встретил его вопросом следователь Давыдов. — Давай поглядим, чего там. Сам-то небось посмотрел уже?

— Посмотрел, — кивнул Павел.

— Ну тогда рассказывай, кто тут и что.

Павел взял карандаш и принялся ставить галочки. Следователь молча наблюдал за ним и покачивал головой, будто в знак одобрения.

— Ну это я понял, это она с тобой разговаривала. А другие номера?

— Не знаю.

— Чего не знаешь? Не знаешь, чьи это телефоны? — несказанно удивился Федор Иванович.

— Не знаю, — повторил Павел.

— А ну-ка дай я сам гляну.

Давыдов нацепил очки для чтения и долго всматривался в мелкие цифры и буквы.

— Так ты что ж, вчера за весь день с ней ни разу не говорил?

— Нет. Только утром, когда на работу собирался. Я же вам рассказывал.

— Ну да, ну да... А днем, значит, не звонил ни разу? — зачем-то уточнил Давыдов.

— Нет.

— А почему?

— Что — почему? — взорвался Павел. — С утра она в университете, у нее занятия, вот я и не звонил.

— Ну да, конечно. А потом?

— Федор Иванович, я, между прочим, работаю, а не баклуши бью. Некогда мне в рабочее время по телефону разговаривать, если не по делу. Неужели не понятно?

— Ну почему, понятно, — добродушно улыбнулся следователь. — Ладно, давай другие бумаги посмотрим. Среди ее абонентов ведь есть абоненты той же компании? Данные на них взял?

— Вот, — Павел протянул ему документ.

— Ну вот как славно, — почему-то обрадовался Давыдов. — Вон их как много. Сейчас ты мне про них все и расскажешь. Вот, например, Бунич Елена Игоревна, с ней твоя Милена сколько раз за последнюю неделю разговаривала? — он снова уткнулся в распечатку звонков. — О, раз десять, наверное. Так кто она такая?

— Не знаю.

— А вот, к примеру... — следователь снова сверился с обоими документами, что-то подсчитывая и шевеля губами, — вот, к примеру, Петракова Юлия Олеговна. О ней что можешь рассказать? Близкая подруга?

— Да не знаю я, — Павел уже начал раздражаться.

— Ладно, пойдем с конца, — миролюбиво согласился Федор Иванович. — Последний, с кем разговаривала твоя подружка, был некто Канунников Олег Михайлович. В тринадцать пятьдесят две вчерашнего дня. Вот погляди-ка: в тринадцать сорок пять он ей шлет письмецо, в тринадцать сорок семь она ему отвечает тоже письмецом, в тринадцать сорок девять он снова шлет ей сообщение, и в тринадцать пятьдесят две она уже сама ему звонит, Олегу этому. Кто таков?

— Понятия не имею.

Давыдов снял очки и пристально посмотрел на Павла.

— Слушай, сынок, как же вы с ней жили? Ты ж говоришь, что давно живете-то, а?

— Давно. Больше четырех лет.

— Вот я и говорю, давно живете. А ты ничего о ее жизни не знаешь. Ни друзей ее, ни подружек. Она с этими Бунич и Петраковой каждый день перезванивается, а ты и не в курсе, кто они такие. Как же так, сынок?

— Как живем, так и живем, — вспылил Павел. — Вам-то что за дело? Ее искать надо, она пропала, понимаете вы или нет? А вы мне мораль читаете о семейных устоях. Вы должны дать задание операм, чтобы пробили этого Канунникова, потому что он был последним, кто разговаривал с Милой, а вы время теряете.

— Учишь меня, — грустно констатировал Федор Иванович. — Поучаешь. Ну оно конечно, куда нам, старикам, за молодежью угнаться, у вас все быстрее получается. Только больно у вас все сложно. Я вот сейчас сам трубочку-то сниму да и позвоню этому Канунникову, а там поглядим.

Он снял трубку, снова нацепил очки, нашел в распечатке нужный номер и принялся нажимать кнопки.

— Выключен, — сказал он, возвращая трубку на место. — Или находится вне зоны действия. — И добавил загадочную фразу: — А ну-ка здесь посмотрим.

Давыдов повернулся к компьютеру и начал резво щелкать мышкой.

— Что вы ищете? — не выдержал Павел.

— А у меня здесь база Московской городской телефонной сети. Адресок-то Канунникова по прописке нам дали, вот я и ищу его домашний телефон. Вот, нашел. Ну-ка попробуем.

Он снова взялся за телефонную трубку. На этот раз ему ответили. Павел внутренне подобрался: сейчас следователь поговорит с человеком, который последним вчера разговаривал с Милой, и все у него выяснит. И окажется что-то совсем смешное, нелепое... Да пусть какое угодно окажется, лишь бы не самое страшное!

— Добрый день, — проворковал неспешно Федор Иванович. — Олега Михайловича я могу услышать? Да? Ну надо же, а я и не знал. Давненько я ему не звонил. А где он теперь живет, не подскажете? А, ну да, ну да, понимаю, конечно. Какая квартира? Сто пятая? На девятом этаже? Ага, ага. А телефон-то там есть? Будьте любезны, пожалуйста, — он взял ручку и записал номер. — Да? Ох, жалость какая, а я повидаться хотел... Когда вернется? Через три-четыре дня? Ну, это я успею, это я его дождусь, я в Москве в командировке дней на десять. Спасибо вам превеликое, очень вам обязан.

— Ну, что вам сказали? — сгорая от нетерпения, спросил Павел.

— Сказали, что Олег Михайлович по этому адресу не проживает, снимает квартиру. Точного адреса они не знают, знают только, до какой остановки ехать и как дом найти, квартира сто пятая на девятом этаже. Телефончик дали. А сами Олег Михайлович вчера убыли в командировку дня на три-четыре, так что в Москве его в данный момент нет. А ну-ка глянем, — он снова повернулся к компьютеру. — Какой мне номер-то сказали?

Давыдов пощелкал мышкой и клавишами и удовлетворенно хмыкнул.

— Все правильно, телефончик установлен на имя некоего Пекарского, и в адресочке аккурат сто пятая квартирка указана. Значит, не врет наш Олег Михайлович и не прячется. В самолете небось сейчас летит или в поезде катит, в окошко смотрит, на природу... Хорошо!

Давыдов потянулся. В этот момент Павел готов был его убить. Ну чего он рассиживается, этот старый пень! Надо гнать оперов устанавливать, где работает Канунников и куда уехал, действительно ли его послали в командировку, или он сбежал, а этот дед потягивается и про природу рассуждает. Федор Иванович тем временем снова взялся за компьютер. Ну что еще он там собирается выискивать?!

— Люблю эту игрушку, — приговаривал между тем следователь, — очень она полезная, массу времени экономит. Значит, адресочек этот числится по Центральному округу, это хорошо, там зам по милиции общественной безопасности мой добрый знакомый. Какой это у нас участок-то получается? Седьмой у нас получается.

И снова потянулся к телефону.

— Доброго здоровья, — тягуче затянул он. — Узнал? Это хорошо, долго жить буду. Просьба у меня к тебе. На седьмом участке у тебя есть кто попроворнее? Есть? Ага. Адресочек бы надо проверить. Нет, пока ничего серьезного, но так, на всякий случай. Там прописан некий Пекарский, но, по моим сведениям, он квартиру сдает, вот меня жилец интересует. Ага, ага... Ну попроси его мне позвонить, я у себя пока буду. А ты чего сидишь-то у меня над душой? — обратился следователь к Павлу. — Шел бы на работу-то, здесь ничего не высидишь. Сейчас мне участковый перезвонит, я его налажу адресок проверить, с соседями поговорить, а уж потом решать будем.

— Я подожду.

— Так неизвестно, сколько ждать придется. Это пока он перезвонит, пока сходит, то да се, пока снова перезвонит... Что ж ты, все это время будешь тут в моем кабинете штаны протирать?

— Я буду ждать, — упрямо повторил Павел.

— Нет уж, сынок. Ты мне работать не мешай. У меня, кроме твоей подружки, еще знаешь сколько работы? Не хочешь на свою службу ехать — сходи погуляй, воздухом подыши, а то поешь где-нибудь, да хоть у нас в буфете. Номерочек свой мобильный мне оставь, а я тебе сам позвоню, когда надо будет.

Павел записал номер мобильника и вышел в коридор, кипя от злости. Этого деда столетнего ничем не пробьешь. Конечно, не у него же близкий человек пропал, чего ему беспокоиться!

Павел бесцельно шел по улице, стараясь не отходить слишком далеко от здания Мосгорпрокуратуры в Балакиревском переулке, где сидят следователи, ведущие дела об убийствах. Хотя на самом деле какая разница, в каком месте он окажется, когда позвонит этот тупой старикашка-следователь? Каждые десять минут Седов упорно звонил к себе домой и на мобильник Милены. А вдруг? Вдруг она вернулась? Вдруг все обошлось? Но дома ему никто не отвечал, а аппарат Милы был по-прежнему выключен.

Он четыре раза обошел квартал, когда Давыдов наконец позвонил. Голос его был сухим и строгим.

— По адресу дверь никто не открывает, а перед подъездом стоит машина твоей Милены. Группа сейчас выезжает. Если собираешься с нами, через три минуты будь у подъезда, ждать тебя никто не станет.

Ну вот, вот сейчас все и выяснится. Хотя бы машину нашли! Молодец участковый. Павлу почему-то казалось, что обнаруженная машина — это уже почти найденная Милена. Чувство было глупым и безосновательным, но оно давало надежду. Ведь все так просто! Милена по какой-то надобности приехала к этому Олегу Канунникову, наверное, это ее однокурсник. Или скорее даже преподаватель, и она приехала к нему на дом сдавать зачет, такое часто бывает. А там ей стало плохо, или, может, порезалась, или упала, сломала что-нибудь, и он отвез ее на своей машине в больницу. По «Скорой» ее не забирали, поэтому она не проходит по категории «несчастный случай», а ему, Павлу, просто никто не позвонил. Мила часто жаловалась на боли в животе, наверное, у нее аппендицит, вот и прихватило. Господи, как хорошо!

* * *

Настя безнадежно застряла в пробке и проклинала собственную лень, заставившую согласиться с указанием нового начальника поехать на служебной машине. На метро вышло бы куда быстрее. Если бы она взяла на себя труд хоть минутку подумать, то, конечно, отказалась бы от машины, но все вышло так быстро... она просто оказалась не готова. С утра успела съездить к важному свидетелю по делу об убийстве вдовы банкира, тоже не так давно убитого, заскочила к следователю доложиться, примчалась на Петровку взмыленная, схватилась за бумажную работу, которую все откладывала уже недели две, и вдруг позвонил Федор Иванович, следователь из горпрокуратуры, и сказал, что обнаружена машина Милены Погодиной и нужно ехать. Кто такая Милена Погодина, Настя даже сразу не поняла, а когда сообразила, то одновременно рассердилась и расстроилась. Ну зачем ей все это? Конечно, Коротков предупредил еще утром, что может позвонить следователь, но она как-то быстро выкинула его слова из головы и уже распланировала дела на предстоящий день, а тут на тебе! Хорошо еще, что следователем оказался Федор Иванович: Настя давно была с ним знакома и знала, что у старика Давыдова есть чему поучиться. Перед тем как ехать по адресу обнаружения машины пропавшей Погодиной, Настя, как и положено, позвонила Большакову, а он предложил взять служебную машину. Вот она и взяла... Себе на голову. Стой теперь в пробке. А потом оправдывайся перед следователем, почему явилась только к самому концу осмотра. Как начался вчера понедельник с неудачи, так теперь вся неделя псу под хвост.

Но все оказалось не так плохо. Когда Настя подъехала к дому, который назвал ей Давыдов, осмотр только-только начался: вероятно, все остальные застряли в такой же пробке. Машину уже вскрыли, и техник-криминалист начал работать в салоне, проверяя содержимое «бардачка».

— Что у нас тут? — спросила Настя, поздоровавшись со следователем.

— Машина, как видишь. Но адрес хороший, — загадочно ответил Федор Иванович.

— Чем же это?

— А в этом доме как раз проживает некий Олег Михайлович Канунников, квартирку снимает. С ним пропавшая Погодина неоднократно разговаривала по телефону, в том числе в последний раз — вчера, около двух часов дня. И он, кстати замечу, был последним, с кем она вообще общалась при помощи мобильника. Потом идут только сплошные вызовы без ответа. Усекаешь, к чему дело идет?

— А что Седов? Он где?

— Да где ж ему быть? — сердито буркнул Давыдов. — Сидит у меня на шее, думает, без него тут не разберутся. Вон стоит курит.

Он показал на высокого крепкого мужчину, нервно переминавшегося с ноги на ногу возле машины и все норовившего что-то подсказать криминалисту. Да, конечно, это он, Павел Седов, Настя его помнила, хотя и не очень отчетливо.

— Он знает, кто такой Канунников? — спросила она.

— Говорит, впервые слышит это имя.

— Но хоть предполагает что-нибудь?

— Предполагает, что это преподаватель, к которому Погодина поехала на дом сдавать «хвосты». Больше никаких версий у него нет.

— Ну а на самом деле? Установили этого мужика?

— Пока приблизительно. Я, конечно, послал человека в университет, но вот участковый местный уверен, что Канунников не из этой оперы. Да и мать его подтверждает, что сыночек все больше по строительству суетится, а не по юриспруденции. Паспортные данные Канунникова мы получили, по месту прописки позвонили, там говорят, что он в командировку убыл на несколько дней. А вот от какой организации он поехал — тут тишина полная, родственники не в курсе. Говорят, какая-то строительная фирма, но ни названия, ни адреса — ничего.

— И дверь в квартире не открывают, — полуутвердительно произнесла Настя.

— Ну это само собой.

— Вскрывать будете?

— А як же ж, — улыбнулся Давыдов. — Участковый сейчас слесаря приведет — и приступим, помолясь. А ты чего сердитая такая? Не выспалась?

— Да нет, выспалась, просто день весь наперекосяк.

— Так у меня то же самое. Что ж поделать, Настюха, жизнь у нас такая. Думаешь, я рад был до смерти, когда на меня этот Седов свалился со своей подружкой? У самого работы по горло. Слушай, а куда вы Афанасьева своего дели? Какой-то новый мальчик у вас вместо него.

— Вот именно что мальчик, — Настя досадливо повела плечами. — Действительно новый. Вчера приступил.

— Ну-ну. Растут новые кадры. И как он? Ничего? Дело знает?

— Кто его разберет. За один день разве поймешь? Федор Иванович, а Седов не допускает мысли, что Канунников — любовник его подруги? Или он точно знает, что у нее нет любовника? Почему он решил, что здесь живет преподаватель?

— О, сколько у тебя вопросов-то, Настюха! — Федор Иванович рассмеялся неожиданно густым басом. — Про любовника пока речи нет, уж не знаю почему. То ли Павел в своей сожительнице полностью уверен, то ли точно знает, что любовник — кто-то другой. Хочешь, сама спроси у него.

— А вы что, не спросили?

— Пока нет. Рано еще. Человек и без того в стрессе, а тут материя деликатная. Вот квартирку вскроем, тогда и объявим ему неприятную правду. Или он ее сам увидит, правду эту.

— Правду? — удивилась она. — То есть вы сами-то уверены, что Канунников и Погодина...

— Да брось ты, Настя, — перебил ее Давыдов, наблюдая за действиями сидящего в машине криминалиста. — Списываешь меня со счетов раньше времени. Я ж не пальцем деланный, я с матерью-то Канунникова хорошо поговорил, долго, пока в машине ехал. Она мне и сказала, что ее сын и Милена Погодина знакомы лет шесть или около того и любовь у них страшная, крепкая и любым жизненным катастрофам противостоящая. А не женятся они только лишь потому, что жить им негде, и Олег хочет сначала денег заработать, квартиру купить, а уж потом семью строить. Разумно, правда?

— Правда, — кивнула Настя. — А то, что Милена живет с Седовым, это как? Укладывается в концепцию?

— Нет, — согласился следователь, — но мать Канунникова об этом не знает. Она считает, что Милена живет в каком-то общежитии или снимает комнату на паях со знакомой девушкой. В общем, что-то вокруг этого.

— Интересное кино. А...

— А вот и участковый, слесаря ведет, — снова перебил ее Федор Иванович.

Участковый, стройный и очень симпатичный, лет тридцати с небольшим, в ладно сидящей форме, представился и протянул Насте руку:

— Капитан Дорошин. Можно просто Игорь.

— Анастасия, — ответила она.

Участковый Дорошин... Где-то она слышала эту фамилию. Или читала? Есть такой знаменитый певец Дорошин, но она слышала именно об участковом. Ну да, конечно, в январе она читала доклад об итогах работы ГУВД Москвы за предыдущий год, и там упоминался некий участковый Дорошин, как раз в разделе об опыте привлечения «других служб» к раскрытию преступлений и розыску преступников. Какое же это было преступление? Кажется, убийство... Да, правильно, убийство жены какого-то бизнесмена возле оперного театра. Настя потому и запомнила, что упоминался оперный театр, это все-таки большая редкость в контексте «бизнесмены и убийства», чаще загородные дома, рестораны, казино и офисы попадаются.

— Федор Иванович, — криминалист высунулся из салона машины, — посмотрите, уже можно. Ничего особенного, всякий бабский хлам.

— Ага, сейчас.

Давыдов повернулся к Насте:

— Гляну быстренько, что там, и пойдем наверх.

— Э, начальник, — заволновался слесарь, — мне долго еще ждать? Меня вон участковый выдернул прямо с заявки, быстрей, говорит, дело срочное, следователь из прокуратуры ждет, так я все бросил и пришел, а вы тут и не торопитесь. У меня работа стоит, между прочим.

— А мы с тобой пока пойдем, — миролюбиво заговорил участковый, — дверь посмотрим, ты инструмент подберешь. Опять же соседей надо предупредить, что дверь будем ломать, а то они шум услышат, перепугаются и дежурный наряд вызовут. Постучим пока, покричим, может, хозяин все-таки дома, спит или еще чем занимается, потому и не открывает. Пошли-пошли, у следователя своя работа, а у нас с тобой — своя.

Он весело подмигнул Насте, и ей почему-то стало смешно. Славный парень.

В машине Милены Погодиной не нашлось ничего, что могло бы подсказать, что произошло с хозяйкой. Ни записок, ни бумажек с адресами, ни писем с угрозами. Все как у всех: пара атласов Москвы, несколько дисков с музыкальными записями, темные очки, бумажные платки, пудреница, складной зонтик, шариковая ручка, маленький блокнотик с чистыми листами, еще какие-то мелочи.

— Охохонюшки, — тяжко вздохнул Давыдов, — работа наша грязная и неблагодарная. Представляешь, Настюха, что сейчас будет? Войдем мы в квартирку да и увидим голубков при исполнении, так сказать, сексуальных желаний. Мало того, что скандал, дескать, нарушили святое конституционное право гражданина Канунникова на тайну личной жизни, так еще и Павел наш мордобой устроит и начнет с девушкой своей публично разбираться. Нам оно надо? А куда деваться? Дело возбуждено, обязаны пропавшую девушку искать. И какой козел его возбудил, а?

— Поквартирный обход начали? — спросила Настя вместо ответа.

— Да сделали, что смогли. Пока ты ехала, мы много чего успели. Правда, время сейчас рабочее, никого нет, ну а уж кто дверь открыл, с тем побеседовали. Хорошо еще, с территории аж троих оперов прислали, все-таки дело быстрее пошло. Один из жильцов дома видел, как вчера днем, около половины третьего, Погодина вышла из машины и вошла в подъезд.

— Он твердо уверен, что это была Погодина?

— Твердо, Настюха. Он ее много раз видел, ошибиться не мог.

— А Канунникова кто-нибудь видел после этого?

— Чего нет — того нет. Ни после этого, ни до этого. Как-то так вышло, что Канунникова вчера вообще не видел никто из тех, с кем на текущий момент удалось поговорить, но это и неудивительно. Удивительно, что Погодину заметили и запомнили. Сейчас ведь никто никого в лицо не запоминает и внимания ни на кого не обращает. Канунникова, например, в этом доме никто, похоже, и не знает, а вот девушку заприметили. Наверное, она какая-то особенная. Ладно, пошли наверх, поглядим, что там, в квартирке-то.

Они двинулись к подъезду. Стоящий метрах в пяти от них Павел Седов бросил на тротуар недокуренную сигарету и решительно пошел следом.

* * *

Настя никогда не считала себя большим специалистом по осмотру места происшествия. Есть следователь, есть техник-криминалист, уже приехали два оперативника из «убойного» отдела окружной криминальной милиции, окружную бригаду вместе с экспертом-криминалистом и судебным медиком уже вызвали, они тоже вот-вот появятся, даже прокурор-криминалист приедет, и делать ей в квартире Канунникова в общем-то нечего. Тем более там понятые и Павел Седов. Слишком много народу для маленькой однокомнатной квартиры. Тело Милены Погодиной лежит в комнате, и даже Настиных поверхностных знаний хватило на то, чтобы понять, что она была задушена примерно сутки тому назад.

— Игорь, — она тронула участкового за рукав, — пойдемте отсюда, поговорим.

Они вышли на лестничную площадку и поднялись на один пролет вверх. Настя немедленно уселась на подоконник и вытащила сигареты, Дорошин же как-то беспокойно закрутился, делая носом короткие вдохи, словно принюхивался.

— Что такое?

— Да запах. Не чувствуете?

— Нет, — Настя принюхалась, но ничего особенного не уловила. — А чем пахнет?

— По-моему, мочой. Нет?

— Не знаю, — она пожала плечами и затянулась. — Я много лет курю, у меня обоняние притупилось. А вы не курите?

— Нет, поэтому запахи хорошо чую.

Он быстро поднялся еще на один пролет, и через несколько секунд оттуда раздался его голос:

— Ну точно, здесь кто-то активно справлял нужду.

— Бомжи?

— Это вряд ли, я бомжей гоняю.

Он спустился, присел на корточки рядом с подоконником и принялся что-то высматривать.

— Вот, — он торжественно вытащил из-под батареи и поднес к Настиному лицу консервную банку, почти доверху наполненную окурками. — Видите?

— Обычная лестничная пепельница, — равнодушно откликнулась Настя. — Вы такие в каждом доме найдете. Если кому-то не разрешают курить в квартире, они выходят на лестницу, и почти у каждого приличного гонимого курильщика есть такая лестничная баночка для пепла и окурков.

— Согласен. Но при этом мало кто отходит далеко от своей квартиры. Возле этого подоконника могли курить только те, кто живет на девятом этаже. А на девятом этаже таких нет, это я вам гарантирую.

— Вы так хорошо знаете жилой сектор? — скептически осведомилась Настя.

Дорошин рассмеялся.

— Это, наверное, единственное, что я в своей работе знаю действительно хорошо. Вот смотрите: на девятом этаже четыре квартиры. Пекарский из сто пятой квартиру сдает, там живет Канунников, это мы уже знаем; он один, и гонять его некому, даже если он и курит. В сто шестой живет супружеская пара, детей нет, но у хозяина квартиры два раза снимали колеса с машины, так что я там бывал. Накурено так, что не продохнуть, причем дымят оба, и муж, и жена. В сто седьмой у нас молодая дама с двумя собаками, некурящая. И в сто восьмой — одинокая бабушка-пенсионерка, периодически вспоминает молодость и покуривает папиросы. А это, — он снова поднял банку с окурками, — сигареты с фильтром. И курил их кто-то пришлый. Долго-долго сидел здесь, курил и чего-то ждал. Периодически бегал на пролет вверх пописать. Похоже?

Настя медленно кивнула. Похоже, но с большими допущениями.

— Это могла быть юная парочка, — возразила она. — Приткнуться негде, и даже если кто-то из них живет в этом доме, они поднимались сюда, чтобы побыть вдвоем и чтобы родители не застукали. Допустим, кто-то из них курит, здесь их постоянное место, и ничего удивительного, что здесь стоит их постоянная пепельница. Они здесь, у этого подоконника, гнездо свили. Похоже?

— И это похоже, — согласился Игорь. — Но вряд ли влюбленный пацан скажет своей пассии: «Постой здесь, я пойду отолью». Вот это уже непохоже. Конечно, цинизм и простота нравов в наше время процветают, но не до такой степени. Может быть, парочка здесь и пасется, но туалет из площадки перед чердачной дверью устроили точно не они. Давайте кое-что проверим.

Он вытащил из сумки толстую тетрадь формата А4, вырвал чистый лист и высыпал на него окурки. Настя обратила внимание, что банку он с самого начала держал очень аккуратно, за верхнее и нижнее ребро.

— Вот смотрите, — Дорошин карандашом поворошил окурки, не прикасаясь к ним пальцами, — сигареты были одной и той же марки. Кстати сказать, не дешевые. Нигде ни одного следа губной помады, значит, курил, скорее всего, мужчина. Представьте себе парнишку лет пятнадцати-шестнадцати, который имеет возможность курить сигареты определенного сорта. То есть у него всегда есть карманные деньги, и он покупает курево сам, а не стреляет у приятелей и не таскает у родителей. Представили?

— С трудом, — призналась Настя. — Я с малолетками почти не сталкиваюсь и плохо эту среду знаю.

— Ну понятно, — улыбнулся участковый. — А я как раз знаю их хорошо. Поверьте мне, мальчик, у которого всегда есть карманные деньги и который курит одни и те же недешевые сигареты, не станет прятаться от родителей со своей девочкой. Не тот психологический тип. Бывают, конечно, исключения, но крайне редко. Мальчик, у которого всегда есть деньги, пойдет с девочкой в бар.

— А целоваться? — лукаво улыбнулась Настя. — Тоже в баре?

— Такие мальчики в наше время не целуются, — очень серьезно возразил Дорошин. — Они занимаются полноценным сексом. Но не здесь же, у всех на виду.

Она соскочила с подоконника, охнула, схватилась за спину и поморщилась.

— Что? — сочувственно спросил капитан. — Нога?

— Спина. Погодите, Игорь, я сейчас.

Она спустилась к квартире и нашла следователя. Давыдов слушал, как ей показалось, вполуха, и Настя в какой-то момент начала чувствовать себя дурой, которая лезет не в свое дело. Но, как оказалось, Федор Иванович все отлично услышал и понял.

— Получается, либо убийца — сам Канунников, либо преступник ждал, когда сюда придет Милена Погодина, выслеживал ее. Замечательно! Сева! Иди-ка сюда!

Из кухни выглянул техник-криминалист.

— Чего, Федор Иваныч?

— Пойди-ка на лестницу, возьми банку с окурками и выделения, там тебе покажут. Да брось ты свой фотоаппарат, успеешь еще нащелкаться!

Техник скроил обиженную мину и, прихватив чемоданчик, вышел из квартиры.

— Пацан, — удрученно вздохнул Давыдов ему вслед, — никак в игрушки наиграться не может. Нравится ему фотографировать на месте происшествия — и хоть лопни! Какой-то следователь однажды похвалил его фототаблицы, дескать, отличные узловые снимки у него получились, а панорамные — вообще шедевр, так наш Севка теперь считает себя мастером фотосъемки, а все остальное делает спустя рукава. Но ему даже замечание сделать нельзя — обидится, уволится, не приведи господь, а техников-то не хватает, должности посокращали, вместо них добавили кучу должностей экспертов, а где столько народу с высшим образованием найти? А на место происшествия кто должен выезжать? Эксперт, что ли? В некоторых округах есть хотя бы разделение, одни только на экспертизах сидят, а другие только выезжают, а во всех остальных эксперты работают в порядке живой очереди. Ну и что получилось? Должности добавили, людей набрали, а учить их толком некому и негде, ни на чем руку как следует набить не могут, сегодня я Петрушкой работаю, а завтра Коломбиной, в результате ни одной роли выучить как следует не могу. А техник-криминалист — это человек, специально обученный работать на месте происшествия. Вот их и посокращали. Так что техники-криминалисты у нас теперь вроде священной коровы, их беречь надо, руками не трогать и словом не задевать. Чтобы людей сохранить, их кое-где на должности в патрульно-постовую службу перевели, состав-то сержантский, так что они не только в престижности, но и в зарплате потеряли, а как что не так, сразу: я вообще милиционер роты ППС и не обязан... Вот хоть бы глазком одним глянуть на того деятеля, который это устроил. Морду бить, конечно, не стал бы, а просто ради интереса посмотрел бы, может, у него голова какая-то особенная, заточенная специально под то, чтобы преступления плохо раскрывались. Охохонюшки, жизнь наша... А кто окурки-то нашел? Ты небось, глазастая?

— Нет, участковый.

— Молодец, хороший парень. А место, которое вместо сортира? Тоже он?

— Тоже.

— Снова хороший парень. Позвоню его начальству, скажу, чтоб поощрили за помощь следствию. Кстати, человек, которого я в университет послал, уже отзвонился. Как и ожидалось, никакого Канунникова там в преподавателях не числится.

— А вы Седову-то сказали?

— Насчет того, что Канунников — любовник его жены? Нет, пока не сказал.

— Почему?

— А не к спеху. Ну скажу я — и что? Расстроится человек. Он и так чуть живой от переживаний, бабу свою мертвой нашел, думаешь, легко ему? А тут еще такая новость... Погожу пока. Тем более мать Канунникова — не тот свидетель, на показания которого можно опираться, не проверяя. Мало ли чего ей сынок наговорил? Она даже толком не знает, где он работает. Вместе они уже лет пять как не живут, чем Олег занимается — ей достоверно неизвестно, так что и насчет связи с Погодиной нельзя быть уверенным. Вот мы сейчас тут закончим, и я пошлю человека к ней предметно поговорить, подробно, всю его жизнь прояснить. И к родителям Погодиной человека пошлю. Если они тоже насчет Канунникова подтвердят, вот тогда я Седову и скажу. И вообще...

Федор Иванович легонько подтолкнул Настю к выходу из квартиры. Оказавшись на лестнице, он прикрыл дверь и вполголоса сказал:

— Не нравится мне этот Седов. Больно гонору у него много. Оно конечно, он — потерпевший, но у меня такое ощущение, что не надо ему всего говорить.

— Почему?

— Не знаю. Не верю я ему. Я еще опознание тела проведу, а там поглядим.

— Опознание? — Настя от изумления чуть сумку не выронила. — А что, вы в чем-то сомневаетесь?

— Да как тебе сказать... Паспорт у убитой в сумке лежит, судя по фотографии — все в порядке, сам Седов утверждает, что убитая и есть его сожительница Милена Юрьевна Погодина, но ведь мы-то с тобой этого не знаем, правда? Мало ли что он там утверждает... Поддельных паспортов нынче — как грязи, плати и получи, никаких проблем, а уж тем более если ты — сотрудник милиции. Может, там, в квартирке-то, и не Погодина вовсе, а сама Милена Юрьевна в эту самую минуту где-нибудь на далеких островах следы заметает по предварительному сговору со своим сожителем Седовым. Мало ли в какую аферу она могла впутаться! Вот пусть ее родители опознают, тогда я буду уверен.

— А если и родители в сговоре? — предположила Настя. — Если допустить, что Погодина действительно впуталась в какой-то криминал и вынуждена скрываться, и Седов предупредил ее родителей, что нужно будет совершенно постороннюю девушку опознать как Милену и этим спасти жизнь дочери?

— Бывает, — кивнул Давыдов. — Все бывает. Ничего, я найду людей, которые ее опознают и которых Седов не мог втянуть. Найду-найду, даже не сомневайся. Ты ж знаешь, я упертый, ежели мне кто не нравится, я ему до последнего верить не буду.

Настя знала, что так оно и есть, но все равно версия Федора Ивановича казалась ей сильно притянутой за уши. Милена Погодина — студентка первого курса юридического факультета, ну в какие аферы она могла влезть? У нее нет ни образования, ни профессии, она даже не работала нигде с тех пор, как жила с Седовым, а до этого была сначала продавщицей в продуктовом магазине, а потом секретарем в каком-то мелком офисе. Во всяком случае именно так рассказывал сам Седов. Все могло быть гораздо проще, даже с учетом того, что Павел Седов лжет. Он мог сам узнать о неверности Милены и убить ее, причем обставить дело так, чтобы подозрение пало на Канунникова, вот и все. Именно поэтому он упорно делает вид, что мысль об измене Милены ему даже в голову не приходит. А если Седов говорит правду, то Милену убил ее любовник Олег Канунников. Или не Седов и не Канунников, а кто-то третий, тот, кто терпеливо ждал ее, сидя на подоконнике между девятым этажом и дверью на чердак.

Она покосилась на участкового Дорошина, который все это время стоял возле того самого подоконника и что-то записывал в свою толстую тетрадь. Давыдов прав, хороший он парень, толковый. И интеллигентный. Даже странно. Вчера нарисовался толковый и интеллигентный начальник, сегодня Настя познакомилась с толковым и интеллигентным участковым. Откуда в милиции столько толковых интеллигентов сразу? Не иначе как удивительное совпадение, какое бывает только в сказках.

* * *

Двое мужчин медленно шли по дорожке между могилами. Моросил холодный ноябрьский дождь, и тот, что постарше, держал над головой раскрытый зонт. Его спутник, лет на десять моложе, шел сзади с непокрытой головой, и вода стекала с мокрых волос на щеки и шею. Они остановились возле памятника, с гранитной плиты на них смотрели лица женщины и юноши. Надпись была лаконичной: Лариса и Георгий Безбородовы, и годы жизни, без указания точных дат.

Тот, что постарше, положил на могилу охапку темно-красных роз, тот, что помоложе, — четыре скромные гвоздички. Постояли молча. Наконец мужчина постарше прервал молчание:

— Ну, как ты живешь, Борис?

— Живу, — спокойно ответил Борис. — Все живут, и ты тоже.

— Не женился еще на своей санитарке?

— Она не санитарка, Саша, она медсестра. Тебе очень хочется меня унизить?

— Ну ладно, пусть медсестра, разница невелика. Все равно она деревенская баба с двумя детьми, как ты ее ни назови. Так женился или нет?

— Мы расписались, — сдержанно ответил Борис.

— Давно?

— Два месяца назад.

— Значит, ты все-таки пошел на это, — в голосе Александра зазвучало презрение. — Ты не просто предал память Ларочки, ты еще и узаконил это. Как ты мог?!

— Саша, успокойся, а?

— Я не успокоюсь! Ты довел мою сестру до гибели, ты погубил жизнь собственного сына и теперь готов плюнуть на это, забыть, растереть и жениться на другой! Как я могу успокоиться? Ну как, как?!

Александр повысил голос и уже почти кричал. Боль его была настоящей, ненаигранной, Борис это понимал. Александр Эдуардович Камаев очень любил свою младшую сестру и до сих пор горевал о ее утрате, несмотря на то что прошло много лет. И хотя слова его казались Борису Безбородову несправедливыми, он не стал спорить, потому что уважал горе родственника.

— Прости, Саша, но все люди разные, — только и сказал он.

— Да, все разные. Одни помнят своих любимых всю жизнь, другие же предают их, предпочитая забыть, — зло проговорил Камаев.

— Нет, Саша. Одни люди предпочитают оплакивать себя и быть несчастными, а другие предпочитают радоваться жизни. Вот в чем различие.

— Это демагогия. Я оплакиваю не себя, а Лару и Жорика.

— Это неправда, — твердо возразил Борис. — Это ложь, которой ты себя тешишь. На самом деле ты оплакиваешь себя. Когда мы говорим, что горюем по умершим, на самом деле мы горюем о себе, неужели это не понятно? Нам плохо без них, мы без них тоскуем, скучаем, нам их не хватает. Мы хотим видеть их, осязать, разговаривать с ними. А их нет рядом, и мы от этого страдаем. Понимаешь, о чем я говорю? Слышишь, сколько раз я употребил местоимение первого лица? Мы, нам... Речь все время идет о нас самих, а не о тех, кто умер. Нам плохо, НАМ! И мы от этого печалимся. А тем, кто ушел, им ведь не плохо. Если душа бессмертна, то она в небесах и ей хорошо. А если бессмертия души нет, то тем, кто ушел, вообще никак и уж в любом случае не плохо. Так чего о них горевать? Нет, Саша, ты горюешь о себе самом. Это был твой личный выбор, и ты имеешь на него право. Но ты не можешь требовать, чтобы мой выбор был таким же.

— Интересно, и что же выбрал ты? — презрительно усмехнулся Александр Эдуардович. — Ты мог бы остаться в Москве, но ты уехал в какую-то занюханную деревню, ты забыл Ларису, нашел там себе полуграмотную бабу с двумя детьми, которая стирает твои трусы, солит огурцы и разводит кур. Это твой выбор? Человек не имеет права радоваться жизни, когда умирают его близкие.

— Ты не прав, Саша. Если бы это было так, то только

маленькие дети радовались бы жизни, потому что все мы довольно рано начинаем терять близких. Прабабушек и прадедушек, бабушек и так далее. На земле царило бы одно сплошное черное горе. А это ведь не так, согласись.

— Не передергивай, — поморщился Камаев. — Ты прекрасно понимаешь, о чем я говорю. Я говорю о предательстве памяти тех, кто ушел. Когда умирают наши родственники, мы не можем найти себе других. Мы не находим другую мать, другого отца, другого брата или сестру. И их память мы не предаем. А вот новую жену найти можно. И нового ребенка тоже. И это есть не что иное, как предательство по отношению к ним, циничное и отвратительное. Особенно если твои жена и сын погибли по твоей вине. А Лариса и Жорик погибли именно по твоей вине, и ты не имеешь права простить себя, ты должен мучиться этим до самой смерти. А ты, видишь ли, сделал выбор радоваться жизни! На их костях празднуешь! Неужели тебе не стыдно?

— Нет, — вздохнул Борис, — мне не стыдно. Я занимаюсь любимым делом, я лечу людей, спасаю их жизни, я дам счастье одной женщине и двум ее детям, у которых хотя бы часть детства теперь пройдет в полноценной семье. За что из всего перечисленного мне должно быть стыдно?

— Ты никогда не поймешь меня, — с горечью ответил Камаев. — Мы говорим на разных языках, и всегда говорили. Я — об одном, ты — совершенно о другом. Ты просто не хочешь меня понимать, потому что тебе нечего ответить. Можешь больше не приезжать сюда, тебе нечего делать на могиле Ларочки и Жоры. Ты недостоин права бывать здесь.

— Ты что, серьезно? — удивился Борис.

— Абсолютно. Считай, что я тебе запрещаю.

Безбородов пожал плечами, наклонился, поправил цветы на могиле, потом выпрямился и посмотрел на Камаева.

— Ты продолжаешь меня удивлять, Саша. Неужели ты в самом деле считаешь, что можешь хоть что-то мне запретить? Я живу и буду продолжать жить так, как считаю правильным. И на кладбище буду приезжать так часто, как сочту нужным. Если тебе это не нравится — это твои проблемы, не мои. И если тебе нравится жить в скорби и печали — это тоже твои проблемы и твой выбор, но никак не мой. И знаешь, что я тебе скажу, уже не как родственник, а как врач? Я бы на твоем месте задумался о том, почему ты сделал именно такой выбор, а не другой. Покопайся в себе. Если ты найдешь причину, тебе станет легче, это я тебе обещаю.

Борис повернулся и неторопливо пошел в сторону выхода. Александр Эдуардович провожал его взглядом, в котором презрение и ненависть смешивались с совсем другим чувством. У этого чувства, которое ощущалось так смутно и расплывчато, было вполне определенное название: страх.

* * *

Глядя в окно машины на непрекращающийся дождь, Настя подумала, что все-таки начальник оказался прав: в автомобиле ей сейчас было куда уютнее, нежели в электричке. Она ехала в Тучково, к родителям Милены Погодиной. Закончив работу на месте происшествия, следователь Давыдов быстро распределил задания: старший лейтенант Хвыля из криминальной милиции округа поедет куда глаза глядят, но раздобудет хоть какие-нибудь внятные сведения об Олеге Канунникове и о том, где его искать; подполковник Каменская отправляется к родственникам потерпевшей; а сам Федор Иванович решил, не откладывая, вплотную заняться Павлом Седовым.

— Конечно, из него свидетель сейчас никакой, — покачивая головой, говорил вполголоса Давыдов, — он в шоке. Но, с другой стороны, поскольку он вызывает у меня некоторые сомнения, отпускать я его от себя не могу, пока ты, Настюха, с Погодиными не поговоришь. Мало ли чего, а вдруг и правда у них сговор?

— Он что, родителям Милены не позвонил? — удивилась Настя. — Не сообщил ничего?

— Да позвонил, позвонил. Но я все слышал. Ничего лишнего не сказал, я ж у него над душой висел все время. Так что ты, детка, давай-ка по-быстренькому езжай к ним и вытряси все, что сможешь. Там, конечно, тоже не сахарно будет, все ж таки люди такое известие получили... Охохонюшки, жизнь наша поганая... Ну да тебе не привыкать.

— Что там за семья, не знаете?

— Седов говорит, что мать, отец и брат-алкаш.

Всю дорогу до Тучкова Настя обдумывала предстоящий разговор, стараясь мысленно набросать несколько сценариев. Мать Милены, скорее всего, не сможет отвечать на вопросы, она пьет сердечные лекарства и рыдает. Брат, если он дома, уже напился, это и к гадалке не ходи, вопрос только в том, насколько сильно. Остается отец. Если он сидит возле жены, то с ним беседа, пожалуй, может получиться, а вот если успел присоединиться к сыну, тогда вообще полный караул. Ни на один вопрос она внятного ответа не получит. Значит, если так, то... начать с этого, потом перейти к этому... а если по-другому, то начнем вот так... Все равно будет тяжело, уж за двадцать-то лет работы в розыске Настя набралась опыта по этой части.

Погодины жили в панельной пятиэтажке без лифта, построенной лет сорок назад. Дверь ей открыл отец Милены.

— Проходите, — глухо произнес он. — Быстро вы приехали. Я надеялся, что вы хоть до завтра время дадите, чтоб в себя прийти. Жене плохо стало, «Скорая» только что уехала, да и я не в себе. Неужели так обязательно сегодня нас допрашивать?

— Юрий Филиппович, убийство — дело очень серьезное, убийцу надо искать быстро. Я понимаю ваше состояние, но до завтра ждать нельзя. Вы уж простите.

— Ладно, — он махнул рукой, — чего уж... В кухню проходите, в комнате жена, не надо ее тревожить, ей лекарство какое-то сильное дали, может быть, уснет.

Настя быстро осмотрелась. Квартира явно двухкомнатная, однако Погодин ведет ее на кухню. Понятно, брат-алкаш все-таки напился и валяется в другой комнате. Или... там прячется настоящая Милена, а в квартире Канунникова лежал труп совершенно посторонней девушки с липовым паспортом на имя Милены Погодиной?

— Где ваш сын? Мне с ним тоже нужно поговорить.

— Сомневаюсь, что получится. Он там, — Погодин кивком указал на одну из дверей. — Спит.

— Ясно.

Значит, в другой комнате находится пьяный брат Милены. Но все равно придется это проверить, раз Давыдов настаивает на возможности сговора.

Кухня оказалась маленькой, в ней с трудом можно было повернуться. Все стены увешаны шкафчиками, между плитой и холодильником приткнулся квадратный стол, под который задвинуты три табуретки. Погодин вытащил одну из них для Насти, другую — для себя, уселся, опустив плечи.

— Ну спрашивайте, чего вы там хотели.

Настя собралась с мыслями.

— Юрий Филиппович, вы знаете Олега Канунникова?

Погодин вздрогнул и посмотрел непонимающе. Он явно ждал других вопросов.

— Какого Олега?

— Канунникова, — терпеливо повторила Настя. — Олега Михайловича.

— Впервые слышу... А кто это?

— Это человек, на квартире которого была убита Милена.

— Значит, это он ее... Господи, господи... За что же? Что она ему сделала?

— Вот я и пытаюсь выяснить. Так вы его знали?

— Да нет же!

Как интересно-то! Родители Канунникова уверяют, что у их сына с Миленой роман как минимум на протяжении последних пяти-шести лет и ни о каком Павле Седове они не слыхали, а отец Милены, наоборот, знает, что его дочь живет с Седовым, а насчет Олега оказался полностью не в курсе. Как так могло получиться? Кто из них говорит неправду? Канунниковы? Погодины? Или сам Седов? Прав Давыдов, что-то тут нечисто, да не просто нечисто — грязно, как в свинарнике у плохого хозяина.

— И Милена никогда не называла его имени? Не упоминала о нем?

— Нет. Может, они учились вместе в университете?

— Да нет, не учились они вместе.

— Тогда, может, работали? — предположил Погодин.

— А где? — задала Настя встречный вопрос. — Где Милена работала до того, как поступила на юридический?

— Не знаю, — он растерянно пожал плечами. — Где-то работала, на фирме какой-то. Но мы с матерью названия-то не спрашивали, какая нам разница? Все равно мы не разберем, где там чего. Мы люди простые.

— И чем она занималась на этой фирме? Кем работала?

— Кажется, секретаршей, что ли... Или на телефоне сидела, звонки переключала. Я не очень-то знаю, вы поймите, мы всего два года как в Москву перебрались, она в это время уже с Пашей жила, дай ему бог здоровья, столько хорошего он для нас всех сделал...

— А где вы жили раньше?

— В Средней Азии. Милочка первая уехала, давно еще, там житья совсем никакого ей не было, мы-то с матерью еще держались кое-как, пока работа была, а потом, как безработица началась, так хоть ложись и помирай. Спасибо Паше, он нам помог сюда перебраться, здесь и работа есть, и к Милочке поближе. И с мужем ее вопрос решил.

— Милена была замужем?

— Была...

Она вышла замуж за одноклассника сразу после окончания школы. У них любовь была чуть ли не с седьмого класса. Роман — мальчик из хорошей семьи, уважаемые люди, полгорода их знает, мама — завотделением в городской больнице, папа — доцент в местном институте, дом у них хороший, просторный, участок большой. А Милена из совсем простой семьи, родители — рабочие, хотя она, конечно, девочка была замечательная, умница, училась только на «отлично», учителя нахвалиться нс могли, не говоря уж о том, что красавицей она выросла редкостной. И характер у Милы добрый был, покладистый, никому зла не хотела, ни о ком слова дурного ни разу не сказала.

После свадьбы все пошло вроде и неплохо, да только недолго это счастье продолжалось. Очень скоро стало понятно, что новых своих родственников родители Романа привечать не желают, к себе в гости не зовут и к ним не ходят. Оно и понятно, разве Погодины им ровня? В Средней Азии сословные преграды стояли в то время еще прочно даже между людьми некоренной национальности.

Роман поступил в институт сразу же, как школу окончил, а Мила провалилась на экзаменах, потому что готовиться не было никакой возможности. Вставала в пять утра и шла на двор мыть казаны и чистить ковры, чтобы все соседи видели, какая работящая в семьс невестка. Так было принято, и родители Романа, прожившис в Средней Азии всю жизнь, никаких поблажек девушке не сделали даже во имя того, чтобы она нормально подготовилась к экзаменам. У Романа появились новые друзья по институту, образовалась прочная веселая компания, куда Милену не звали. Свекровь сначала изредка, потом все чаще и чаще начала делать Милене замечания, дескать, делает все не так, и полы не до блеска намыты, и казан не сверкает, и ковры недостаточно чисты, и еда невкусно приготовлена. Взяли из милости бедную девчонку в богатую семью, хотели, чтобы сын был счастлив, думали, у них настоящая любовь и настоящая семья будет, а она, оказывается, ни на что не годится, мало того, что мозгов нет, даже в институт поступить не смогла, так даже и забеременеть не может. Что это за семья, что за невестка такая неудалая?

Мила терпела. Она вообще девочка была терпеливая и очень добросовестная, старалась все по дому делать как следует, а ее все бранят и бранят, и она искренне поверила в то, что действительно ни на что не годится и ее удел – мыть полы и всем угождать, больше от нее все равно толку никакого. А Роман быстро стал отдаляться, жил собственной веселой студенческой жизнью, в которую жену не пускал: стеснялся ее. Всего за полгода Мила из юной красавицы превратилась непонятно во что: волосы паклей висят (на стрижку в парикмахерской денег не дают, даже шампунь, чтобы голову помыть, выдавали раз в две недели), руки шершавые, цыпками покрыты, ногти обломанные, под глазами синева от постоянного недосыпания. Муж обращался с ней все хуже и хуже, начал грубить, хамить, даже руку стал подымать. Милена терпела такую жизнь целых три года. Однажды Роман избил ее, выбил несколько зубов, хорошо еще, что задних, разбил нос, и только тогда двадцатилетняя Мила убежала к родителям и, рыдая, заявила, что в дом мужа больше не вернется. Родители приняли ее, утешали, гладили по голове и соглашались, что, конечно, раз так, то жить с мужем ей не следует.

На следующий день Роман пришел за женой, требовал, чтобы Милена вернулась. Из дома вышли Юрий Филиппович и его жена Зоя Николаевна, пытались поговорить с зятем, объяснить, что ему лучше с их дочерью развестись и оставить ее в покое, но Роман был не из тех, кто мирится с течением событий, если они не соответствуют его желаниям. Он считал, что Милена должна вернуться. Зачем? Разве он ее любил? Разве дорожил ею? Жить без нее не мог? Да нет, все было просто: Милена должна была вернуться, чтобы он сам, на глазах у всех соседей, выгнал ее из дому, тогда правила будут соблюдены. А то что же получается? Его, такого замечательного молодого человека, сына таких уважаемых родителей, бросила какая-то там нищенка из рабочего поселка? Непорядок.

Дело дошло до оскорблений, Роман в выражениях не стеснялся, но в тот раз очень вовремя появился подвыпивший брат Милены и вытолкал его взашей. Еще через день Роман вернулся и орал на всю улицу, что либо жена вернется, либо он опозорит ее на весь город, да так, что жизни ей никакой не будет. Зная характер мужа и его родителей, Милена понимала, что жизни действительно не будет, они оболгут ее, выставят мало того что неумелой хозяйкой и бесплодной женой, так еще и воровкой назовут.

Юрий Филиппович и Зоя Николаевна собрали все деньги, какие были, опустошили сберкнижки, кое-что продали и сказали дочери: уезжай отсюда, Ромка все равно от тебя не отстанет, будет позорить перед соседями не только тебя, но и всех нас.

Милена уехала в Москву. Как-то понемногу устроилась, нашла работу, сначала попроще, потом вот в фирме этой. Встретила Пашу, хорошего человека, доброго, стала с ним жить. Он ее замуж звал, да только разве она могла за него выйти? У нее же с Ромкой развод не оформлен. Она и сама ему писала, и звонила, и родителей просила сходить поговорить, тот ни в какую не соглашается. Пусть, говорит, Мила приедет, сама ко мне придет, тогда дам развод. Ему ведь что надо было? Чтобы она на коленях приползла да так же и уползла, на глазах у всей улицы, сопровождаемая бранью и издевательствами. Роман дал бы, конечно, развод, ему и самому уже на другой жениться пора, но только ему сатисфакции хочется, чтобы никто не смог сказать, что жена от него, расчудесного такого, аж в Москву сбежала и преотлично там устроилась. Нет, не она сбежала, а он сам ее выгнал с позором, вот чего он хотел. А Милена этого совсем не хотела, ей вполне достаточно было выбитых зубов, чтобы еще и через такое унижение проходить.

Спасибо Пашеньке, он все устроил. Позвонил каким-то своим знакомым из милиции, денег заплатил, Роману все быстренько объяснили, с кем надо переговорили, а свидетельство о расторжении брака прислали Миле по почте.

После этого все стало налаживаться. Милочка хорошо зарабатывала, она настояла на том, чтобы родители переехали в Россию, поближе к ней, Пашенька помог с квартирой, в самой Москве-то очень дорого, а вот в Подмосковье в самый раз. И с сильно пьющим сыном Володькой тоже Паша помогал, на лечение сколько раз устраивал, даже за границу отправлял его, да только толку никакого...

— Юрий Филиппович, вы знаете каких-нибудь подруг Милены? Их имена, телефоны?

— Подруг? — Погодин задумался. — Да нет, наверное, не знаю. У нее своя жизнь, в Москве, она с подругами к нам сюда не приезжала. Разве только Светочка... Но я не знаю, поддерживают ли они отношения. Мила давно о ней ничего не говорила.

— Кто такая Светочка?

— Светочка Зозуля, они с Милой в одном классе учились и очень дружили. Света хотела актрисой стать, вот и поехала в Москву поступать в театральный. Поступить-то она не поступила, но как-то устроилась, и, когда Мила от Романа ушла, она Светочкиным родителям позвонила, они ей номер телефона дали. Ведь Миле уезжать надо было, а куда? Родни у нас нигде в России нет, а тут хоть кто-то знакомый. Мы с женой оба детдомовские, вместе выросли, вместе в Среднюю Азию на комсомольскую стройку приехали, у нас никого, кроме детей, нет. Ну вот, Мила ей позвонила, а Светочка и говорит, мол, приезжай, что-нибудь придумаем, Москва — город больших возможностей. Мила как в Москву приехала, так у Светочки и жила, пока сама не устроилась.

— Телефон Светланы Зозули у вас есть?

— Нет.

Ладно, нет так нет, и без телефона найдем. Интересно, на какой такой фирме можно, сидя на телефоне, заработать столько, чтобы купить родителям квартиру в Тучкове и послать брата на лечение за границу? Правда, Юрий Филиппович утверждает, что деньги на это дал Седов, но у Седова-то они откуда? С милицейской зарплаты? Смешно! Восток — дело тонкое, это всем известно, и даже русская по происхождению девушка, выросшая в Средней Азии, вполне может морочить родителям голову насчет финансовой состоятельности своего избранника, чтобы, так сказать, повысить его рейтинг в их глазах. Родители Милены, стало быть, уверены, что она до поступления в университет все время работала в какой-то фирме. А вот Седов говорит, что она в последние годы вообще не работала. Опять кто-то из них лжет.

Но если Павел Седов не лжет и у Милены не было никакого источника доходов, то возникает вполне закономерный вопрос: откуда деньги-то? И немалые.

Настя поднялась с табурета и почувствовала, как снова заныла спина, которую она так неудачно потянула, соскакивая с высокого подоконника несколько часов назад.

— Я выйду на минутку, мне нужно на работу позвонить.

Погодин молча кивнул, уставившись на собственные руки. Настя вышла на лестничную площадку, вытащила мобильник и набрала номер следователя:

— Федор Иванович, Седов еще с вами?

— Ну, — подтвердил Давыдов. — А ты где?

— У Погодиных. Павел и Милена купили им квартиру в Подмосковье и несколько раз отправляли на дорогое лечение брата-алкоголика, в том числе один раз — за границу. Хотелось бы понимать, на какие деньги.

— Угу, — промычал Федор Иванович, — мне тоже хотелось бы. Ладно, работай дальше.

— Еще имя запишите: Светлана Зозуля, одноклассница Погодиной. Приехала в Москву сразу после окончания школы.

— М-гм, записал. Спросить, что ли, или так поискать?

— Ну, это вы сами решайте.

Открывая дверь в квартиру, Настя сразу почувствовала, что что-то переменилось. Еще звуков никаких не услышала, а уже уловила, что воздух словно движется как-то по-другому. Распахнулась одна из выходящих в коридор дверей, и перед ней возник щуплый на вид, но жилистый мужчина в одних трусах, но почему-то в теплом зимнем свитере. Коридорчик маленький, короткий, и на Настю весьма ощутимо пахнуло ароматной смесью застарелого и свежего перегара. Это, стало быть, старший брат Милены по имени Владимир. Проснуться изволили.

— Чего как к себе домой прешься? — гостеприимно спросил Владимир. — Ты как дверь открыла? Ключи, что ли, сперла?

Из кухни тут же появился Погодин-старший и принялся заталкивать сына назад в комнату.

— Иди проспись, Вова, иди, не позорь меня перед людьми.

Однако Вова с такой постановкой вопроса согласен не был.

— Чего проспись-то, чего проспись? — завопил он. — У вас тут всю хату обнесут, а вы и не пошевелитесь! Люди какие-то чужие ходят, ворья развелось кругом! Милку вон уже грохнули, теперь ограбят до нитки, пользуются тем, что у людей несчастье, налетели, как саранча поганая!

Настя молчала и с интересом наблюдала за происходящим.

— Это не чужие люди, Вова, это из милиции пришли насчет Милочки. Иди ляг, тебе спать нужно.

— Да не нужно мне спать! Чего ты привязался?!

— Не шуми, мать разбудишь.

— А чего это она спать улеглась среди дня? У нас Милку убили, в семье горе, а она спать затеялась! Нашла время!

Было видно, что Юрий Филиппович едва сдерживается, чтобы не врезать сынку по отекшей от здорового образа жизни физиономии. Была б его воля, он бы не только ударил его, но еще и сказал бы пару ласковых слов, не затрудняясь в выборе эпитетов, но присутствие женщины из милиции его сдерживает, и он изо всех сил старается соблюсти приличия.

— Матери укол сделали, врач приезжал, — Погодин проявлял чудеса терпения, — пусть отдохнет. И ты иди отдохни.

— Не хочу я отдыхать! Мне выпить надо.

Проблема соблюдения приличий перед Погодиным-младшим, вероятно, не стояла никогда, поэтому он, недолго думая, отпихнул отца и, пошатываясь, направился в кухню.

— Вот, — удрученно пробормотал Юрий Филиппович, — сколько денег Паша угрохал на его лечение, и все впустую. Ничего не помогает. Пьет и пьет. После больницы месяц-другой еще держится, а потом снова... Бывают же счастливые семьи, сколько детей на свет родится — все людьми становятся, а у нас — видите, что вышло? Вовка не удался, зато Милочка сердце радовала — и красавица, и умница, и добрая, и человека себе хорошего наконец нашла. А теперь вот и Милочки нет.

Он как-то неловко дернулся, закрыл лицо ладонями и заплакал.

* * *

Федор Иванович Давыдов, несмотря на солидный возраст, почти никогда не уставал. Чувство усталости было знакомо ему в далекой юности, когда он учился в институте и пять раз в неделю бегал на спортивные тренировки. Вот тогда — да, тогда он здорово уставал, что от учебы, на которую катастрофически не хватало времени, что от спортивных нагрузок, к которым он от природы был не очень-то приспособлен. И тренировался-то он вовсе не для того, чтобы побеждать и завоевывать кубки, а исключительно для выработки у себя привычки к усталости. Привычку он выработал, поэтому усталости и не чувствовал.

Уже почти восемь, день получился долгим и тяжелым, а он все сидит у себя в кабинете и допрашивает Павла Седова. Казалось бы, все нужные вопросы уже заданы, ответы получены, но не нравится что-то Федору Ивановичу, ох не нравится. Путаница какая-то с этим делом получается, все показания вразнобой идут, ничего не склеивается. Павлу-то сие неведомо, а вот следователь Давыдов знает кое-что, и очень это его беспокоит. А тут и Каменская позвонила, и снова появились кончики, которые надо бы состыковать. Значит, начнем по новому кругу.

— Стало быть, ты вчера звонил родителям Милены?

Этот вопрос он задавал Седову раз десять. Ну и ладно, где десять, там и одиннадцать.

— Звонил. Они сказали, что Мила к ним не приезжала и не звонила. Она была у них несколько дней назад.

— А она вообще часто к ним ездила?

— Раз в две недели примерно, иногда чаще, иногда реже.

— А ты с ней ездил?

— Когда как. Но чаще она одна ездила, у меня времени нет.

— Значит, с родителями твоя Милена была близка?

— В каком смысле? — Павел поднял на следователя больные воспаленные глаза.

— Ну, рассказывала им все, делилась с ними... Или нет?

— Думаю, что нет. Она их любила очень, заботилась о них, продукты привозила, денег подбрасывала. Но я не думаю, что она рассказывала им о своих делах. Зачем?

— О каких делах? — встрепенулся Давыдов. — Какие у Милены были дела, о которых она не рассказывала папе с мамой?

— Ну, экзамены там, зачеты... Или о лечении за границей. Мила лечилась от бесплодия, она хотела ребенка.

— Лечилась за границей, значит. Дорого, наверное? — в голосе следователя зазвучало искреннее участие. — И долго?

— Дорого. Но она очень хотела.

— Что ж у нее, и деньги были на такое лечение?

— Были.

— Сынок, ты же понимаешь, что я должен спросить: откуда? Ты не подумай, что я хочу деньги в чужом кармане посчитать, но Милу-то твою убили, это факт. И версий у нас с тобой только две пока: либо это акт устрашения, направленный на тебя, либо ее убили по каким-то ее личным делам. А убивают у нас, как тебе хорошо известно, легче всего из-за денег. Так что хотим мы с тобой или не хотим, но денежки нам посчитать придется.

— Да чего там считать, Федор Иванович, — заговорил Павел с раздражением. — Ну, скопили мы. Что-то у Милы было, я добавил. Не было у нее никаких денежных дел, я вам точно говорю.

— Ну и ладушки, — мирно согласился Давыдов. — А когда ее родители-то сюда переехали?

— В позапрошлом году.

— Надо же... Вот живут люди на одном месте, добро наживают, имуществом обзаводятся, а потом жизнь так поворачивается, что надо в одночасье все продавать и в другое место ехать. Страшно, наверное. У них там, в Азии-то, поди, домина был огромный, хозяйство налаженное... Или квартира?

— Дом. Да одно название! Домишко на окраине, в рабочем поселке.

— Эва как! Они за него небось сущие гроши получили. А квартиру в Тучкове купили, это тысяч тридцать долларов-то, не меньше вышло. Что ж они, подпольные миллионеры у вас? Или тоже ты с зарплаты накопил? Ты глаза-то не отводи, сынок, я ж предупредил, что деньги считать будем, они вообще счет любят. Накопить ты столько не мог. Я вот побольше твоего оклад имею, а у меня столько денег нет. Так что придется нам исходить из того, что какие-то денежные дела у твоей подруги-то были. Или нет?

— Федор Иванович... Ну не тяните вы из меня душу! Самому тошно.

— Так и мне, сынок, тошно, ведь человек погиб. А разбираться придется.

Павел смотрел на муху, неторопливо ползающую по кромке чашки, на дне которой уже подсохло коричневое кольцо от давно выпитого чая, и молчал. Давыдов его не торопил. А куда спешить-то? Были у Милены Погодиной какие-то «левые» денежки, были. Вот из-за них ее и убили.

— В общем... — начал Седов.

И снова умолк. Давыдов смотрел на него ласково и участливо, не подгонял. Просто ждал.

— Еще до того, как я познакомился с Миленой, у нее был мужчина... ну, любовник. Очень богатый. Подозреваю, что из криминальной среды. Она ведь приехала в Москву в девяносто восьмом, а встретились мы с ней только через три года. Как она жила эти три года — я не знаю. Вернее, знаю, но только с ее слов. И про мужика этого я знаю с ее слов. Его убили. Застрелили. Не то заказ был, не то разборка, не знаю толком ничего.

— Чего ж ты не выяснил? — удивился Давыдов. — Ты ж не мальчик с улицы, ты в органах служишь, тебе сподручно.

— Мила его имени не называла. Я сколько раз спрашивал — не отвечала, а мне ссориться из-за этого не хотелось. Да и потом, она сказала, что убили его где-то не то на Кипре, не то в Греции. Так что выяснить ничего невозможно. Но не в этом дело. После его смерти Мила нашла в его доме тайник с деньгами. И записку, адресованную ей самой. Дескать, если со мной что случится, бери эти деньги, они — твои. Она и взяла.

— А дом? — живо заинтересовался Давыдов.

— А что — дом? Дом не ее, оформлен на какую-то фирму. Она вещи собрала и сразу же съехала, квартиру сняла.

— Сняла? — переспросил Федор Иванович. — А чего сняла, а не купила?

— Она собиралась купить, но надо же где-то жить, пока подыщешь то, что нужно. Вот пока она ее искала, мы и познакомились.

— Ну а квартира-то, квартира? — следователь демонстрировал неугасающий интерес к жилищным вопросам. — Купила она квартиру?

— Конечно. В ней мы и живем. Жили...

— Значит, у тебя собственного жилья нет, так я понимаю?

— Да почему же? Есть. Моя квартира, однокомнатная. Стоит себе.

— А эта, в которой ты живешь, стало быть, на нее оформлена, на Милену?

— Ну да. Это ее собственность.

— Ладно, понятно. А денег-то много было у этого ее любовника?

— Федор Иванович... Может быть, вам трудно это понять, но мне такие расспросы не очень-то приятны, — зло проговорил Седов.

— А чего ж тут неприятного-то?

На лице у следователя было написано искреннее удивление. Ну в самом деле, что неприятного может быть в том, что люди улучшают свои жилищные условия? Радоваться надо. А ему, вишь, неприятно. Эва.

— Мне неприятно, что женщина, которую я любил и с которой жил, решала свои проблемы на деньги бывшего любовника. Это вам понятно? Мне неприятно, что я ничем не мог ей в этом помочь. Мне неприятно, что я жил в квартире, купленной на деньги, которые он дал Милене за то, что она с ним спала, и ремонт в этой квартире сделан на эти же деньги, и мебель вся на них куплена, и лечилась за границей Милена тоже на них, и брата своего лечила, и родителям квартиру купила. И даже мне машину. И все на эти деньги. Я вам больше скажу: она не только от бесплодия лечилась в Швейцарии, она еще и зубы в Англии делала. Помните, я вам рассказывал, что ей первый муж шесть зубов выбил?

— Помню, помню, — с готовностью закивал Федор Иванович. — Ну и как, много от тех денег осталось-то? Или все порастратили?

— Не знаю, — Павел устало откинулся на спинку стула. — Я не считал возможным спрашивать у Милены такие вещи. Для меня это унизительно, неужели вы не понимаете? Она ведь даже меня лечила в Германии.

— Тебя? А у тебя что за болезнь, сынок? Тяжелая?

— Да нет, позвоночник что-то... Я бы перетерпел, но Милена узнала у врачей, что если сейчас не сделать операцию, то лет через десять-пятнадцать я превращусь в инвалида, вот и уговорила меня. А что я должен был на работе говорить? Ведь такое не скроешь. Ни операцию на позвоночнике, ни квартиру с ремонтом, ни дорогую машину. Ну и говорил, что Мила в крупной фирме большие деньги зарабатывает. Никто же проверять не станет. А на самом деле я жил на деньги ее хахаля, на деньги, которые она в постели заработала, и сам себя за это презирал.

— Ну ладно, ладно, сынок, ты не отчаивайся так, — принялся утешать его следователь. — Ничего плохого ты не сделал, не украл, не обманул. Ну, соврал чуток товарищам по работе, так кто из нас этого не делает? Ты мне вот что скажи: ее родители могли знать эту вот ее историю с любовником? Я к чему спрашиваю-то: может, она им имя называла, тогда нам легче будет, мы его связи поднимем да прошерстим, агентуру задействуем, ну, сам знаешь. Может, эти деньги-то были спорные или, не приведи господь, общаковые, Мила-то их растратила, а теперь за них спрос пришел. За это ее и убили. А?

— Не знали они ничего, — отмахнулся Павел. — Мила никогда не сказала бы им такого. Они этого не поняли бы. Они думают, что Мила в Москве честно работала, зарабатывала, как могла, ни с какими мужчинами не встречалась, а потом, спустя несколько лет, познакомилась со мной. Мила ведь им говорила, что квартиру покупает им на мои деньги. Думаете, мне легко было выслушивать их благодарность? Они же меня благодетелем считают, и квартиру-то я им сделал, и Вовку, алкаша этого, лечил, они с меня пылинки сдувать готовы, а я сижу, дурак-дураком, и тупо улыбаюсь, дескать, не стоит благодарности, ну что вы, что вы, какие пустяки. После этого я каждый раз чувствовал себя последним подонком. Потому и старался ездить к ним пореже.

— Сынок, а чего ж ты на ней не женился-то, а? —

внезапно сменил тему следователь. — Она же ребеночка хотела родить, ты сам говорил.

— Пока не получилось, — криво улыбнулся Павел. — Ей нужно было сделать еще одну операцию. Мы договорились, что как только она забеременеет, мы сразу распишемся. А просто так замуж выходить Мила не хотела. Ей первого замужества по горло хватило. Федор Иванович, у меня уже сил нет. Может, достаточно на сегодня?

— Устал, сынок? Ну конечно, раз устал — иди домой, отдохни. А завтра продолжим.

— Господи, вы что, еще не все спросили?!

— На сегодня вроде все, а завтра будет новый день. Глядишь, и новая информация появится, вот и будет о чем спросить. Иди, сынок.

Федор Иванович долго сидел неподвижно и глядел на закрывшуюся за Павлом дверь. Нечистое дело, ох нечистое! Вот Настюха подъєдет, уж он ее дождется, послушает, чего она расскажет, может, хоть что-то прояснится. Если Канунников действительно был любовником Милены Погодиной, как утверждает его мать, на протяжении последних шести лет, а с Павлом Милена познакомилась в начале 2001 года, почти сразу после того, как убили ее богатенького хахаля, то получается, что целый год у девушки было целых два мужика, причем один из них — явно непростой, а другой, наоборот, обыкновенный, по строительной части. Целый год! Да никогда в жизни многоопытный Федор Иванович Давыдов не поверит, что замазанный в криминале бизнесмен будет мириться с таким положением. И в то, что он не знал о сопернике, Давыдов тоже не поверит. Милена при эдаком мужике шагу не ступила бы так, чтобы он не знал. Нечистое дело, одно слово.

Охохонюшки, жизнь наша...

Глава 4

Евгений Леонардович проснулся среди ночи с тяжелым чувством, сперва спросонок не мог сообразить, откуда эта тоска, потом вспомнил: умер Миша Ланской, сегодня похороны. Не пойти нельзя, они столько лет работали вместе, пока Мишка не сделал то, что сделал... Ах, Миша, Миша, ну зачем ты так? Славы тебе это не принесло, да и не ради славы ты это сделал. Хотел быть поближе к руководству страны, хотел войти в «круги приближенные» и тем самым решить те проблемы, которые сегодня решаются только деньгами. Ионов посчитал, что Миша Ланской предал не только лично его, он предал и весь коллектив, который работал над Программой, и саму идею Программы.

Больше двадцати лет назад, в далеком уже 1983 году пришедший на смену министру внутренних дел Щелокову новый министр Федорчук решил очистить ряды сотрудников органов от «чуждых элементов», под коими подразумевал пьяниц и корыстолюбцев. Господи, да кто в милиции не пил?! Как и во всей стране? Единицы. Расправы были жестокими и молниеносными, на место с позором уволенных пришли «честные и чистые душой и руками» комсомольские и партийные деятели, зачастую не имеющие юридического образования и опыта работы по раскрытию и расследованию преступлений. Профессиональное кадровое ядро розыска и следствия стало расплываться и таять на глазах.

Спустя почти два года, проводя очередное исследование, группа научных сотрудников, возглавляемая Евгением Леонардовичем Ионовым, обнаружила некоторые странности в изменении состояния преступности. Преступления стали менее изощренными, а сами преступники — более наглыми и прямолинейными. С чего бы вдруг? А все просто: преступность и структуры, ей противостоящие, суть взаимозависимые системы; одна подстраивается под другую. Вот появилась, к примеру, новая разновидность преступлений или новый способ совершения — и следствие вкупе с розыском должно изобретать новые методы предупреждения и раскрытия, то есть наращивать интеллектуальную мощь. И наоборот: крепнут ряды в правоохранительных органах — и преступники начинают придумывать, как бы им похитрее действовать, дабы улизнуть от следствия и суда. А если происходит обратный процесс? Если органы внутренних дел слабеют? Что тогда происходит? Тогда происходит то, что и произошло и что немало в первый момент удивило Ионова и его группу: преступный мир расслабляется и перестает напрягаться. А чего напрягаться-то, ежели в розыске и следствии профессионалов осталось с гулькин нос? Все равно не поймают, так чего мозги зазря тереть?

Засели за работу, озадаченные новым поворотом событий и воодушевленные неожиданными научными гипотезами, построили математические модели, криминологи придумали и провели несколько оригинальных дополнительных исследований. Посчитали. И получили результат: если распад кадрового ядра будет продолжаться, то преступный профессионализм начнет неуклонно снижаться. Преступники перестанут бояться милицию и, соответственно, перестанут очень уж заботиться о том, чтобы их не поймали. Через пару десятков лет криминал, хоть и возрастет в общей своей массе, станет настолько примитивным, что прихлопнуть его можно будет в считаные месяцы. Нужно только, чтобы на смену самодеятельным малограмотным сыщикам в один момент пришли опытные и знающие оперативники и следователи. Ну и грамотные руководители, конечно. Это уж в первую очередь.

Правда, встал вопрос: а будет ли продолжаться кадровый развал? Снова сели, снова модели построили, снова посчитали. И вышло, что органы внутренних дел, как и любая профессиональная среда, есть система саморегулирующаяся, стремящаяся к однородности. Точно так же, как жидкость в человеческом теле, которая по известным только природе причинам стремится поддерживать уровень соли, равный 0,9 процента. Физиологический раствор. Как только уровень соли повышается, человек начинает испытывать жажду, то есть организм дает команду: нужно больше жидкости, больше, еще больше, чтобы понизить уровень содержания соли. А вот когда этот уровень становится ниже, чем пресловутые 0,9 процента, организм начинает жидкость усиленно выводить, дабы достичь вожделенной отметки. И в социальной среде происходит то же самое. Существует определенный уровень какого-нибудь показателя, при соблюдении которого система стабильна и нормально функционирует. Как только уровень понижается, система начинает либо «подтягивать» до нужной кондиции, либо отторгать лишние, балластные элементы. В милиции существует некий определенный уровень хорошо подготовленных, профессиональных кадров, и с этим уровнем система достаточно успешно функционирует. Что происходит, когда появляется неопытный, мало знающий, плохо подготовленный человек? Система начинает его обучать и натаскивать, чтобы подтянуть до своего уровня. А если человек не обучается? Мало ли по каким причинам, может, у него мозгов не хватает, или неинтересно ему, или характер неподходящий для этой работы, или ленив он, халтурщик и оболтус, и в милицию он пришел только лишь ради красных корочек и власти, этими корочками обеспеченной? Тогда система его отторгает, и человек мирно переходит в другую службу, например, на бумажную работу или в науку идет. Или еще куда-нибудь, но в рамках родного министерства, потому как Положение о прохождении службы обязывало его отслужить не меньше двадцати пяти лет. Снять погоны раньше положенного можно было только по болезни или «по отрицательным мотивам», то есть по воле начальства, которое сочло тебя полностью непригодным к службе.

То, что сделал новый министр, мгновенно расшатало внутренние механизмы саморегулирования системы. Количество «новичков», ничего не смыслящих в раскрытии и расследовании преступлений, превысило критическую массу, при которой возможно было своевременное «подтягивание» или отторжение. Партийно-комсомольские новички учиться не больно-то хотели, ибо «их партия послала на усиление», то есть они и без того «самые-самые», и пришли они на новую работу с полным осознанием собственного превосходства над старыми сыскными волками. И «отторгнуть» их не было никакой возможности, потому как, опять же, партия послала, и попробуй-ка переведи их на другую работу! Себе дороже выйдет, обвинят в непонимании политики руководства страны, а непригодный к делу сотрудник все равно на своем месте останется.

Расчеты показали, что нужно всего пять лет, чтобы баланс сил переменился на диаметрально противоположный: если все пойдет так, как шло тогда, в конце 1984 года, то к 1988 году кадровое ядро в службах розыска и следствия будут составлять плохо подготовленные сотрудники, и именно это ядро начнет диктовать системе, какой ей быть, иными словами, грамотные и опытные сыщики и следователи будут либо отторгаться системой, в которой им работать станет неуютно и противно, либо «подтянутся» до уровня безграмотной халтуры и самоуверенного хамства.

Вот такие получились результаты научной работы под руководством профессора Ионова. И с результатами этими надо было что-то делать. Было очевидно, что у руководства идеи академических ученых не найдут ни понимания, ни поддержки. Срочно и кардинально менять кадровую политику в органах внутренних дел никто не станет, ведь министр Федорчук «был брошен на усиление» из аж самого Комитета госбезопасности, так кто же посмеет признать, что он ошибался? Никак невозможно. Значит, надо воспользоваться уже сложившейся ситуацией, чтобы в конце концов нанести по преступному миру сокрушительный удар. Пусть милиция и следствие разваливаются, пусть все идет как идет, а уж потом...

Но для этого «потом» нужны были силы, стоящие не только над учеными из Академии МВД, не только над министром внутренних дел, но и над КГБ. И такие силы были найдены.

Ионов и его ближайшие соратники — Дмитрий Шепель и Михаил Ланской — лично докладывали результаты своих разработок толковому и дальновидному человеку из отдела административных органов ЦК КПСС. Тот попросил оставить все бумаги с обоснованиями и расчетами. Через два месяца его секретарь позвонил Ионову и попросил приехать. Результаты превзошли самые смелые ожидания ученых. Человек из отдела адморганов сказал, что разработанная ими программа борьбы с преступностью рассмотрена, одобрена и будет включена в секретную общегосударственную долгосрочную программу оздоровления общества. Для научной поддержки и авторского сопровождения каждой части программы создаются специальные центры, которые будут действовать, разумеется, тихо и практически негласно. Для экономической части программы — свой институт, для образовательной — свой, и так далее. Соблюдение секретности будет обеспечиваться должным образом, этим займутся преданные делу специалисты из КГБ и Министерства обороны, потому что в подведомственные им организации никто и носа сунуть не посмеет. Пришлют по месту работы запрос с требованием откомандировать — и никаких вопросов.

Для Ионова и его коллег вопрос решался совсем просто, ведь Федорчук, помимо всего прочего, ликвидировал научный центр, в котором они работали с самого первого дня основания академии. Сотрудники центра разбрелись кто куда, кто на практику ушел, кто в центральный аппарат устроился, кто — на кафедры, преподавать, кто подался в единственное уцелевшее научное подразделение — ВНИИ МВД. Поскольку группа Ионова занималась математическим моделированием, ее в полном составе присоединили к одной из кафедр, начальник которой не пошел на поводу у министра и добился-таки разрешения иметь научно-исследовательскую лабораторию для обеспечения учебного процесса и подготовки руководящих кадров. Эта лаборатория была у всех как бельмо на глазу, другие кафедры завидовали и от собственного бессилия интриговали, упорно распространяя по министерству мнение о ее ненужности и обременительности для всей академии. Позиции начальника кафедры, на которой работала группа Ионова, становились все слабее, и было понятно, что еще чуть-чуть — и им тоже придется искать другую работу. Так что их перевод по запросу об откомандировании ни у кого не вызвал ни сопротивления, ни удивления, ибо выглядело это так, будто сотрудники дышащего на ладан подразделения вовремя подсуетились и подыскали себе другое место службы.

В начале 1985 года Миша Ланской заговорил о том, что тогдашний генсек уже очень пожилой и нездоровый человек, осталось ему совсем немного, а на смену ему готовят молодого, прогрессивного и толкового, ориентированного на мнение мирового сообщества. И если этому новому, молодому генсеку удастся продержаться на своем посту больше трех лет, то он наверняка закончит афганскую кампанию, чтобы не позориться перед всем миром. Надо бы учесть этот фактор в моделях и прогнозах.

И опять сели, посчитали... К тому времени СССР был территорией налаженного транзита наркотиков из Азии, в том числе и из Афганистана, в Западную Европу, и делались на этом огромные деньги. Что получится, если перекрыть такой мощный источник, как Афганистан? Не родился еще преступник, который при невозможности украсть там, где он обычно крадет, сказал бы себе: ну и ладно, я уже наворовал достаточно, пора и на покой. Да нет же, он начнет искать новые возможности обогатиться, потому что денег не только не бывает много, их никогда не бывает даже достаточно. Всегда хочется еще. Если нельзя больше делать деньги на транзите, то что остается? Правильно, расширять внутренний рынок. Параметры прогнозируемой наркотизации страны, полученные в результате расчетов, оказались ошеломляющими. Ионов дал команду немедленно приступить к разработке системы упреждающих мер, чтобы не допустить катастрофы, которая непременно разразится, как только станет ясно, что война в Афганистане близится к концу.

И вот тут Миша Ланской сделал то, чего Ионов за двадцать лет так и не смог ему простить. Миша любил деньги, очень любил, гораздо больше, чем сам Евгений Леонардович. Если Ионову деньги нужны были для обеспеченной и достойной старости, не обременительной для его близких, то Мише Ланскому требовались совсем другие суммы. Принципиально другие. Он хотел не копить «на потом», а тратить сейчас, он жаждал роскоши, удовольствий и дорогих вещей, но поскольку в те времена роскошные вещи и дорогие удовольствия доступны были лишь весьма ограниченному кругу людей, то ему, помимо собственно денег, нужна была возможность войти в этот круг. И то, что он сделал, оказалось идеальным способом решить обе задачи одновременно.

Он нашел выходы на тех руководителей страны, которые обогащались за счет наркотрафика и держали его под своим контролем. Он рассказал им о моделях, расчетах и прогнозах и объяснил, что если срочно начать формировать внутренний рынок потребления наркотиков, то в очень скором будущем на этом можно будет сделать куда бóльшие деньги, чем на транзите. А нужен-то для этого сущий пустяк: всего-навсего антиалкогольная кампания, которая будет встречена населением, уставшим от вечно пьяных мужиков, на «ура». Пьющие, конечно, окажутся недовольны, ведь нужно же людям какое-никакое физиологическое и эмоциональное отдохновение от тягот бытия, но это ерунда. Старшее поколение перейдет на самогон, с самогоноварением милиция начнет отчаянно бороться, тем самым показывая гражданам, какая она трудолюбивая и как радеет о соблюдении закона. А вот молодое поколение подсядет на наркоту, причем независимо от того, пили они раньше водку или нет. Ибо если в культуре страны не развито убеждение о том, что радость бытия достигается значительными усилиями, а не просто так с неба падает, то основная масса людей и будет по-прежнему стремиться эту радость получить быстро и легко, не вкладывая собственный труд. Зачем горбатиться до изнеможения, чтобы в конце оценить сделанную работу и почувствовать себя счастливым, если можно выпить и забыться, уколоться и закайфовать? Зачем напрягаться и откладывать момент счастья на потом, если можно без напряжения, здесь и сейчас? Человек слаб и подвержен искушению, так что с формированием спроса на наркотики проблем не будет. А кто сам не захочет употреблять — того подсадим, завлечем бесплатными дозами «на попробовать» — и дело в шляпе, во всем мире система налажена и приемы давно отработаны.

Новый генсек, человек непьющий, идею антиалкогольной кампании поддержит, ему нужно поднимать разваленное советскими управленческими методами производство, и трезвость на предприятиях — одно из непременных условий. И женская часть населения будет его любить. Надо лишь грамотно подать идею и пролоббировать ее.

Идея понравилась, и Михаил Ланской получил то, чего хотел: доступ к роскоши и всяческим удовольствиям, в том числе к туристическим поездкам по всему миру, а не только в Болгарию и Румынию, и очень большие деньги. Его начальники по институту, конечно, узнали обо всем, и Ланского от работы над Программой отстранили. Были предприняты попытки как-то исправить положение, кураторы долгосрочной общесоюзной программы, не раскрывая истинных целей, вступили в контакт с теми, кто купил разработку Ланского, но не нашлось в то время силы, которая оказалась бы влиятельнее наркоденег. Пробиться к новому генсеку не удалось, и в мае 1985 года вышел указ о борьбе с пьянством и алкоголизмом. Производство алкогольной продукции сократить, продажу ограничить, виноградники вырубить... и так далее.

С этого момента Евгений Леонардович раз и навсегда вычеркнул Михаила Ланского из своей жизни. Ему было очень больно, ведь десять лет, целых десять лет они работали рядом, загорались новыми идеями, придумывали методы исследований, разрабатывали технологии моделирования и прогнозирования, и Ионов считал Михаила, наряду с Димой Шепелем, одним из лучших своих учеников и последователей. Дима был талантливым математиком, Миша — криминологом.

А вот теперь Миша умер, ему только-только исполнилось шестьдесят два, совсем еще молодой. Идти на похороны не хотелось, но и не пойти нельзя, ведь провожать Михаила придет научная общественность, и отсутствие профессора Ионова сразу заметят. Никто не знает об их конфликте, так же как не знают и о Программе. И рассказать нельзя...

Еще только четыре утра, а сна ни в одном глазу. Ворочается в постели Евгений Леонардович, кряхтит, постанывает не то от боли в ноге, не то от душевной боли и ругает сам себя за то, что двадцать лет прошло, а он все не может простить Михаила... и все равно, хоть и ругает себя, а простить не может. Скорее бы прошел последний час перед подъемом. В пять утра он, как обычно, встанет и будет варить себе овсянку на воде. В Фонд он сегодня не поедет, вызвал машину на десять, чтобы сразу отправляться на панихиду. Но в девять он все-таки позвонит Диме Шепелю, Дима — активный и общительный, он все знает, может быть, ему известно, кто придет на похороны, и если представителей старой когорты ученых будет немного, то отсутствия Ионова никто и не заметит. Ведь людей, знавших Ионова и Ланского во время их совместной работы, осталось совсем мало, двадцать лет прошло, кто-то давно ушел из науки и связей с бывшими коллегами не поддерживает, кто-то умер, кто-то состарился или болен настолько, что на подобные мероприятия уже не выезжает.

Дима Шепель. Тоже проблема. Он сам-то на похороны поедет или нет? Когда-то Ланской увел у него жену, давно, еще до Программы. Правда, очень скоро она вернулась к законному мужу, всего через полгода. Но вернулась, будучи беременной от Ланского. Она хотела этого ребенка, а когда поняла, что с Михаилом жить не может и не хочет, делать аборт было поздно. Дима принял ее и парня вырастил как своего, он очень любил жену и был счастлив, когда она вернулась. И вот сейчас сыну Вадиму двадцать четыре года, он закончил Московскую академию МВД, три года поработал в уголовном розыске и теперь хочет заниматься наукой. Жена Димы просит устроить его к ним в Фонд. А Ионов все не может простить Мишу и свое непрощение распространяет и на его сына. И жену Шепеля он простить не может, хотя лично ему, Евгению Леонардовичу, она ничего плохого не сделала. Но Миша — предатель, и все, кто его любил, недостойны уважения. О том, что он и сам любил когда-то Мишу Ланского, Ионов благополучно забыл. Лукава память человеческая, ох лукава!

Ну вот и пять часов, можно вставать. Каша, обязательная прогулка, яйцо с сыром и кофе, а там и Диме можно звонить.

Без пяти девять хлопнула входная дверь, пришла домработница Роза, соседка по дому, мать многочисленного семейства, добропорядочная и надежная сорокалетняя женщина, которая была счастлива найти работу поближе к собственной квартире, чтобы по мере возможности приглядывать за детьми.

— Евгений Леонардович, вы дома? — громко спросила она прямо от порога.

— Дома, Розушка, дома, — откликнулся Ионов.

— Не заболели? Или вы сегодня попозже?

— Пока не знаю. Или через час уеду, или вообще дома останусь.

— Если вы дома будете, тогда говорите, что на обед готовить, я сейчас в магазин пойду.

— Погоди, Розушка, я сейчас позвоню, тогда и решим. Ты пойди пока кофейку выпей.

Роза благодарно улыбнулась и скрылась в кухне. Она очень любила хороший кофе, но для скромного бюджета ее семьи такое удовольствие было неподъемным, она покупала дешевый растворимый и позволяла себе пить его только один раз в день, утром. Евгений Леонардович знал о ее пристрастии и при каждом удобном случае угощал. Он твердо знал, что Роза придерживается собственных правил и без прямо высказанного предложения хозяина не то что кофе хозяйского себе не заварит — кусочка хлеба не отрежет.

Ионов дозвонился до Шепеля и огорчился. Оказывается, на похоронах собирается быть один из заместителей министра внутренних дел, который когда-то учился вместе с Ланским в адъюнктуре и в те времена крепко дружил с ним. Узнав об этом, научная и педагогическая общественность зашевелилась, во всяком случае, та ее часть, которая до сих пор служила и, стало быть, помнила и Ионова, и Шепеля. Ну как же, быть на одном мероприятии с замминистра! Иметь возможность, если повезет, быть лично представленным высокому руководителю или напомнить о себе — это дорогого стоит.

— Я вас понимаю, Евгений Леонардович, но придется ехать.

— А ты сам-то как?

— Куда ж мне деваться, — вздохнул Шепель. — Это как раз тот редкий случай, когда между вами и мной нет никакой разницы. Все вместе работали.

— Один поедешь? Или с Кирой?

— Один. Мне еще хуже, чем вам. Те, кто нас помнит, знают и про то, что она уходила к Мише. Могу себе представить, как они будут на меня смотреть и судачить шепотом. Да ладно, Евгений Леонардович, что я, мальчик? Мне уже пятьдесят пять стукнуло. Переживу. Вам легче, в силу вашего почтенного возраста вы можете прямо с кладбища домой возвращаться, а мне еще на поминках сидеть.

Ионов улыбнулся.

— Ну что ты, Дима, разве я тебя брошу? Вместе посидим, помянем Мишу Ланского. Кто из наших будет?

Шепель назвал несколько фамилий. Ну что ж, вот и ладно. Конечно, Дима прав, восьмидесятилетний профессор Ионов вполне может не ехать на поминки, все отнесутся к этому с пониманием, но не надо, нельзя отрываться от молодежи. Упустил что-то Евгений Леонардович, упустил, позволил трещине сначала возникнуть, потом расшириться, но, может быть, еще не поздно, еще есть возможность сделать так, чтобы трещина не превратилась в непреодолимую пропасть. Или уже нет?

* * *

С момента обнаружения трупа Милены Погодиной прошло двое суток, и пора бы уже докладываться начальнику о ходе работы, но почему-то Большаков Настю не вызывал и ни о чем не спрашивал. Забыл, что ли? Или считает это дело не таким уж важным? Вполне возможно. Будь на месте начальника отдела прежний шеф, Афанасьев, ход его рассуждений можно было бы просчитать, все-таки за несколько лет совместной работы Настя Каменская кое-как приноровилась к его стилю руководства и могла заранее предсказывать, как он себя поведет, о новом же начальнике она не знала пока совсем ничего. Кроме того, что он ведет себя более чем странно.

Три вечера подряд, приходя домой после работы, она не давала покоя мужу, снова и снова проговаривая вслух все события последнего времени и требуя от Леши, чтобы он ответил: что это значит. Так маленькие дети, полностью полагаясь на всезнание и всемогущество взрослых, требуют у них ответы на самые разные вопросы, даже такие, которые ответов не имеют по определению. Почему небо голубое, а не зеленое и не коричневое? Почему у зайчика два уха? Почему у собачки четыре лапки, а не восемь? Почему Константин Георгиевич Большаков такой, каких не бывает?

Чистяков добросовестно и внимательно выслушивал Настины стенания, вникал в каждое слово, в каждый нюанс, что-то уточнял, высказывал предположения, большинство из которых Настя отметала с ходу, остальные же они подробно обсуждали до глубокой ночи, не приходили ни к какому результату и ложились спать, чтобы потом долго еще, лежа в постели, продолжать полушепотом разговаривать. Все о том же Большакове.

В четверг утром Константин Георгиевич наконец попросил Настю зайти к нему.

— Что у нас с Павлом Седовым? — спросил он. — Есть какое-нибудь движение?

— А я уж думала, что вы забыли, — усмехнулась Настя.

— Я не забыл, — очень серьезно ответил начальник и без улыбки посмотрел на нее. — Но я не считал возможным требовать от вас отчета, пока не выполню свое обещание.

Это еще что? Настя непроизвольно нахмурилась. Снова загадки.

— Сегодня утром, — спокойно и все так же серьезно продолжал Константин Георгиевич, — подписан приказ о вашем назначении на вышестоящую должность. Я вам это обещал. И теперь имею полное моральное право спросить о Седове. Так что там?

Ничего себе! Неужели ему удалось пробить ее назначение, несмотря на яростное сопротивление руководства? Вот фокусник-то!

— Спасибо, — машинально пробормотала она, не зная, радоваться или огорчаться.

Конечно, это здорово, что ее повысили, теперь у нее появилась реальная возможность в течение ближайших месяцев получить звание полковника, и она сможет еще несколько лет работать в розыске, не мороча себе голову проблемой перехода на другую работу. С другой стороны, все становится еще более непонятным. Когда Юрка Коротков объяснял ей во вторник утром механизм аппаратной игры, затеянной Большаковым, ей казалось, что все более или менее ясно, хотя и ужасно противно, а теперь опять никакой ясности... Да кто же ты такой, Костя Большаков с умненькими глазками? Какой хитрый план ты вынашиваешь? И как тебе противостоять?

Она собралась с мыслями и коротко доложила дело. Олег Канунников, на квартире у которого обнаружен труп Милены Погодиной, установлен, он — владелец небольшой фирмы, занимающейся строительством. Фирма создана не так давно, всего полтора года назад, и успела осуществить только один проект, строительство пятиподъездного двенадцатиэтажного жилого дома. Как сообщили сотрудники фирмы, Канунников в понедельник внезапно уехал в командировку. Действительно внезапно, потому что еще в пятницу об отъезде не говорилось ни слова. В понедельник он явился в свой кабинет, как обычно, в десять утра, провел короткое совещание с главным бухгалтером, велел секретарю разыскать и пригласить к семнадцати часам представителя фирмы-подрядчика, непосредственно построившей тот самый пятиподъездный дом, а около половины двенадцатого вдруг засуетился и сказал, что должен срочно уехать на три-четыре дня, не больше. Отдал какие-то распоряжения, запер кабинет и уехал вместе с помощником.

Помощник по имени Кирилл и по фамилии Сайкин показал, что в понедельник около полудня Олег Михайлович вызвал его и сказал, что должен ехать в Варшаву утрясать какие-то финансовые дела с одним из инвесторов. Они вместе поехали домой к Канунникову, Олег Михайлович ехал на своей машине, Кирилл — на машине, записанной на фирму, то есть на служебной. В квартире пробыли недолго, минут двадцать пять — тридцать, Олег Михайлович быстро собрал необходимые для столь непродолжительной командировки вещи, и они на служебной машине отправились на вокзал за билетом. Свою машину Канунников поставил в гараж-ракушку возле дома. Выкупив билет, помчались на Бережковскую набережную, где прямо на улице Олег Михайлович встретился с каким-то человеком, который передал ему папку с документами, после чего они вернулись в офис, потому что Канунников вспомнил, что забыл в сейфе кое-какие необходимые бумаги. Олег Михайлович попросил секретаря вызвать такси, хотя Кирилл настаивал на том, что отвезет шефа на вокзал, однако тот категорически отказался, сказав, что до отъезда должен еще заскочить в одно место по, как он выразился, личному вопросу. Из офиса Канунников отбыл за два с половиной часа до отхода поезда. Больше его никто из сотрудников фирмы не видел. Все искренне полагают, что он уже давно в Варшаве, более того, уверены, что в данный момент он находится в поезде на пути в Москву.

На вопрос, видел ли Кирилл Сайкин тот билет, который Канунников купил в кассе, последовал отрицательный ответ, поскольку Сайкин вместе с шефом в кассу не ходил, оставался в машине, однако помощник ни секунды не сомневался, что шеф уехал именно туда, куда и собирался. Какой ему смысл врать помощнику? И действительно, ответ на соответствующий запрос показал, что в понедельник, четырнадцатого ноября 2005 года, в 13 часов 17 минут через систему «Экспресс» был на имя Олега Канунникова, паспорт номер..., оформлен и продан билет на ту же дату на поезд Москва — Варшава белорусского направления. Однако в том же ответе говорилось, что на имя Канунникова оформлялись еще два билета: один, приобретенный днем раньше, 13 ноября, — на поезд Москва — Прага, другой, купленный одновременно с билетом на Варшаву, всего лишь десятью минутами позже, — на поезд Москва — Хельсинки. При этом билеты на Варшаву и на Хельсинки приобретались им в разных кассовых окнах. И все три билета — на 14 ноября.

Запросы на пограничные пункты Брест и Выборг отправлены, ответы получены: в названных пунктах Олег Канунников границу не пересекал. Иными словами, либо он сошел с поезда раньше, либо он вообще ни одним из этих поездов не уезжал, а улетел, например, самолетом. Ответы от авиакомпаний пока не получены. По свидетельству помощника, Кирилла Сайкина, и секретаря Жанны Дорошенко, ни о поездке в Прагу, ни о поездке в Хельсинки по делам фирмы ничего не говорилось и о покупке билетов на 14 ноября в эти города они не слышали.

Все говорит о том, что убийство Милены Погодиной планировалось Канунниковым заранее. Он взял билеты на три разных поезда, чтобы замести следы.

Конечно, два из трех билетов он приобретал в понедельник в первой половине дня, так что можно предположить, будто умысел на убийство возник у него внезапно, под влиянием какой-то неожиданно полученной информации, но в эту схему не укладывается купленный накануне билет в Прагу. Зачем он его покупал, если не было необходимости в служебной командировке? Значит, готовился загодя. Сначала взял один билет, по которому ехать все равно не собирался, а в день убийства вдруг сообразил, что три-то билета всяко лучше одного, вот и подстраховался.

Что касается возможного мотива убийства, то на сегодняшний день, помимо первоначальной версии об убийстве с целью устрашения Павла Седова, выдвинуты еще две рабочие версии: убийство по личным мотивам, если будет установлено, что Погодина и Канунников были любовниками, и убийство из-за денег, оставленных Погодиной ее бывшим сожителем, личность которого пока не установлена, известно лишь, что он принадлежал к криминальной среде и был убит где-то за границей примерно летом — осенью 2000-го или в самом начале 2001 года. Версия об убийстве на почве любовных отношений пока подтверждения не находит; о том, что Канунников был любовником Погодиной, заявляет только мать Олега, больше никто из выявленных и опрошенных свидетелей об их знакомстве не знает, так что показания матери пока дальнейшего подтверждения не нашли.

У следствия в самом начале появилась еще одна версия, согласно которой убитая женщина, обнаруженная в квартире Канунникова, вовсе не была Миленой Погодиной. Однако версия эта подтверждения не нашла, ибо потерпевшая была безоговорочно опознана не только своим сожителем Седовым и родителями, но и приглашенными в морг тремя сокурсницами. Более того, фотография Милены в ряду других фотографий предъявлялась родителям Олега Канунникова, и они уверенно указали на нее как на давнишнюю подружку сына.

Отрабатываются связи потерпевшей как по месту учебы, так и выявленные по информации, представленной компанией мобильной связи, о телефонных номерах, с которых или на которые производились звонки с мобильного телефона Погодиной.

Родители и члены семьи Погодиной и Канунникова подробно опрошены, установлено имя возможного свидетеля, обладающего необходимой информацией, это некто Светлана Зозуля, одноклассница Погодиной, однако Зозуля в Москве не зарегистрирована, и на данный момент место ее нахождения не выявлено.

Большаков слушал внимательно, делал в блокноте какие-то пометки, по ходу доклада задавал уточняющие вопросы и делал весьма толковые замечания. Преодолеть неприязнь к новому шефу Настя не могла, но не могла и не признаться самой себе, что давно уже не испытывала такого удовольствия, отчитываясь о проделанной работе. Афоня был совсем не таким, он слышал только то, что хотел слышать, и пропускал мимо ушей любую информацию, которая не укладывалась в выстроенную им самим схему. Эта отбрасываемая им информация порой добывалась такими потом и кровью, и сыщики так ею гордились! А Афоня расправлялся с ней, как с ненужным мусором, поэтому доклады обычно оставляли у них привкус горечи и обидное ощущение впустую потраченных сил, не говоря уж об унизительном чувстве собственной интеллектуальной неполноценности: они-то думали, что добытые сведения дают новый толчок делу или, по крайней мере, вносят новые нюансы, а оказывалось, что они дураки и ничего не понимают.

Обсудив то, что рассказала Каменская, Большаков начал задавать вопросы об оперативниках, работающих по делу об убийстве Погодиной.

— Как вы считаете, — спросил он под конец, — мне нужно звонить в округ, чтобы работу поручили другим сотрудникам или подключили кого-нибудь посильнее?

Настя пожала плечами:

— Да нет, Хвыля нормально работает, оперативно. И второй мальчик, Рыжковский, тоже. Во всяком случае, у меня лично претензий к ним нет.

— Ну что ж, очень хорошо. А как наши ребята? Вы всеми довольны?

— Константин Георгиевич, из наших по этому делу работает, кроме меня, только Зарубин, а мое мнение о нем вы и так знаете. Он — отличный сыщик, очень мобильный и достаточно опытный. Между прочим, в нашем отделе у него самая большая агентура.

— Знаю, — усмехнулся Большаков. — Ко мне есть вопросы? Может быть, просьбы?

Настя набрала в грудь побольше воздуха. Просьба у нее была: завтра на заседании кафедры должна обсуждаться ее диссертация, и было бы очень неплохо, чтобы начальник разрешил ей уйти с работы. Впрочем, для сыщика понятие «уйти с работы» является эфемерным, они и без того основную часть рабочего времени проводят в бегах и в кабинетах не больно-то рассиживаются, посему проконтролировать, где они находятся и чем занимаются, — затея пустая, однако хотелось бы обойтись по возможности без вранья. Не в том она возрасте, чтобы по пустякам обманывать начальника, тем паче сам Большаков не далее как в понедельник заявил, что для окончания работы над диссертацией она может брать столько свободных дней, сколько нужно. Хотя не исключено, что это было всего лишь пустой декларацией для завоевания ее расположения. Но был еще и вопрос, который Насте очень хотелось задать, но не хватало решимости. С чего же начать, с просьбы или с вопроса?

Она решила начать с вопроса. В конце концов, она

спросит и посмотрит, что ответит Большаков. Если ей покажется, что он неискренен или вообще уклоняется от ответа, значит, доверять ему нельзя, тогда и просьбы никакой не будет, а будет мелкий и недостойный сорокапятилетней женщины обман. Ну и пусть.

— Есть вопрос. Симаков и Дуненко подали рапорты с просьбой перевести их в другие службы. Почему?

— А вы сами их не спрашивали? — улыбнулся Большаков.

— Нет. Я не вчера родилась и понимаю, что они сделали это не по собственной инициативе. Вы их к этому подтолкнули. Вы пришли к нам в понедельник утром, а в понедельник к вечеру они уже подали рапорты. Если я лезу не в свое дело — вы скажите. Я не обижусь, я все понимаю. Но мне действительно интересно, чем они вам не угодили. Вы же их совсем не знаете. Чем они успели провиниться перед вами за неполный рабочий день? Или вы лично их чем-то не устраиваете, и они успели понять это опять же за один неполный день?

Начальник вздохнул и долго смотрел в окно. «Все ясно, — удрученно подумала Настя, — он не собирается мне отвечать и теперь придумывает, как выйти из положения. Дать понять, что это не мое дело? Боится. Не хочет портить отношения. Значит, нужно быстренько сконструировать удобную ложь, такую, которая меня устроит и которую нельзя будет слишком легко разоблачить. Костя Большаков с умненькими глазками не так прост, чтобы пойти на топорное вранье или на начальственное хамство. Ну, миленький, и как же ты будешь выкручиваться?»

— Анастасия Павловна, — наконец начал он, — вы помните убийство на пляже в Серебряном Бору? Летом прошлого года.

А это здесь при чем? Убитый — знакомый нового шефа? Или у него был личный интерес в результатах расследования? Работа по делу тогда закончилась, как говорится, ничем, следователь пришел к выводу, что имела место обоюдная драка, затеянная самим потерпевшим. В деле было много сомнительных моментов... А, да что душой кривить, никаких сомнительных моментов там на самом деле не было, и Настя это отлично знала, но... Но.

— Помню.

— Ведь по этому делу работали как раз Симаков и Дуненко.

Он не спрашивал, он утверждал, но Настя все равно сказала:

— Да.

Как будто Большаков и без нее этого не знал.

— Анастасия Павловна, сколько они взяли?

Она почувствовала, как сердце сорвалось в пропасть и пропустило несколько ударов. Он и об этом знает... Вот черт! Убийством в Серебряном Бору Настя не занималась, только слышала короткие отчеты на оперативках, но все равно заподозрила неладное и ради любопытства кое-что выяснила. Доказать все равно ничего было нельзя.

— Я... не знаю, — выдавила она.

— Но ведь взяли?

— Похоже, что да. Вы же понимаете, — начала было Настя, но Константин Георгиевич ее прервал:

— Я все понимаю. В Москве тариф на такого рода услуги колеблется от двадцати пяти до сорока тысяч долларов. Если исходить из сложности дела, Симаков и Дуненко взяли тысяч тридцать — тридцать пять. Со следователем, само собой, поделились. Или у вас другое мнение?

Настя подняла голову и посмотрела прямо в глаза начальнику.

— Я думаю, было наоборот. Деньги взял следователь и поделился с нашими операми.

Она запнулась. На самом-то деле она была глубоко

убеждена, что делился следователь не с оперативниками, а с начальником отдела полковником Афанасьевым, а уж тот отстегнул ребятам от щедрот своих. Но можно ли доверять новому шефу настолько, чтобы сейчас говорить об этом?

— Кто с кем делился — большого значения не имеет, — словно прочтя ее мысли, произнес Константин Георгиевич. — В любом случае для меня неприемлемо работать с людьми, которые делают из раскрытия убийства источник обогащения. Я дал им это понять, после чего оба немедленно написали рапорты. Я ответил на ваш вопрос?

— Почти, — кивнула она.

Большаков слегка приподнял красиво очерченные брови:

— Что-то неясно?

— Как вы узнали?

— Ну, большого ума не надо, — рассмеялся он. — Вы сами по этому делу не работали, и никто вам впрямую ничего не говорил, но вы же узнали. Почему я не могу?

Да, действительно... Сколько же времени он готовился к вступлению в должность, если так много знает о жизни отдела в целом и о каждом из сотрудников?

Вопрос о присутствии Каменской на завтрашнем заседании кафедры был решен за считаные секунды.

* * *

Соня Седова вышла из здания гимназии вместе с матерью и сразу же увидела стоящую перед чугунной оградой машину Ильи. Явился — не запылился. Впрочем, это даже хорошо, не придется через полгорода на метро и на автобусе тащиться. Она скосила глаза на мать и с удивлением увидела на ее лице не то смущение, не то замешательство. Что это с ней?

Илья стоял рядом с машиной и ласково улыбался

им обеим. За те несколько шагов, что оставалось пройти, Соня успела прикинуть, какие выгоды можно извлечь из появления маминого друга. Может, попросить подкинуть ее в магазин, где продаются классные молодежные шмотки, якобы только посмотреть что-нибудь тепленькое, зима ведь на носу, но если мама и Илья зайдут вместе с ней, то он, глядишь, и раскошелится. Мать, конечно, начнет шипеть и дергать ее за куртку, но если пожалобнее поныть, что мерзнет, то... На всякий случай надо уже сейчас начинать ежиться и изображать озноб. Или можно заявить, что от голода голова кружится, тогда Илья наверняка предложит пообедать в ближайшем ресторане, а ближайший к зданию гимназии — как раз классное местечко, куда Ляльку Горданову каждый день после уроков водит ее ухажер, бандитского вида парень. Было бы здорово, если бы Лялька увидела, что и она, Соня, здесь обедает. А чего такого? Пусть не задается.

Она так увлеклась сладостными видениями реванша над задавакой-одноклассницей, что пропустила начало разговора матери с Ильей.

— ...пойми, Илюша, у него никого нет, кроме меня, кто мог бы ему сейчас помочь, — говорила мать.

— Но, Наташа, это же смешно, — Илья недовольно морщил губы, и на лице его читалось неприкрытое страдание. — Вы уже пять лет не живете вместе, вы давно разведены. Какие у тебя основания считать себя самым близким человеком для твоего бывшего мужа?

— Я ничего не считаю, но он позвонил мне сразу же... Он очень переживает, Илюша, он очень любил Милену. Я по голосу слышу, как он страдает.

— Ну хорошо, Милена погибла, поверь, мне искренне жаль, что это случилось, и когда ты поехала к Павлу в тот же день — я это понял. Не хочу сказать, что я был в восторге, но я понял. Но сегодня? Не понимаю, почему ты и сегодня должна ехать утешать его. Что, в конце концов, между вами происходит? Ты что, хочешь вернуться к нему?

— Вернуться? — переспросила Наталья.

А что, подумала Соня, насчет вернуться — это неплохая идея. Милену, потаскуху эту, так удачно грохнули, и теперь все ее денежки остались папе. Так отчего бы не вернуться? Если их скромную, но вполне приличную квартиру продать и переехать к папе, то... От радужных перспектив у Сони даже голова закружилась. Хорошо, что Милена больше не стоит у нее на пути. И на Новый год теперь уж наверняка можно будет уговорить его поехать куда-нибудь. Милены нет, а деньги есть. Классно!

— Я не собираюсь возвращаться к Павлу, но есть же нормальные человеческие чувства, Илюша, — говорила мать. — Он страдает, у него погиб близкий человек, ему нужна помощь, поддержка. Он обратился ко мне, ну как же я могу его оттолкнуть?

«И не надо отталкивать! — чуть было не завопила Соня. — Надо, наоборот, приближаться!» Едва узнав о смерти ненавистной Милены, она думала только о том, что теперь папа будет охотнее тратить деньги на свою единственную дочь, особенно если наладить с ним более тесные контакты, но о такой удаче, как возвращение к нему всей семьей, и не помышляла. А тут, оказывается, мама снова к нему собралась. Надо обязательно воспользоваться такой удачей!

— Мам, я поеду с тобой к папе, — решительно заявила она. — У него никого на этом свете нет, кроме нас с тобой. У него такое горе, мы сейчас должны быть рядом с ним.

— Спасибо, доченька, — Наталья приобняла ее и благодарно прижала к себе. — Видишь, Илюша, даже ребенок понимает такие вещи.

В глазах Ильи Соня прочла такое отчаяние, что чуть не прыснула от смеха. Так ему и надо, самоуверенному индюку! А то за столько лет жениться на маме не надумал, денег лишних не дает, и что же, надеется, что так и будет продолжаться всю жизнь? Думает, мама возле него до самой смерти просидит как привязанная? Не тут-то было! Других найдем, побогаче и получше. Конечно, лучше бы она выбрала Андреаса, бизнесмена из Австрии, но и папа — тоже неплохой вариант. После Милены, наверное, много денег осталось. А тряпки! У Милены такой же размер, как у нее, Сони, и роста они одинакового, а какие у нее шмотки! Это ж с ума сойти! Не станет же папа их выбрасывать, дочке отдаст. Ой, девчонки в гимназии обзавидуются! Там в шкафу (Соня сама видела) такое пальто висит — обалдеть можно! Из тонкой лайки, приталенное, шалевый воротник из чернобурки и подол этим же мехом отделан, куплено в Париже. Дорогое, элегантное. Как раз к сезону придется. И совсем необязательно всем рассказывать, что она донашивает вещи за папиной любовницей, можно ведь наврать, что у нее богатый взрослый поклонник завелся, это престижно. Так что пусть Лялька Горданова заткнется, ее бандит-ухажер таких шмоток ей не покупает.

Мама с Ильей еще о чем-то поговорили, потом он открыл дверь и помог Наталье сесть в машину.

— Соня, садись, — скомандовала мать. — Илья отвезет нас к папе.

Надо же, благородный какой! К папе отвезет. Ну-ну.

* * *

Александр Эдуардович Камаев был не из тех людей, которые быстро забывают и легко прощают, и недавняя встреча на кладбище с Борисом, закончившаяся ссорой, до сих пор бередила его душу. Ну как же он мог! Как он мог! Предать память о Ларисе и Георгии! Немыслимо. Непростительно.

Камаев всегда любил свою младшую сестренку, по крайней мере, сейчас он чувствовал именно так, хотя в детстве, конечно, чего только не было. И ссорились, и дрались, и жаловались родителям друг на друга, и мелкие козни строили, в общем, вели себя как обычные брат и сестра, когда разница в возрасте совсем небольшая и нет возможности не обращать друг на друга внимания.

А вот мужа своей сестры Александр Эдуардович не любил. Не за что-то конкретное не любил, а просто так. Не нравился ему Борис. И, как видно, не зря не нравился, потому что кончился их брак трагически. Ларочка погибла, девятнадцатилетний Жора, сын Ларочки и Бориса, покончил с собой. И все из-за него, из-за Бориса Безбородова. А он продолжает жить как ни в чем не бывало, нашел себе... какую-то с двумя детьми, и нет чтоб просто так жить с ней, это бы ладно, так он еще и женился. Как так можно?! Ну скажите, как?!

Он чувствовал себя очень одиноким, потому что его такой долгой и глубокой скорби по сестре и племяннику никто не понимал и не разделял. Камаев повесил портрет Ларисы в гостиной и строго следил, чтобы в специально купленной вазе, установленной под портретом, всегда стояли живые цветы — темно-красные розы, которые так любила Ларочка. Одну фотографию сестры в серебряном паспарту он поставил в спальне на прикроватной тумбочке, другую, где она обнимала сына-подростка и радостно хохотала, — на рабочем столе у себя в офисе. Каждый месяц все эти годы он неуклонно ходил на кладбище, приносил цветы, убирал могилу, подолгу молча стоял, словно разговаривал с покойной. А вот Борис, муж Ларисы, бывал на кладбище редко, только в дни поминовения и по большим православным праздникам, чем вызывал бурное негодование Камаева.

Жена Александра Эдуардовича такой скорби мужа

не вынесла и ушла. Она полагала, что, кроме погибших сестры и племянника, в этом мире есть множество других людей, жизни которых можно радоваться, и множество проблем, которые нужно решать. Она ревновала мужа к его покойным родственникам и не желала мириться с тем, что он живет в таком беспросветном горе. Развод они не оформляли, просто разъехались и жили с некоторых пор совершенно отдельно. Дети Камаева, уже взрослые сын и дочь, к такой ситуации отнеслись равнодушно, у них свои семьи и своя жизнь, и утрату тетки и двоюродного брата они не переживали вовсе. Остался Александр Эдуардович со своей печалью один на один. И если в первое время хотя бы Борис казался ему опорой и поддержкой в этой печали, то теперь и Борис его предал. И его, и Ларису, и сына своего Жорика.

Разговор с Борисом на кладбище задел Камаева неожиданно сильно, настолько сильно, что презрение, перемешавшись с негодованием, превратилось в кипящую ярость, с которой невозможно справиться. И эти его сказанные напоследок слова: «Покопайся в себе... Почему ты сделал такой выбор?» Да как он смеет?! Разве горе по умершим — это выбор? Разве можно не горевать, не печалиться, не скорбеть? Только равнодушный человек с каменным сердцем и ледяной душой мог произнести такие страшные слова, полные холода и безразличия.

Этот разговор действительно выбил Камаева из колеи, и он даже отменил две деловые встречи и переговоры, в офис вообще не поехал, сидел дома, смотрел на висящий на стене портрет сестры и потихоньку пил коньяк. Опьянения не было, не было даже легкого хмеля, притупляющего душевную боль. Как будто не коньяк он пьет, а крепкий чай.

Час назад позвонил Илья, спросил, можно ли встретиться. Они почти никогда не встречаются дома у Камаева, всегда Александр Эдуардович выбирает нейтральную территорию, но сегодня у него нет сил куда-то идти. Пусть Илья приедет сюда, ничего страшного, в конце концов. Они же не преступники какие-нибудь, не заговорщики, просто деловые партнеры. Н-да, Милена... Это проблема. Наверное, у Ильи появились какие-то соображения.

Но Камаев ошибся, Илья Бабицкий приехал совсем с другим.

— Александр Эдуардович, я хочу жениться на Наталье, — заявил он, едва войдя в комнату. — Я больше не могу ждать.

— Спокойно, Илья, спокойно. Что случилось? Почему такая спешка?

— Дело не в спешке. Я люблю ее, понимаете? Люблю. И я хочу на ней жениться.

— Это я понял, — Камаев старался говорить не спеша, чтобы ровным голосом успокоить Илью. — Но почему именно сейчас? Зачем вам жениться? Почему вы не можете просто быть вместе? Что за патологическая страсть непременно ставить штампы в паспорта?

Однако Бабицкий не просто не успокаивался, напротив, он, кажется, начал волноваться еще больше.

— Я боюсь ее потерять. Сейчас, когда с Миленой такое случилось, она много времени проводит с Павлом. Она каждый день к нему ездит! Утешает его, выслушивает его стенания, оказывает ему моральную поддержку. Вы понимаете, чем это может кончиться?

— Это может кончиться тем, — медленно проговорил Александр Эдуардович, — что они снова сойдутся. Это плохо.

— Вот именно. Вы и сами понимаете. Мне нужно жениться на Наташе как можно скорей, пока этого не произошло. Я хочу сегодня же сделать ей предложение.

— Выбрось это из головы.

Голос Камаева прозвучал резко и неприятно, и Александр Эдуардович сам себе удивился:

— Но почему?

— Да потому, мой дорогой, что тогда тебе придется жить с ней вместе. С ней и с ее дочерью, которая уже далеко не ребенок. В одной квартире. Вся твоя жизнь будет проходить у них на глазах. Пока ты не закончил работу, это невозможно. Вот закончишь — тогда можешь жениться на ком угодно. Но не раньше. Выпьешь со мной?

— Нет, я за рулем, — отказался Илья. — Александр Эдуардович, отпустите меня, а? Пусть эту работу делает кто-нибудь другой, на мне же свет клином не сошелся. Поймите вы, я действительно люблю Наташу, я очень ее люблю, я хочу, чтобы она была моей женой, а не приходящей любовницей. Ну зачем вы ломаете мне жизнь?

— Да как ты смеешь, щенок?! — внезапно взорвался Камаев. Кипевшая в нем ярость вырвалась наружу и обрушилась на собеседника. Мало того, что его предал Борис, так теперь и Илья собрался сделать то же самое! Предатели, предатели! Весь мир полон предательства, лицемерия и малодушия! — Как ты смеешь упрекать меня в том, что я ломаю тебе жизнь? Ты сам согласился выполнить работу для меня, и, выполняя ее, ты сам ломал чужие жизни, но тогда тебе это казалось нормальным, ты не видел в этом ничего предосудительного. Конечно, а как же иначе? Ты ведь за это деньги получал! А теперь что же? В один миг тобой овладело немыслимое благородство, невесть откуда взявшееся?

Если бы Бабицкий сейчас что-то возразил, огрызнулся, продолжал настаивать, Александр Эдуардович, наверное, ударил бы его, но Илья сник. Он сидел перед Камаевым, опустив плечи и отведя глаза, и Александр Эдуардович немного успокоился и взял себя в руки.

— Послушай меня, Илюша, — заговорил он почти ласково, как старший товарищ или мудрый наставник, — не горячись, не делай глупости. Ты же мужчина, красивый, умный мужчина, Наташа тебя любит, так неужели ты не сможешь удержать ситуацию под контролем? Я никогда не поверю, что ты не сумеешь повлиять на любимую женщину и дашь ей уйти к другому. Я старше тебя и опытнее, и поверь мне, никуда она от тебя не денется, если ты будешь вести себя умно. Прояви понимание, терпение, не препятствуй ее встречам с бывшим мужем, наоборот, будь максимально внимателен, все время спрашивай, как там Павел, как он себя чувствует, что говорит, что делает. Предлагай помощь, организационную, с похоронами там, с поминками, или даже финансовую. Конечно, он вряд ли ее примет, у него есть друзья, коллеги, и денег у него достаточно, да и у Милены есть родители, но ты предложи, предложи! От тебя не убудет, а Наташе приятно. Покажи себя в этой сложной ситуации с лучшей стороны, и вот увидишь, никуда она не уйдет. Через девочку действуй, в конце концов. Уделяй ей побольше внимания, делай дорогие подарки. Воспользуйся тем, что отцу сейчас не до нее, и займи его место, пусть временно, но этим ты получишь дополнительные баллы. Она встанет на твою сторону.

Илья молча кивал, и на лице его все явственнее проступала надежда. Кажется, Камаеву удалось нащупать верный тон. Ну и слава богу. А то выдумал: жениться ему срочно надо! Только этого не хватало. Дело прежде всего. А все эти сантименты со свадьбами и прочей ерундой следует оставить до лучших времен.

* * *

Настя хохотала и все не могла остановиться. Слезы стекали по щекам, она размазывала их ладонями, пыталась глубоко и редко дышать, но ничего не помогало. Истерический смех поднимался откуда-то из живота и душил ее, заставляя мышцы судорожно сжиматься. Даже ворвавшийся в кабинет Коротков не помог: при виде его изумленного лица она только еще сильнее смеялась. Юра налил ей воды, крепко схватил за волосы и протиснул край чашки сквозь одеревеневшие от напряжения губы. Наконец ей удалось перевести дыхание.

— Что случилось? — сердито спросил он. — Тебя на полкоридора слышно. Я уж решил, что ты ревешь.

— Не, — она помотала головой и сумела-таки глубоко вдохнуть. Сразу стало легче. — Я смеюсь.

— Над кем?

— Над собой. Над кем еще мне смеяться?

— И кто же тебя эдак развеселил-то?

— Шеф. Юра, он сказал, что сегодня подписали приказ. Врет?

— Подписали, — кивнул Коротков. — Я как раз шел тебе сказать. Ну и что в этом смешного? Радоваться надо. И, между прочим, думать о том, как будешь праздновать в кругу боевых товарищей.

— Погоди, Юр, мне нужно завтра на кафедре обсудиться. Вот если там все пройдет нормально, тогда буду проставляться. Но это еще не все. Знаешь, о чем я спросила Большакова?

— Знаю, — буркнул Коротков, одним глотком допивая оставшуюся в чашке воду. — Ты спросила его, есть ли жизнь на Марсе.

— Я спросила, — медленно сказала Настя, — как ему удалось выпереть из отдела Симакова и Дуненко.

— И что? — вздернул брови Юра. — Неужели он ответил?

— Представь себе. Он припомнил ту историю с убийством в Серебряном Бору.

Коротков тихо присвистнул и осторожно опустился на стул напротив Насти. Вытащил из кармана сигареты, закурил.

— Твою мать, — в сердцах выдохнул он. — Как он узнал-то?

— Я и об этом спросила. А он ответил, что, дескать, труд невелик, если мы узнали, то почему он не может?

— Твою мать, — мрачно повторил Коротков. — Вот стыдобища-то.

— Стыдобища, — согласилась Настя. — Молодняку простительно, они могли и не понять ничего, но мы-то с тобой все поняли и промолчали.

— Ну ладно, а что мы могли сделать? Мы же понимали, что Афоня в этом замазан, так что ему говорить никакого смысла не было.

— Правильно, — кивнула она. — А в службу собственной безопасности сообщать противно было. Мы не приучены на своих стучать. Да и потом, Юр, мы же с тобой не дети, мы прекрасно понимаем, что это не единичный случай и не только у нас. Это происходит всюду. И такие ископаемые, как мы с тобой, которые на своих стучать не могут, уже большая редкость. Наверняка в службе собственной безопасности тонны материалов лежат на таких вот Симаковых и Дуненко по всей российской милиции. Лежат, пылятся и не реализуются. Думаешь, почему?

— Чего тут думать-то? Потому что команды «фас» нет. А без команды работать нельзя, можно без головы остаться.

— Ну правильно. А команды почему нет? Почему ее сверху не дают? Вон на каждом углу кричат о необходимости борьбы с коррупцией, комитет специальный создали, а команду «фас» не дают. Почему? Потому что нет политической воли. Декларации есть, а настоящей воли нет. А нет этой воли потому, что деньги, которые внизу берут, наверх уходят. Вот Афоня взял, на три кучки разделил: себе оставил, ребятам отстегнул и наверх подачку отправил. Наверху поднакопили за полгодика — и еще выше отправили. И дальше по цепочке.

И так всюду, Юра. Поэтому наши генералы министерские сидят, молчат в тряпочку, дивиденды считают и никаких команд на настоящую борьбу с коррупцией не дают. Ребенку понятно. Так что если бы мы с тобой начали совершать некоторые телодвижения в связи с убийством в Серебряном Бору, мы в лучшем случае уперлись бы в глухую стену. А в худшем — поимели бы массу неприятностей.

— Ася, но ведь доказать все равно невозможно было бы.

Настя болезненно сморщила нос.

— Возможно. Трудно, но возможно. Просто этот труд на себя никто не взял бы, опять же потому, что команды нет.

— Ну раз так, то и нечего тогда нам стыдиться, — решил Коротков. — А чего ты хохотала-то как безумная? От стыда, что ли?

Настя улыбнулась и снова хихикнула, но быстро взяла себя в руки.

— Я, знаешь, о чем подумала? Мы вот с тобой тут судим-рядим, все пытаемся понять, в какую игру играет Большаков и в каких местах таятся подводные камни. Рассчитываем, прикидываем, боимся, что нас врасплох застанут. А самое простое объяснение мы даже не рассматриваем.

— Это какое же?

— Юр, а может, он просто честный? А? Ну вот такой нормальный честный мужик, порядочный, грамотный, профессиональный, с хорошими мозгами и приличным опытом. И он действительно хочет снова поставить наш отдел на ноги и вернуть его в былую форму. Почему мы изначально решили, что такого не может быть?

— Потому что этого не может быть, — отрезал Юра. — Ася, где ты таких видела за последние годы? Откуда им взяться, честным-то? Ладно бы он был нашим ровесником, тогда можно было бы надеяться, что его сформировала старая школа. Но он же молодой, ему тридцать четыре года, а советской власти уже пятнадцать лет как нету. Где ему было получить такое профессиональное воспитание, где говорилось бы про честность, порядочность, про то, что погоны надевают не для того, чтобы деньги зарабатывать, а для того, чтобы людей от всяких поганцев защищать? Он что, с Луны свалился, наш начальник? Да он из той же Школы милиции вышел, что и Симаков, и Дуненко, и все прочие, про которых мы с тобой много всякого разного знаем. Как профессионал он формировался тогда, когда все уже мерилось только на деньги и власть, а не на честность и любовь к людям. Что, не так?

— Так, — вздохнула Настя. — Ты смотри, Юр, что с нами жизнь-то делает, а? Мы с тобой сидим и на полном серьезе рассуждаем, что в наше время честному и добросовестному начальнику взяться неоткуда. Мы уже не верим в то, что такие начальники вообще существуют, а если что-то похожее возникает на нашем пути, мы уверены, что за этим кроется какая-то каверза. Мы же в моральных уродов превратились. Ладно, хватит оплакивать наши погибшие идеалы, их все равно уже реанимировать не удастся. Давай работать. Тебе что-нибудь удалось узнать?

— Насчет убитого сто лет назад любовника Погодиной? Пока ничего. Мы же ни имени его не знаем, ни даже адреса, где он жил. Черт бы взял этого Пашу Седова с его деликатностью. Ссориться он, видите ли, с бабой своей не хотел, — проворчал Коротков. — Будь я на его месте, я бы из нее душу вытряс, а узнал бы, на чьи деньги живу.

— Жаль. Ну ничего, сама попробую. Может, мне повезет.

— Ты смотри, — строго произнес он, — не очень-то там... Чистякова с собой возьми для надежности, пусть он за тобой присмотрит. А то проиграешься в пух и прах.

— Не проиграюсь, — улыбнулась Настя. — Я не азартная.

— Ой-ой-ой, кто бы говорил.

Она набрала номер телефона, мысленно похвалив себя за то, что помнит его наизусть, договорилась о встрече и разложила перед собой полученные ответы на многочисленные запросы. Надо успеть сегодня сделать как можно больше, ведь завтрашний день для работы будет потерян.

* * *

Водка в привычных количествах уже не помогала, Павел пил все больше и больше, а забытье не наступало. Легче становилось, только когда он говорил вслух, а говорить об этом вслух он мог только Наташе, своей бывшей жене. Почему-то ее он совершенно не стеснялся. Никому другому он не мог бы рассказать о том, что у Милены, оказывается, был любовник. Какой-то Олег Канунников. Да кто он такой? Откуда взялся? Когда Мила с ним спуталась? Зачем? Чего ей не хватало? Нет, никаким друзьям-мужчинам он не смог бы этого сказать, ни за что не признается он, что ему, Павлу Седову, изменяла женщина. Это все равно что признаться в собственной неполноценности, в каком-то своем тайном изъяне.

А с Наташкой хорошо, она — умелая и опытная утешительница, она ни разу не припомнила Павлу, что он и сам изменял ей направо и налево. Ну и что? Да, он такой. И все мужики такие. И с Миленой было то же самое, он, как и прежде, проводил досуг разнообразно и сексуально насыщенно и совершенно не считал это изменой. Когда девки все время разные и ты даже не помнишь их имен и лиц, разве это измена? А вот то, что сделала Мила, — это самая настоящая измена, примириться с мыслью о которой Павел не мог.

Но как это возможно? Как? И почему?

Наташа только что ушла, а Павел полулежал в широком мягком кресле и вспоминал все то, о чем они говорили. Со сладострастностью мазохиста Павел подробно рассказывал бывшей жене, как заботилась о нем Милена, как любила его, как тревожилась о его здоровье, как не могла прожить без него даже нескольких дней. И как благодарна была ему, когда он помог ей оформить развод, и как плакала и целовала ему руку, когда он согласился забрать ее родителей из Средней Азии и поселить поближе к дочери.

Месяца через три после их знакомства снова дала себя знать спина. Милена забеспокоилась, но Павел махнул рукой и сказал, что у него межпозвоночная грыжа и нужно всего-навсего поколоть несколько дней лекарство — и все пройдет. Так и случилось, но Милену это не остановило. Она уселась за компьютер, долго бродила по разным сайтам в Интернете, потом звонила в какие-то клиники и наконец заявила, что Павлу нужно сделать снимок, потому что без снимка ни один врач консультировать не будет.

— У меня нет времени, — отрезал Павел. — И вообще, это все глупости.

— Я понимаю, — мирно согласилась тогда Милена, — ты много работаешь, и у тебя нет времени, чтобы поехать в поликлинику на рентген. Но я узнала, можно вызвать рентгенолога на дом. Он привезет установку и все сделает. Я с ним уже разговаривала, он сказал, что может приехать как угодно поздно, даже в одиннадцать вечера. И пусть врач-невролог тебя осмотрит и напишет заключение, он тоже может выехать на дом в удобное для тебя время. Ты только назначь день.

Против этого Павлу возразить было нечего. На следующий день вечером приехали невролог и рентгенолог, написали какие-то бумажки и сделали снимок, с этими бумажками и снимком Милена ездила к разным специалистам, потом снова засела за компьютер. Павел уже решил было, что гроза миновала, но не тут-то было. В один прекрасный выходной день Милена, накормив его завтраком, села перед ним с видом примерной ученицы, отвечающей на экзамене, и открыла пухлую папку. То заболевание позвоночника, которое у него обнаружили, — вещь очень серьезная, и если не сделать операцию немедленно, то лет через десять он превратится в полного инвалида. Вот заключение профессора такого-то... Вот заключение еще одного светила... В России такие операции делают плохо, врачи у нас, конечно, замечательные, но хорошего оборудования нет, и кроме того, нет культуры послеоперационного ухода, который, как известно, не менее важен, чем сама операция. Все, кому дорого собственное здоровье, лечатся только за границей. Вот перечень клиник в Европе, где наиболее успешно делают операции на позвоночнике. Вот цены. Сроки. Условия. Пусть Павел решает.

— Да ты с ума сошла! — расхохотался он. — Жил я со своей спиной столько лет — и дальше проживу. Нечего меня пугать.

Но Милена не сдавалась. Она, казалось, затихала на несколько дней, но потом снова принималась за уговоры. Павел ни за что не дал бы себя уговорить, он смертельно боялся даже мыслей о больницах и операциях, если бы не та случайная встреча в автосервисе, куда он заехал помыть машину. Сервис был приличным, с собственным маленьким кафе, где можно было подождать, попивая кофеек, покуривая и глядя в телевизор, настроенный на спортивный канал. Павел уже допил свой кофе, когда они вошли: молодая, дорого одетая красавица и сгорбленный, как древний старик, мужчина с палкой. Красавица подвела своего спутника к соседнему столику и помогла сесть. По лицу ее было видно, что она раздражена, и, когда женщина заговорила, Павел услышал в ее голосе неприкрытую злость и в то же время какую-то усталость. Она взяла у барной стойки две чашки кофе, одну поставила перед мужчиной с палкой, бросила ему что-то резкое и вышла, неся вторую чашку в руках. Через несколько секунд Павел увидел ее через большое, до потолка, окно: красавица стояла на улице, пила кофе и разговаривала по мобильному. «Не хочет, чтобы он слышал, наверное, любовнику звонит», — понял Павел и непроизвольно кинул на мужчину за соседним столиком сочувственный взгляд. Тот поймал этот взгляд и смущенно улыбнулся в ответ. Как-то незаметно завязался разговор, и Павел вдруг заметил, что мужчина-то совсем не стар, скорее даже молод, во всяком случае моложе самого Павла.

— Травма? — спросил Павел, кивком головы указывая на палку, прислоненную к столу.

— Да нет, это теперь на всю оставшуюся жизнь, — мужчина криво усмехнулся. — Жену жалко, устала она от меня. И бросить не может — совесть не позволяет, и жить я ей не даю. Сам виноват, надо было вовремя лечиться, а я все думал: обойдется, обойдется, не может быть, чтобы такое случилось со мной, с кем угодно, только не со мной. А вот случилось.

— А что у вас?

— Началось с ерунды. Потом оказалось — межпозвоночная грыжа. А видите, чем все кончилось? Говорили мне, что нужно делать операцию, но ведь работа, удовольствия, времени жалко, да и страшно... — он горько покачал головой. — А так разве не страшнее?

Целую неделю Павел вспоминал этот разговор, и перед глазами все время вставала картина: он с палкой, согнутый пополам, и рядом с ним злая, раздраженная и усталая Милена, ненавидящая его и не бросающая только из жалости или из стыда перед знакомыми и близкими.

Через неделю он сказал ей:

— Ладно, давай подумаем о лечении.

Она быстро все организовала, связалась с клиникой,

записалась на прием к «самому крутому профессору, у которого лечились члены российского правительства», каким-то немыслимым образом договорилась, чтобы Павла не ставили в лист ожидания, а назначили на операцию сразу после консультации, обеспечила переводчика, собрала нужные документы, ездила в посольство, получила визы, заказала билеты и забронировала отель. Ему нужно было только написать рапорт на отпуск и взять в отделе кадров справку для посольства, все остальное Милена сделала сама. Павел несказанно удивился, когда выяснилось, что она собирается ехать с ним.

— Зачем, Мила? Что я, маленький? Тем более там будет переводчик.

— Ты что? Как же я тебя отпущу одного? Нет, я буду все время рядом, мало ли что понадобится. Все-таки операция — дело серьезное.

Он мысленно усмехнулся: ну конечно, рядом она будет. Просто девочка хочет прокатиться в Германию, побегать по магазинам. Да ладно, пускай, не жалко.

Однако все вышло не так. Милена действительно проводила все время рядом с ним, буквально держала за руку, начиная с момента первого визита к врачу. Она никуда не отлучалась, и когда Павел пришел в себя после наркоза, Милена сидела возле кровати и держала его за руку. Ночевала она первые дни после операции тоже в клинике, а потом, когда ему стало полегче, уходила на ночь в отель и в восемь утра появлялась снова. Когда они уезжали домой, Павел с удивлением заметил, что в багаже Милы не появилось ни одной новой вещи. Ни по каким магазинам она, как оказалось, не бегала.

При последнем осмотре профессор посоветовал Павлу обратить внимание на правый бедренный сустав: пока все еще ничего, но в скором времени могут возникнуть проблемы. Нога действительно периодически побаливала, но работать почти не мешала, и Павел научился не обращать на нее внимания.

— Если что — обращайтесь, — сказал медик. — Вы теперь знаете, что клиника у нас превосходная, так что сустав будет как новенький.

Во время следующего отпуска Павел оперировал ногу, и снова Мила все организовывала и неотлучно сидела рядом, держала его за руку...

Больше о болях в спине и бедре он не вспоминал. Зато вспомнил о том, как первый муж выбил Милене зубы.

— Мила, почему бы тебе не заняться собой? — както предложил он. — Что мы все меня лечим? У тебя ведь тоже есть проблемы.

— Ты о зубах? — она смутилась. — Да ладно, они же задние, не видно. И потом, имплантация — это безумно дорого, это можно делать только в Англии. Давай не будем об этом.

Но тут уж Павел не унимался, и через пару месяцев Милена улетела в Лондон. А еще через три дня позвонила ему в слезах:

— Оказывается, у меня нос сломан!

— Как же так? — растерялся он. — Когда это?

— Тогда же, когда и зубы. Я думала, у меня просто кровь из носа течет, и больно очень было, но я тогда... А, да что говорить, — она расплакалась.

— Но можно что-то сделать?

— Говорят, надо оперировать. Там перегородка повреждена, если ее не привести в порядок, то нельзя зубы имплантировать.

— Значит, оперируй.

— Но это дорого, Пашенька! Это совершенно сумасшедшие деньги. И потом, это все очень долго, я не смогу так долго без тебя.

— Мила, твоя красота стоит любых денег, — отшутился Павел.

Его умиляла щедрость Милены во всем, что касалось

его самого, и скупость, когда речь заходила о ней. Как же она его любит!

В лондонской клинике Мила должна была находиться около трех месяцев. Каково же было изумление Павла, когда она появилась в Москве раньше срока: вся в повязках и в сопровождении сиделки.

— Паша, я не могу без тебя. — Сквозь повязку голос ее звучал глухо, а прооперированные нос и челюсть делали речь невнятной. — Ты же не можешь приехать ко мне в Лондон, ты работаешь. Я договорилась в клинике, мне дали сиделку, только мне придется жить вместе с ней в гостинице, потому что она должна быть все время рядом. Ничего? Ты не сердишься?

Господи, ну как он мог сердиться? Разве можно сердиться на женщину, которая говорит тебе, что не может лишнего дня без тебя прожить?

А квартира? А ремонт? Мила сделала все возможное, чтобы не отвлекать Павла от работы и при этом добиться того, чтобы ему все нравилось, чтобы ему было удобно и комфортно. Она сама общалась с мастерами, выбирала отделочные материалы, заказывала шторы, вызывала обмерщиков из фирмы, изготавливающей встроенные шкафы-купе, дозванивалась, ругалась, требовала сделать вовремя или переделать и ни разу не попросила Павла, как это сделала бы любая другая женщина, уделить ремонту хотя бы пять минут в неделю. Она целыми днями носилась по городу в поисках такой мебели, какая ему нравится, и когда Павел заикался было насчет того, что пусть будет такая, какая нравится ей самой, она смотрела укоризненно и отвечала:

— Но ты же работаешь, Паша, а я дурака валяю, бездельничаю. Значит, самое главное — это твое удобство, чтобы ты мог нормально отдыхать, чтобы тебя ничто не раздражало, чтобы тебе все было в радость.

Разве это не свидетельство ее любви к нему?

Когда же, в какой момент появился в ее жизни этот Канунников, будь он проклят! И почему? Зачем?

Весь вечер он мучил этим вопросом Наталью, но она тоже не знала ответа. Впрочем, ответа от нее Павел и не ждал. Откуда ей знать о Милене? Ему нужен был человек, которому можно пожаловаться на то, что ответа нет.

* * *

Человек, с которым Настя Каменская собиралась встретиться этим вечером, всегда назначал ей деловые свидания в казино. Он неплохо разбирался в людях и давно уже понял, что эта дамочка из уголовного розыска терпеть не может светские мероприятия и места людных тусовок, и, хотя относился к ней с уважением и порой даже побаивался, не мог отказать себе в удовольствии заставить ее приехать туда, где она бывать не любит. Ну хоть какой-то, да реванш.

Встречу он назначил на половину двенадцатого, хотел успеть поиграть, прежде чем она испортит ему настроение. А в том, что Каменская настроение испортит, Равиль не сомневался, не премию же вручать она будет. Игра шла хорошо, сегодня ему везло, и он с сожалением думал о том, что в половине двенадцатого придется прерваться. Может быть, она опоздает? Слабая надежда, за много лет знакомства Каменская не опоздала ни разу. Правда, они давно не виделись, около года, а вдруг у нее привычки изменились?

Нет, не изменились. Вот она, идет под ручку с каким-то высоченным хмырем в очках, рассеянно поглядывает на игорные столы. Зацепила Равиля взглядом, чуть приопустила веки, мол, вижу тебя, и прошла дальше. Равиль сделал еще одну ставку, машинально и бездумно: на черное. Как новичок какой-то, ей-богу. Собирался ведь поставить на 12 — любимое свое число, но посмотрел на Каменскую и отвлекся. Рулетка завертелась, крупье вбросил шарик. Равиль зажмурился, с ужасом понимая, что сейчас выпадет именно 12 и он долго не сможет простить себе оплошности. Так и есть! Он сжал кулаки, до боли впившись ногтями в ладони.

— Двенадцать, красное, — объявил крупье.

Значит, не судьба. И теперь уж настроение у него точно будет испорченным.

— Добрый вечер, — послышался у него за спиной негромкий голос.

Равиль скосил глаза и увидел Каменскую. Она была одна. Тот тип в очках, с которым она пришла, садился за стол, где играли в «блэк джек».

— И вам не хворать, — отозвался он. — По кофейку?

Они не спеша прошли в бар, Равиль заказал себе джин с тоником, Каменская взяла кофе и стакан минералки. Взгромоздившись на неудобный круглый стул, он вытащил из кармана тяжелую золотую зажигалку, положил перед собой на стойку рядом с пачкой сигарет и стал нагло рассматривать Каменскую. Постарела. И выглядит плохо. Ну, не то чтобы плохо, не так, как выглядят тяжело больные, но она уже не похожа на девчонку, какой казалась до недавнего времени. Да, видно, жизнь-то у нее — не сахар.

— Ну, чем обязан? Опять кто-то из моих проштрафился?

— Надеюсь, что нет, — улыбнулась она. — Сегодня я белая и пушистая, ни в какие игры играть с вами не собираюсь. Мне нужна информация, причем настолько старая, что она уже ни для кого ценности не представляет.

— Слушаю вас, — скупо обронил Равиль.

— Примерно в двухтысячном году или около того где-то за границей был убит некий господин.

— Весьма внятно, — саркастически усмехнулся он. — Ни места, ни времени, ни имени. Как-то на вас не похоже.

— Стараюсь быть разнообразной, чтобы вам не наскучить, — отпарировала она. — Зато известно, что здесь, в Москве, у него была любовница. Вот ее фотография, на обороте написано имя. Взгляните.

Она вытащила из сумочки снимок и протянула ему. Равиль взял фотографию, всмотрелся. Красивая девка. И с изюминкой. Не простая, сразу видно. Перевернул снимок, прочел надпись: Милена Погодина.

— Не встречали?

— Нет, — он покачал головой. — Точно не встречал. Нигде.

— Уверены?

— Такую я бы не забыл. Мимо этой девочки просто так не пройдешь. Повезло кому-то. У нее самой спросить вы, как я понимаю, уже не можете?

— Угадали. Меня интересует, кто был ее любовником, к какой группировке он принадлежал и за что его убили. И еще я хочу знать, оставались ли после него какие-нибудь спорные деньги и могли ли сейчас появиться претенденты на них.

— Где, вы говорите, его убили?

— Кажется, не то в Греции, не то на Кипре. Но это не точно, вполне может оказаться и какая-то другая страна. Я могу рассчитывать на вашу помощь?

— Само собой, Анастасия Павловна. Результата не обещаю, но сделаю все, что смогу. Это все?

— Все. Не смею вас задерживать, у вас игра.

Равиль не спеша положил в карман пиджака зажигалку, сигареты и фотографию, неловко сполз с высокого круглого стульчика и слегка поклонился:

— Желаю здравствовать.

Каменская улыбнулась в ответ краешком губ и тут же отвернулась, подзывая бармена. Вот сучка милицейская! Впрочем, грех жаловаться, настроение она ему не испортила, времени много не отняла, неприятного ничего не сказала, и просьба-то у нее пустяковая. Равиль был уверен, что выполнит ее дня за два.

Глава 5

В течение всего заседания кафедры Настя чувствовала себя ужасно виноватой. Кафедральный день — среда, сегодня пятница, и заседание назначили только для того, чтобы обсудить ее диссертацию, что, разумеется, не могло не вызвать у преподавателей раздражения. Пятница же! Вместо того чтобы быстренько отчитать свои лекции, провести семинары и бегом на дачу, сиди тут и выслушивай доклад какого-то соискателя. Скука смертная! И ладно бы еще соискатель был «спорный», то есть такой, которого и мордой в грязь ткнуть не грех, устроить из заседания веселенький спектакль и доказать рьяному околонаучному сопляку, только-только получившему диплом о высшем образовании, что нельзя с кондачка сочинить малограмотный бред и выдать это за диссертацию; тогда бы хоть какое-никакое оживление можно внести. А тут что? Сорокапятилетняя баба, подполковник, двадцать лет отпахавшая в уголовном розыске. Ну понятно же, что пишет она на собственных материалах и каждое слово в работе у нее выстрадано и на своем горбу выношено. Чего тут слушать и обсуждать? Кроме того, эта баба с Петровки умудрилась напихать в свою чисто криминологическую работу всякой математики, в которой никто из членов кафедры ничего не понимает. Исключение составляет один доцент, читающий курс судебной статистики, но и он слушает соискателя без всякого интереса, а уж что об остальных говорить? Все своим делом заняты: кто контрольные проверяет, кто читает присланные на рецензирование материалы, а кто и газеткой исподтишка шуршит.

Насте, конечно, было обидно, ведь она так волновалась, готовилась, несколько раз вслух читала Леше свое выступление и под его руководством сокращала длинноты и убирала ненужные, на его взгляд, подробности. Каждый раз это стоило ей чуть ли не слез, потому что подробности эти были ей милы и дороги, ей казалось, что именно в них состоит изюминка работы, она сама их выявила и сформулировала, но Алексей с непреклонным видом настаивал на своем:

— Пойми, Ася, это никому не нужно, это никому не интересно, поверь мне, я за свою жизнь столько диссертаций пропустил! Докторская совсем другое дело, а кандидатские никого не волнуют. И говорить ты должна двадцать минут, это максимум, в противном случае тебя возненавидят, потому что все хотят побыстрее уйти домой.

И Настя послушно следовала его советам. Теперь она понимала, что Чистяков оказался прав. Впрочем, как всегда. Но, может, это и к лучшему, что никто особо не слушает? Если в ее выступлении есть слабые или спорные места, этого никто не заметит.

Впрочем, нет, один человек все-таки слушает ее доклад, и это пугало. Профессор Ионов. Когда за пять минут до начала заседания научный руководитель Каменской сказал, что пригласил профессора Ионова поучаствовать в обсуждении ее диссертации, потому что Евгений Леонардович — родоначальник направления, кратко именуемого «криминология и математика», Настя от ужаса дар речи потеряла. Сам Ионов! Еще в университете она читала его монографии и была единственной на курсе, кто понимал в его работах каждое слово, ведь сама-то она закончила в свое время физико-математическую школу и сложные формулы Ионова читала без всякого труда. Но это было так давно... Она почему-то была уверена, что ученый много лет назад почил в бозе. А он, оказывается, жив, да мало того, еще и на обсуждение пришел. И если в ее математических выкладках и основанных на них криминологических выводах что-то не так — разгрома ей не избежать.

А Ионов действительно слушал, причем очень внимательно, и уже минуты через три после начала доклада Настя говорила только для него, с облегчением замечая, что он слегка улыбается и одобрительно кивает.

Наконец она закончила, положила на стол указку, при помощи которой поясняла вывешенные на доску графики и диаграммы, и вопросительно посмотрела на научного руководителя. Тот сидел с отсутствующим видом.

— Благодарю вас, Анастасия Павловна, — чопорно произнес начальник кафедры, ведущий заседание. — Есть вопросы к соискателю?

Члены кафедры подняли головы и стали с подозрением глядеть друг на друга, дескать, неужели есть? Неужели еще и на это время тратить?

Профессор Ионов чуть шевельнул плечами, и начальник кафедры тут же отреагировал:

— Кажется, у Евгения Леонардовича вопрос?

— Да, я бы хотел кое о чем спросить уважаемого соискателя, но мне кажется, уместнее это сделать после того, как выступят рецензенты.

Так, казнь откладывается. Уж лучше бы сразу... Значит, что-то углядел высоконаучный гость в ее работе, какие-то погрешности, а может быть, и явные глупости. Какой ужас.

С мнением рецензентов Настю, как принято, предварительно ознакомили, ответы на их замечания были готовы. Лешка объяснил ей, что ни в коем случае не нужно доказывать, что рецензент не прав, что он чего-то недопонял, в чем-то не разобрался; нужно, как он выразился, «благодарить и кланяться». В любом случае нужно благодарить за то, что работу так внимательно прочитали и нашли в ней изъяны, каяться в том, что не сумела точно выразить мысль, из-за чего и произошло недопонимание, и клятвенно обещать отредактировать текст и замечание учесть. Научные дискуссии на этом этапе никому не нужны, обсуждение на кафедре — формальность, которую доцентура-профессура отбывает скрипя зубами, и не стоит затягивать процесс. Если, конечно, соискатель не «спорный», а подполковник Каменская таковым совершенно точно не являлась.

Выступления рецензентов и ответы на замечания прошли довольно быстро, настала очередь обещанного вопроса профессора Ионова.

— Если я правильно понял уважаемого соискателя, — начал он неторопливо, — обнаружены статистически достоверные различия в ряде характеристик раскрытых и нераскрытых убийств.

— Да, — подтвердила Настя.

— А вы не пытались проследить изменение этих характеристик за длительный период времени? Ну хотя бы лет за десять?

— За двадцать, — улыбнулась Настя. — В работе проанализирован эмпирический материал, собранный за все двадцать лет моей работы. Я анализировала динамику показателей, но в работу эти данные не вошли.

— Вот как? Почему же?

— Мне показалось, что работа получится слишком громоздкой.

— Понятно, понятно, — протянул Евгений Леонардович. — Ну тогда задам свой вопрос за рамками вашей работы: вы сделали какие-нибудь выводы на основе анализа динамики показателей? Или там не обнаружилось ничего достойного внимания?

Настя запнулась. Вообще-то ей было что сказать по данному вопросу, но ведь Лешка предупреждал: не затягивай процесс, иначе вызовешь раздражение, а раздраженные ученые — сила страшная и непредсказуемая. Надо постараться быть краткой.

— Я бы не хотела утомлять присутствующих деталями, не вошедшими в диссертацию, — члены кафедры одобрительно закивали головами и с облегчением перевели дух. — Если в двух словах, то вывод следующий: профессиональное ядро криминальной милиции находится на грани полного распада, и это влечет за собой снижение профессионализма в преступной среде.

— Понятно, — почему-то обрадовался профессор. — А почему вы решили не писать об этом?

— Соискатель готовил диссертацию по специальности «уголовное право и криминология», — вмешался научный руководитель. — Эти аспекты выходят за рамки научной специальности. Вот если бы диссертация писалась по кадровой проблематике или хотя бы по криминалистике...

— Да-да, конечно, — с готовностью закивал Ионов. — Благодарю вас, у меня больше нет вопросов.

Через пять минут заседание кафедры закончилось. Диссертация Насти Каменской была в целом одобрена, рекомендована к защите без повторного обсуждения, а высказанные рецензентами замечания соискатель должен устранить в рабочем порядке. Памятуя о звании подполковника и собственном далеко не юном возрасте, Настя постаралась выйти из аудитории, в которой проводилось заседание, не подпрыгивая до потолка. По правилам полагалось накрыть «чайный стол» для тех, кто присутствовал на обсуждении, но научный руководитель предупредил ее заранее, что в пятницу делать этого не стоит, лучше дождаться следующего кафедрального дня, среды, когда люди не будут торопиться на дачи. Оказавшись в коридоре, Настя вытащила мобильник и позвонила сначала мужу, потом Короткову: все в порядке, и теперь можно подумать о том, как отметить ее повышение в должности и успешное обсуждение диссертации.

* * *

Несмотря на то что рабочий день близился к концу, Евгений Леонардович поехал в Фонд, пребывая в прекрасном расположении духа. Он получил немалое удовольствие, слушая эту девочку с Петровки... Впрочем, какая же она девочка? Подполковник милиции, больше двадцати лет в органах. Ей наверняка хорошо за сорок. И снова кольнуло неожиданное ощущение собственной старости: всех, кто моложе его самого больше, чем на двадцать лет, Ионов по привычке считал совсем юными, а ведь тем, кто моложе на двадцать лет, уже шестьдесят. Боже мой, как же он стар! Ничего удивительного, что между ним и тридцатилетними легла пропасть, ведь полвека, полвека... Через пятьдесят лет невозможно перекинуть мостик длиной в одну старческую руку. Почему же только в одну? Неужели с противоположной стороны пропасти не протянется ему навстречу другая рука, молодая? Нет, ответил сам себе

Ионов, не протянется. Потому что это нам, старикам, нужны молодые, а вот мы им не нужны совсем. Эта горькая истина нависла над ним в день восьмидесятилетия, и с тех пор Евгений Леонардович ежеминутно находил ей подтверждение.

Поднявшись на двенадцатый этаж здания, в котором располагался Фонд, Ионов, прежде чем зайти к себе в кабинет, заглянул в приемную сказать, что приехал. Секретарь директора, молоденькая хорошенькая Алена, приветливо улыбнулась ему:

— Здравствуйте, Евгений Леонардович, вас Шепель искал, просил связаться с ним, когда придете.

— Как? — наигранно удивился Ионов. — Так-таки с ним самим?

На лице Алены не мелькнуло даже тени понимания, и реплику она не подхватила. Было видно, что цитату она не вспомнила, а может быть, и не читала бессмертный роман вовсе.

— Ну да, — растерянно подтвердила она.

— Так вы скажите ему, что я у себя.

Н-да, другие времена, другие... Тридцать лет назад вряд ли нашелся бы в среде научных работников человек, незнакомый с «Мастером и Маргаритой» Булгакова, книгу читали и перечитывали, передавая друг другу журнал «Москва», где он был опубликован официально, или неофициальные сброшюрованные ксерокопии зарубежных изданий, текст знали чуть ли не наизусть и в обычных разговорах щеголяли знанием реплик, как коротких, так и довольно длинных. Тридцать лет назад секретарь Алена даже еще не родилась, а мода на Булгакова прошла. И времена другие, и люди тоже.

Не станет он звонить Диме Шепелю. Если ему нужно — пусть сам позвонит и придет. Евгений Леонардович стремился быть демократом, но в то же время точно чувствовал ширину и устойчивость каждой отдельно взятой ступеньки иерархической лестницы. Он с удовольствием сам заходил в комнаты к рядовым сотрудникам, но взял за правило никогда не появляться в кабинетах тех, кто по должности являлся его начальниками в Фонде, если, конечно, ему самому это не было нужно. Пусть сами приходят и сидят в кресле для посетителей. Его возраст и научные заслуги что-нибудь да значат.

Однако ни возраст, ни весомые научные заслуги не убили в Ионове жадного исследовательского любопытства и юношеского озорства, посему прямо из приемной он направился не к себе, а в отдел комплексных монографических исследований, в самый любимый «свой» отдел. Если Шепель надумает позвонить, то пусть сначала поищет и подождет.

По состоянию квадратного холла, именуемого предбанником, легко можно было судить о времени суток, не имея наручных часов. Сейчас предбанник недвусмысленно свидетельствовал о том, что рабочий день прошел бурно и конца ему пока не предвидится: бумагорезательная машина, уничтожающая черновики, расчеты и схемы, тряслась от судорожных усилий, а пол вокруг нее усыпан бумагами, еще не уничтоженными, на всех мыслимых поверхностях стоят непомытые чашки и стаканы, из большой урны в углу холла горой торчат пустые пластиковые бутылки из-под минеральной воды и колы. Секретарь отдела, добродетельная и обстоятельная Анна Степановна, работавшая с Ионовым и Шепелем еще в академии, сидела за компьютером и с пулеметной скоростью набирала какой-то текст, поглядывая в лежащую на столе рукопись. Вообще-то персональными компьютерами был обеспечен весь личный состав, и если Анна Степановна что-то для кого-то печатала, то не потому, что самому автору текста сделать это нс на чсм, а исключительно потому, что он занят другими срочными делами. Ионов был на сто процентов уверен, что текст набирается для начальника отдела Кувалдина, который по старой, выработанной много лет назад в докомпьютерную эру привычке создает научные и служебные документы при помощи бумаги и ручки и только потом печатает; все остальные сотрудники никаких рукописей не признавали и работали сразу на компьютере.

Все четыре выходящие в предбанник двери были распахнуты, и Ионов без колебаний вошел в один из кабинетов: именно оттуда доносилась самая пестрая и возбужденная разноголосица, перекрываемая мощным басом Кувалдина. Если в обсуждении участвует начальник отдела, значит — там действительно интересная проблема или закавыка, с которой непонятно что делать.

Проблема возникла, как выяснилось, в связи с монографическим исследованием в московской зоне эксперимента. Уголовное дело возбуждено по факту исчезновения, а затем и обнаружения трупа сожительницы сотрудника правоохранительной системы; понятно, что в этом случае к раскрытию преступления проявляется особое внимание и к работе привлекаются лучшие силы подразделений. Можно ли в такой ситуации считать исследование «чистым»? Ведь на его примере вряд ли правильно судить об уровне квалификации личного состава в целом. Или все-таки правильно? Выборка преступлений, работу по раскрытию и расследованию которых предстоит изучать, должна быть репрезентативной, то есть преступления отбираются по принципу случайности, а не преднамеренно, и в этом смысле репрезентативность не нарушена, но... Евгений Леонардович поучаствовал в обсуждении, поддержал Кувалдина, который считал, что все в порядке и если преступления против работников правоохранительных органов и членов их семей в реальной жизни совершаются, то вполне естественно, что они и в выборку попадают, и попросил доложить новые результаты, полученные в течение дня.

Результаты выглядели удручающе. Или, наоборот, обнадеживающе. Это как посмотреть. Выбранное для монографического исследования дело о вымогательстве крупной взятки в Красноярске, возбужденное две недели назад, было прекращено за пятьдесят тысяч долларов, полученных следователем. То есть как началось со взятки, так взяткой и закончилось. Красиво. Показательно выглядела квартирная кража в Тульской области: дело возбуждено десять дней назад, дверь не была взломана, хозяин квартиры пришел домой с работы, открыл ее своими ключами и обнаружил полный разгром и пропажу денег и ценностей, то есть преступник не только спокойно открыл дверь, но и добросовестно запер ее за собой, когда уходил. За десять дней не вызван к следователю и не допрошен ни один человек, названный потерпевшим, который добросовестно перечислил людей, знавших об имеющихся у него ценностях и имевших доступ к ключам. Более того, сам дверной замок даже не изъяли для проведения экспертизы, чтобы хотя бы понять, чем его открывали: приданными, то есть «родными», ключами, их дубликатами, специально подобранными ключами или еще чем. По делу об уличном разбойном нападении, совершенном в Воронеже, информация поступила просто-таки пугающая: потерпевший был с места преступления немедленно доставлен в больницу, в милицию заявила его жена, прошло уже пять дней, а в больницу к несчастному так никто и не пришел и ни одного вопроса ему не задал, то есть не сделано самого элементарного, о чем говорится во всех учебниках, рассказывается во всех детективных романах и что подсказывает обыкновенный здравый смысл.

В Москве ситуация несколько лучше, но это лишь потому, что на раскрытие преступления брошены «лучшие силы», что и явилось камнем преткновения. Хотя и здесь не обошлось без огрехов. Бородатый Сергей Александрович, сотрудник отдела, докладывающий «московское» исследование, в нескольких словах изложил суть дела, высоко оценил работу следователя, назвав проведение осмотра места происшествия «безупречным», отметил неожиданно хорошее знание жилого сектора участковым Дорошиным и подробно остановился на своем коньке — организации оперативной работы. На сегодняшний день выдвинуто три версии: убийство Милены Погодиной совершено ее любовником Канунниковым по личным мотивам, эту версию отрабатывают оперативники из Центрального округа Хвыля и Рыжковский; убийство девушки является способом давления на ее сожителя Павла Седова, сотрудника Московского управления Федеральной службы по контролю за оборотом наркотиков, этой версией занимается Сергей Зарубин вместе с коллегами Седова; по третьей версии, связанной с бывшим любовником Погодиной и оставленными им деньгами, работает Каменская, она же осуществляет общий анализ всей собранной по делу информации. По большому счету претензий на текущий момент нет только к Зарубину; его работа пока не дала ощутимых результатов, но лишь потому, что коллеги Павла Седова не любят делиться информацией, темнят и всячески пытаются вытеснить из своих рядов оперативника из «убойного» отдела и ставят ему палки в колеса. Зарубин же, со своей стороны, обладает несомненной оперативной смекалкой и проявляет чудеса хитрости и изобретательности, чтобы узнать, какими конкретно делами занимается сейчас Седов и имена фигурантов по этим делам. Сам Седов как источник достоверной информации рассматриваться не может, потому что запил, находится дома и имеет на руках больничный. А с пьяного какой спрос? Хвыля и Рыжковский отрабатывают Канунникова, который объявлен в розыск; они проделали огромную работу по установлению его передвижений в день убийства и его местонахождения в настоящий момент, но в то же время не сделали очевидно необходимых вещей, как то: первое... второе... третье... Многовато, пожалуй.

— А к Каменской какие претензии? — с интересом спросил Евгений Леонардович, который вынес о ней впечатление самое благоприятное. Если она настолько умна, что сумела написать ТАКУЮ диссертацию, то неужели же она не настолько же умна в повседневной оперативной работе? Как-то не вяжется.

— Слишком медленно работает, — пожал плечами Сергей Александрович. — Например: для установления личности бывшего любовника Погодиной, который оставил ей значительную сумму, она в первую очередь воспользовалась имеющейся базой данных, выявила имена тех, кто был убит за пределами России в течение 2000—2001 годов, и проверила информацию о них. И только когда эта работа не принесла результатов, она обратилась к источникам оперативной информации и сделала это только вчера поздно вечером, хотя, если по уму, это нужно было сделать немедленно, вместо того чтобы копаться в базе данных. Ей следовало встретиться с источником в тот же день, когда обнаружили труп Погодиной, и пока он будет выполнять ее задание, она занялась бы базой и потом сличила полученные результаты. А Каменская сделала все наоборот, и время оказалось упущенным. Кстати, судя по всему, агентурная работа — не ее конек, а это для оперативника плохо. Зато она хорошо работает с информацией, это плюс.

— Ну, в мире нет совершенства, — заметил Ионов. — Насколько я понимаю, Каменская, помимо всего прочего, отвлекается на свою диссертацию, это ведь тоже требует и времени, и сил.

В кабинет заглянула Анна Степановна:

— Евгений Леонардович, там Шепель вас ищет. Что ему сказать?

Ионов посмотрел на часы: он здесь уже битый час, пора и честь знать. Видно, у Димы что-то действительно важное, коль он начал разыскивать его по всем отделам.

— Скажите ему, что через три минуты я буду у себя.

Он и в самом деле вошел в свой кабинет через три минуты, а через пять к нему вошел Дмитрий Никитич Шепель, начальник отдела математического моделирования. Они обменялись какими-то малозначащими фразами о погоде, политике и текущих делах.

— Ну как, Евгений Леонардович? — спросил Шепель.

Ионов понял, что он спрашивает о Каменской, ведь это именно Дима сделал так, чтобы профессора Ионова пригласили на заседание кафедры.

— Очень хорошо, — искренне ответил он. — По интеллектуальному потенциалу и по менталитету Каменская нам полностью подходит.

— Ну, я бы не был столь оптимистичным, — осторожно заметил Шепель. — Нет ее психологического портрета, установки неизвестны. Она может с ходу отвергнуть саму идею Программы и, что хуже всего, разболтать. С женщинами нужно быть очень осторожным, сами понимаете. Самое главное — проверка на режим секретности.

— Конечно, конечно, — согласился Евгений Леонардович. — Надо сказать кадровикам, пусть начнут ее отрабатывать. Так ты ради этого меня так упорно разыскивал?

— Нет.

Шепель тяжело вздохнул и пожевал губами.

— Я насчет Вадима. Турчинов сказал, что без вашего заключения...

Все понятно. Дима все-таки хочет пристроить в

Фонд своего сына. Или как правильно? Сына Миши Ланского? Или, чтобы быть совсем точным, внебрачного сына своей жены? Ионов знал Вадима с детства, он был неплохим мальчиком, но звезд с неба не хватал и особым чувством ответственности не отличался. Для рядовой работы он был вполне пригоден, но Евгений Леонардович полагал, что работа в Фонде — отнюдь не рядовая и кого попало сюда не берут. С самого начала повелось, что специалисты-кадровики выясняют всю подноготную кандидата, обеспечивают составление психологического портрета и дают свое заключение, а вот научный потенциал оценивает лично профессор Ионов, и без его одобрения ни один кандидат на работу в Фонд не принимается. Исключение составляют только те, кто не занимается непосредственно научной работой: программисты, техники, уборщицы, секретари, кадровики (у них своя система оценок) и прочие.

— Дима, — мягко произнес Евгений Леонардович, — ты же прекрасно понимаешь, что твой Вадик не пригоден к работе в Фонде. Да, ты его вырастил, он тебе дорог, и ты хочешь, чтобы у него была непыльная, неопасная для жизни, но интересная и хорошо оплачиваемая работа, я все понимаю, но так же нельзя. Сегодня у тебя вырос сын, завтра дочка Кувалдина закончит аспирантуру, потом еще и еще... Если мы пойдем по этому пути, то погубим дело всей нашей жизни. Мы занимаемся этим больше двадцати лет. Неужели тебе самому не жалко своего труда?

— Евгений Леонардович, мне очень трудно... — Шепель отвел глаза, потом собрался с силами и посмотрел прямо в лицо Ионову. — Вчера, когда я вернулся с похорон Миши Ланского, у меня состоялся очень тяжелый разговор с Кирой. Она настаивает на том, чтобы Вадим работал здесь. Я пытался ей объяснить все то, о чем вы сами только что сказали, но она ничего и слушать не желает. Понимаете, она считает, что я не хочу взять сюда Вадима, потому что он — сын Миши. Она считает, что я до сих пор не простил ни его, ни ее, она думает, что я все эти годы помнил о том, что Вадик мне неродной... В общем, скандал вышел отвратительный, мне пришлось выслушать множество обвинений. И я понял, что, если не устрою парня к нам в Фонд, Кира будет меня поедом есть и считать, что я... В общем, вы понимаете. А я хочу, чтобы в моей семье был мир. Вы же знаете, как я отношусь к Кире.

Ионов знал. За одну слезинку жены Дима Шепель мог не только убить любого, но и смести с лица земли полпланеты. Он ее обожал. И это еще мягко сказано. Евгений Леонардович никогда не понимал такой любви и не верил в нее, особенно учитывая особенности Димкиной жены. По мнению Ионова, она была абсолютно бессовестным существом, нагло спекулирующим на беззаветной и всепрощающей любви мужа, она использовала его, как пыталась использовать всех окружающих, в том числе и Мишу Ланского. Миша казался ей более перспективным, потому что «вращался в кругах» и «имел доступ», а его любовь к сибаритству и роскоши сулила Кире немало всевозможных удовольствий. Она не учла только одного: Мишины бессовестность и фантастический эгоизм намного превосходили ее собственные душевные качества. Ионов ни минуты не сомневался, что не Кира ушла от Ланского на седьмом месяце беременности, а он сам ее выгнал. И ведь хватило же у нее нахальства заявиться с таким багажом к преданному Диме! Кира беззастенчиво помыкала мужем, предварительно создав у него безоговорочную убежденность в том, что он дышать без нее не может и не проживет и нескольких часов, если она его покинет. И бедолага Шепель верил.

И еще одно заботило Евгения Леонардовича: он был уверен, что дети наследуют характерологические особенности родителей даже в том случае, когда их воспитывают другие люди. Он видел тому множество примеров, когда изучал особенности личности преступников. Но даже если Вадик и не унаследовал от отца способность к предательству, личностных особенностей матери было более чем достаточно, чтобы усомниться в его пригодности к работе над Программой. Но разве можно говорить об этом с Шепелем? Он столько души вложил в мальчишку, так усердно занимался его воспитанием...

Можно было бы пойти навстречу, конечно, но не хочется создавать прецедент, ведь до сих пор ни один сотрудник Фонда не «устраивал» сюда своего родственника. А стоит только начать — и уже не остановишь. Впрочем, все в руках Ионова, ведь без его заключения никого на научную работу не примут. Сделать поблажку для Димки с учетом его сложной лично-семейной ситуации, а в дальнейшем — ни-ни, ни единого отступления от правил.

— Ну хорошо, — сдался он. — Ты говорил, у нас с Нового года открываются две новые вакансии? Давай на одну возьмем твоего парня, а вторую придержим, пока идет проверка Каменской. Договорились?

— Спасибо, Евгений Леонардович.

Ионову показалось, что в глазах Шепеля появились слезы, и он снисходительно улыбнулся.

— Скажи Вадику, пусть напишет реферат по проблеме...

Ионов задумался над тем, какую бы тему реферата предложить Димкиному сыну.

— Евгений Леонардович, — вывел его из задумчивости голос Шепеля, — есть еще одна проблема. Я не могу от вас скрывать, это было бы нечестно.

— Что еще? — нахмурился Ионов.

— Нам урезали обещанное дополнительное финансирование, это стало известно вчера вечером. Мы сможем ввести только одну дополнительную должность.

— Как — одну?! Только одну?

— Только одну.

— Тогда и говорить не о чем, — решительно отрезал Ионов. — Это должность для Каменской. А вот если она не подойдет, тогда подумаем о Вадиме, но не раньше.

— А если подойдет?

— Тогда ее назначат. Я не понимаю, что тут можно обсуждать.

— Евгений Леонардович, если вы не согласитесь назначить Вадика, Кира от меня уйдет. Она вчера так и сказала, и я точно знаю, что это не пустые слова. Она уйдет. И как мне тогда жить?

— А если Программа пойдет прахом, как жить мне? Ты об этом подумал? И тебе, кстати, тоже. Мы столько сил вложили в нее, столько лет, столько души, и все для чего? Для того чтобы выбросить на помойку ради твоей жены? Дима, я очень хорошо отношусь к Кире, — тут Ионов слегка покривил душой, — но, согласись, это ценности все-таки неравновесные.

— Господи, да о чем вы говорите?! — в голосе Шепеля зазвучало не то отчаяние, не то злость. — Неужели вы не понимаете, что наша Программа никому не нужна, а Фонд давно уже превратился в место, где можно удобно пристроиться? Рефераты, по которым вы оцениваете научный потенциал кандидата на работу, пишутся другими людьми за деньги. Вы этого не знали?

— Это неправда, — твердо ответил Ионов. — Но даже если это и так, — непринципиально. Я ведь не только читаю реферат, я еще и подолгу беседую с человеком, и мне сразу бывает понятно, сам он это писал или нет, и вообще понимает ли он, что там написано. В конце концов, реферат мог быть написан кем-то другим, но если кандидат может развивать мысли, заложенные в работе, и может по ходу разговора что-то придумывать экспромтом, выдавать оригинальные идеи — этого более чем достаточно. Умение писать научные труды — не главное для работы в Фонде, мы здесь не кандидатов наук готовим, и у нас не редакция газеты, здесь нужны думающие люди с гибким мышлением, а не с легким слогом и острым пером. И то, что Программа никому не нужна, — тоже ложь. Она нужна, иначе мы не получали бы финансирования. Нас бы уже давно закрыли.

— Да как же вы не видите, что нас содержат не ради реализации Программы?!

— А ради чего же тогда?

— Да нами просто пользуются! Это же очевидно! У нас регулярно забирают аналитические обзоры, чтобы точно понимать, что происходит в стране, и использовать это понимание в собственных интересах, которые ничего общего с идеей оздоровления общества не имеют. Руководство страны просто хочет держать руку на пульсе, чтобы принимать нужные для себя управленческие решения, которые позволят поддерживать относительную стабильность. Никто не собирается оздоравливать наше несчастное общество, всех все устраивает, потому что та ситуация, которая сложилась сегодня, позволяет им воровать и оставаться безнаказанными. И они ни за что не захотят эту ситуацию менять. Мы стали жертвой нашей же собственной ошибки.

— Ты о чем?

— Когда наркодилеры начали осваивать внутренний рынок, мы ввели эту исходную в наши расчеты, и помните, что у нас получилось?

— Что момент реализации Программы настанет в середине девяностых годов.

— А сегодня уже середина десятых годов, мы в следующий век переползли, а момента все нет и нет. Потому что мы не могли предполагать тогда, что родится новая экономика и на легальную поверхность выйдут огромные деньги, причем наличные. Мы не смогли тогда, двадцать лет назад, предусмотреть размах коррупции в правоохранительных органах. Да, мы все просчитали, мы предвидели эту самую коррупцию и радовались, потому что были уверены, что она окончательно разъест, как ржавчина, и расшатает всю систему борьбы с преступностью, система прогниет до основания, и окончательно разрушить ее можно будет одним лишь легким толчком. А что получилось на самом деле? Миша Ланской спутал нам все карты, когда пошел продавать наши разработки. Им нужен был внутренний рынок наркобизнеса на территории страны, и они с Мишиной подачи начали раздувать межнациональные конфликты. Карабах, Таджикистан и так далее. В тех точках, где началась гражданская война, появились беженцы, а куда им деваться? Это ведь был еще не девяносто второй год, когда открыли границы и можно было уходить в Европу или еще дальше, и эти несчастные стали мигрировать на территорию России, Украины, Белоруссии. Мигрировали и несли с собой веками выработанную субкультуру внутренней жизни, основанной, во-первых, на клановости, во-вторых, на бакшише, и в-третьих — на наркоторговле, которой они давным-давно занимались. Что и требовалось Ланскому и тем, кому он продался. Эта субкультура пришла к нам, и мало того, что дала толчок наркотизации, так еще и подпитала коррупцию в таких масштабах, которые мы не сумели вовремя предусмотреть. И что в итоге мы имеем на сегодняшний день? Мы имеем силовое предпринимательство. Наши милиционеры, следователи, прокуроры и судьи уже не взятки берут, а превратили свои должности в доходные места и наладили производство дорогостоящих услуг. Производство! Как завод или фабрика. А если завод рентабелен, вы его никакими способами не уничтожите, вам просто не позволят это сделать те, кто там, — Шепель ткнул пальцем в потолок, — сидит и получает дивиденды. Вот, полюбуйтесь!

С этими словами он выхватил из папки несколько скрепленных страниц.

— Сегодня пришли из регионов новые тарифы. Цены растут соразмерно инфляции. Посмотрите на графики, — Шепель протянул листки Ионову, однако Евгений Леонардович их не взял, продолжая сидеть со скрещенными на груди руками. — Не будете смотреть? Ну так я вам сам скажу. За последние три года цены выросли примерно на тридцать-сорок процентов. Где было двести долларов — стало двести пятьдесят, а то и триста, где было пять тысяч — стало семь-восемь. Сегодня администратор рынка ежемесячно платит начальнику ОВД полторы тысячи долларов, а три года назад была тысяча. Судья раньше начинал разговор, когда приносили пятьдесят тысяч, а сегодня уже с суммой меньше семидесяти и не подходи. А фирмы, использующие в работе труд нелегалов? С них начальники ОВД получали от пятисот до тысячи в месяц, а теперь числа с двумя нулями вообще не фигурируют, от тысячи — и выше. Производство процветает, приносит стабильный и высокий доход, и вместо того, чтобы гнить и разваливаться, система крепнет и обрастает коррупционными связями на всех уровнях. Кто ж нам с вами позволит тронуть ее хоть пальцем? Откройте глаза, Евгений Леонардович. Даже те руководители в высших эшелонах, которые в дележке не участвуют, но точно знают, кто, за что и сколько берет, не станут прижимать их в угол, потому что с тем, кто берет, легче договориться. И когда будет нужно, они обратятся к этим «берущим» и скажут, что и как нужно сделать. Кого посадить, кого выпустить, чью фирму разгромить и чью, наоборот, опекать, чтобы волосок не упал. Эти руководители взяток не берут, они чистенькие, но они впрямую заинтересованы в том, чтобы все вокруг брали и давали, потому что ими можно управлять и можно таким способом патронировать крупный бизнес, в котором они сами уже лично заинтересованы, или укреплять собственную власть. А мы с вами только сидим, вводим в факторный анализ новые параметры и каждый раз получаем все более отдаленный момент реализации Программы. Теперь вы понимаете, что этот момент реализации не настанет никогда?

Ионов по-прежнему молчал. В голове ни с того ни с сего возник мужской голос, поющий старое танго: «Мне бесконечно жаль моих несбывшихся мечтаний...» Трудно возразить Диме Шепелю, каждое сказанное им слово соответствует действительности. Но он не все знает.

Наконец Евгений Леонардович прервал молчание:

— Ты говоришь это, чтобы убедить меня, что Фонд и Программа превратились в профанацию. Ты хочешь, чтобы я перестал стремиться к высочайшему уровню, который мы старались поддерживать все эти годы. И все ради чего? Ради того, чтобы я согласился взять на работу твоего сына? Ради того, чтобы тебя не бросила жена? Дима, я старый человек, я физически слаб и уже не могу очень многого из того, что легко делал раньше. Но характер у меня с годами стал скверным, тебе ли не знать. У меня прибавилось мудрости, а вот жалости поубавилось. Еще лет пятнадцать назад я пошел бы тебе навстречу. Даже еще полчаса назад я готов был это сделать. Сейчас — нет. Извини.

Оставшись один, Ионов долго сидел в кресле, закрыв глаза и привычным движением руки массируя левую сторону груди. Сердце ныло. Но не настолько, чтобы принимать лекарство. Ах, Дима, Дима... Неужели ты думаешь, что я сам всего этого не понимаю, не вижу? Да понимаю я все. Просто есть вещи, о которых ты не знаешь, потому что знать тебе не положено. Мы ведь все проходили проверку на режим секретности. И я проходил. И наши с тобой многолетние отношения учителя и ученика не повлияли на мое умение молчать.

Он открыл глаза и потянулся к телефону. Разговор был кратким, ему назначили аудиенцию. Ионов повеселел. Вот так-то, Димочка! Разбирайся со своей женой сам, а уж мне оставь разобраться с Программой.

Он снова набрал номер, на этот раз позвонил домой.

— Розушка, что у нас на ужин?

— Так вы же суп заказывали овощной, я сварила. И паровые котлеты. Вы что-то еще хотите?

— Вот что, Розушка, сбегай-ка в магазин, возьми кофе с ванилью и торт мой любимый.

— У вас гости? — забеспокоилась Роза. — Может, надо что-то существенное сготовить? Я баранинки свежей сегодня взяла, могу плов...

— Никаких гостей, — перебил ее Ионов, — мы с тобой вдвоем кофейку хорошего попьем с тортиком, телевизор посмотрим. Давай беги. Я скоро выезжаю.

Побалует он сегодня Розушку любимым ее ванильным кофе, они съедят по кусочку торта, а остальное он велит ей отнести домой детям. Ему нравилось баловать Розу и ее многочисленных детишек, особенно в те дни, когда настроение оставляло желать много лучшего. Очень хорошее средство для поднятия эмоционального тонуса!

* * *

Следователь Давыдов назначил совещание оперативно-следственной группы на семнадцать часов в субботу, и Настя, освободив голову от забот, связанных с обсуждением диссертации, переключилась на изучение собранной информации.

Информации было много, но чем глубже Настя вникала, тем больший ужас ее охватывал. Все бестолково, все бессистемно, и куда ни ткнешься — сплошные дыры. Это она виновата, только она, новый начальник на нее понадеялся, хотел отношения нормальные наладить, поэтому не стал жестко контролировать и давать инструкции, дескать, вы, Анастасия Павловна, оперативник опытный и сами знаете, что к чему и как лучше сделать. А она? Махнула на все рукой и занималась только диссертацией. И вот результат.

Три основные версии, три мотива убийства, а подозреваемый только один — Олег Канунников, на квартире которого убита Милена Погодина. Ладно, чего теперь крыльями хлопать, надо собирать мозги в кучку и думать.

Версия первая: убийство связано со служебной деятельностью Павла Седова. Значит, надо искать сведения о контактах Канунникова с фигурантами по тем делам, которые ведет Седов. Возможно и даже почти наверняка Олег был любовником Милены, и его наняли, чтобы ее убить. Ему это сделать несложно, она ему доверяет и часто бывает на его квартире. Сколько нужно было заплатить Канунникову, чтобы он убил собственную любовницу? Наверное, чуть больше, чем обычному киллеру, учитывая эмоциональную привязанность убийцы к жертве. Все-таки непросто это... Или, наоборот, вышло дешевле, поскольку проще?

Версия вторая: Канунников убил Милену из-за денег ее бывшего любовника. Опять же либо его наняли, либо он связан с этими людьми. И снова надо искать следы контактов.

Версия третья: убийство совершено по сугубо личным мотивам, которые то и дело возникают между любовниками. Ревность (например, к тому же Седову или к кому-то третьему), месть и так далее. Но были ли Погодина и Канунников действительно любовниками? Мало ли что говорит мать Олега, она может искренне заблуждаться или слепо верить словам сына, который по одному ему известным причинам назвал Милену своей подружкой, каковой она на самом деле не являлась.

Все три версии так или иначе упираются в Канунникова, который до сих пор не найден. Однако и Сережа Зарубин, и Иван Хвыля, и Виктор Рыжковский сделали немало для выявления его связей. Итак, что мы имеем?

Олег Канунников, 1971 года рождения, москвич, окончил в 1994 году Московский инженерно-строительный институт, работал какое-то время по специальности, был инженером, потом прорабом. В начале 2004 года зарегистрировал на свое имя фирму «Контракт — ОК», где числился генеральным директором. Фирма оказывала многочисленные консультационные услуги по строительной и близкой к ней тематике, услуги эти очень хорошо оплачивались, и в конце концов денег на счетах стало столько, что можно было подумать и о собственном строительстве. Фирма взяла в банке кредит, оформила бумаги по землеотводу (поразительно быстро и легко, что явно свидетельствовало о немалых взятках), наняла подрядчика — строительную фирму «Терца» — и начала строить пятиподъездный дом, который к нынешнему моменту готов к сдаче «под ключ». Продажа квартир в строящемся доме началась с момента укладки фундамента, к настоящему времени непроданными остались около пяти процентов квартир. На первый взгляд все чисто, никаких махинаций не просматривается.

«Контракт — ОК» продолжал оказывать консультационные услуги, в том числе ряду зарубежных фирм, поэтому у гендиректора Канунникова были долгосрочные многократные визы, оформленные в посольствах Финляндии, Польши и Чехии по запросам иностранных партнеров. Именно в эти страны он и взял билеты на поезд, с пересечением границ у него проблем не возникло бы. Однако ни одну из границ он так и не пересек. Вот еще одна справка: в аэропортах пересечение границы Канунниковым О.М. не зафиксировано. Что произошло? Три варианта: либо уехал одним из этих поездов, но сошел на территории России; либо он уехал каким-то четвертым маршрутом, например, на машине; либо он никуда не уехал вообще и спрятался в Москве или Подмосковье, а все эти билеты на разные поезда взяты им для отвода глаз и для затруднения поисков. Поезд на Варшаву уходит днем, без нескольких минут четыре, поезда на Прагу и Хельсинки — вечером, около одиннадцати. Судя по времени убийства Погодиной, он успевал на любой из них, даже на варшавский. Бригада хельсинкского поезда уже вернулась в Москву, проводники вагона, в котором мог ехать Канунников, опрошены, никто его не вспомнил. Бригады пражского и варшавского поездов будут в Москве не раньше вторника. Запросы в полицию Польши и Чехии не направлялись. Работа с проводниками поручена Рыжковскому. «Встречу — убью», — подумала Настя и тут же одернула сама себя: а она где была? Проспала все на свете, а теперь виноватых ищет.

Связи Канунникова. Их должны были отработать Иван Хвыля и все тот же Витя Рыжковский. Коллеги, однокурсники, одноклассники, соседи по дому и двору, абоненты, звонившие на мобильник Канунникову. Список получился внушительным, побеседовать оперативники успели далеко не со всеми, но работу провернули колоссальную. Интересно, они за эти несколько суток вообще спали хотя бы час? Судя по объему полученной информации — вряд ли. А толку-то? Опрашивать людей надо не подряд, тыкая пальцем в список и выискивая территориально близкие адреса, а по грамотному плану, чтобы не тратить время на лишние разговоры и не дублировать полученные сведения, а находить новые и идти дальше. Ребята этого не сделали, и время оказалось потраченным значительной частью впустую. Они получили адреса дач и подмосковные адреса знакомых Канунникова, где он мог бы спрятаться и отсидеться, адреса проверили — его там не оказалось. Двое из опрошенных уверенно заявили, что Олег давно знает Милену и даже знакомил их со своей девушкой. Вот это уже хорошо. Когда же это было? Ага, вот: в 1999 году. Давненько, однако! Что же получается? Что Милена еще жила со своим криминальным авторитетом, но уже встречалась с Олегом? Как-то не вяжется. Или авторитета уже убили к тому времени? Седов утверждает, что убийство произошло в 2000 году или в самом начале 2001-го, но он мог и ошибаться. Или Милена ему так сказала, или он невнимательно слушал, или напутал, подзабыл. Нет в этом пункте ясности, нет, а она очень нужна. Однако же если предположить, что Канунников убил Милену из-за денег того самого авторитета, то вполне логично предположить и то, что он сам был из ближнего окружения любовника Погодиной. А зачем криминальному авторитету нужен обыкновенный прораб? Может, Олег ему дом строил? И во время строительства познакомился с Миленой... Вот и ниточка образовалась. Нужно выяснить, на каких объектах работал Канунников в конце девяностых, и таким незатейливым способом вычислить имя любовника. Господи, но это же так просто! Почему никто до сих пор этого не сделал? Ведь элементарно же!

«Вот сама бы и сделала», — буркнула себе под нос Настя. Тоже мне, администратор-распорядитель.

Что-то не сходится... Если Канунников уже в конце девяностых работал на строительстве «для богатых», то почему же он так долго жил с родителями в более чем стесненных условиях? У него уже тогда должно было быть достаточно средств, чтобы если не купить, то хотя бы снять квартиру, а снимать жилье он начал только в 2000 году. Настя ездила по адресу, где он прописан, разговаривала со всеми членами семьи: с матерью, отцом, старшей сестрой и ее мужем. Там еще двое маленьких детей, племянников Олега. Ни протолкнуться, ни повернуться, все друг другу мешают, друг на друга злятся, все усталые и раздраженные. Зачем же он столько лет это терпел, если мог уйти и жить отдельно?

С другой стороны, фирму свою он создал только в 2004 году, значит, относительная финансовая свобода появилась у него не в связи с «Контрактом — ОК». Тогда откуда деньги? Не бог весть какие, конечно, хозяин квартиры показал, что аренда стоила Канунникову пятьсот долларов в месяц, но все-таки получается, что раньше у него таких денег не было. Или были, но он по каким-то причинам не уезжал от родителей. По каким? Почему ребята этого не выяснили? Ведь в глаза же бросается!

Теперь Милена. Миленой Погодиной Настя занималась сама. «Ну, подруга, — насмешливо спросила она себя, — и много ты наработала? Других оперов критиковать — ты первая, на себя лучше посмотри». Единственное имя, которое назвали родители Милены, было именем некоей Светланы Зозули, одноклассницы Милы. Разыскать ее официальным путем не удалось, в Москве Зозуля не зарегистрирована. Настя связалась с ее родителями, проживающими в том же городе, откуда уехала семья Погодиных, и ей сказали, что Света в Москве. Ни адреса, ни телефона, естественно, не дали, дескать, Света сама звонит раза два-три в месяц, у нее все в порядке. Какой это порядок, Настя более или менее представляла. Девушка живет без регистрации, периодически покупает липовые справки, которые показывает милиционерам при проверке документов, проживает вместе с еще несколькими девицами, работает — в зависимости от внешних данных. Если данные очень хорошие, то в сфере дорогих интим-услуг, если приличные — то стала проституткой подешевле, а если совсем никакие — то продавщицей в маленьком магазинчике или официанткой в средней руки забегаловке, а то и в киоске сидит, сигаретами и жвачкой торгует. Родителям, само собой, рассказывает, что отлично устроилась и вообще «в полном шоколаде», далее идут детали, зависящие от уровня фантазии: снимается в кино, учится в институте, работает в хорошей фирме. Найти Светлану при таком раскладе можно, только имея оперативные подходы к соответствующей социальной среде. Таких «подходов», в просторечии именуемых агентурой, у Насти Каменской нет. Зато они есть у Сережки Зарубина. Но Сережа занят совсем другим, и ему ох как несладко приходится, он практически в одиночку отрабатывает контакты фигурантов по делам Павла Седова, а Седов в это время, вместо того чтобы оказывать посильную помощь следствию, пребывает в глубоком запое. Прав оказался старый следователь Давыдов, не нужно было говорить Седову о том, что Канунников был любовником Милены. Смерть своей подруги он кое-как пережил, было видно, что ему тяжело, но он держался, а вот известие о любовнике его совсем подкосило. Вот интересно, неужели все мужики такие собственники? Умерла — ладно, но изменяла?! С первым несчастьем еще можно смириться, но со вторым — ни за что! Собственно, это ведь и есть в чистом виде мотив убийства из ревности: пусть лучше она будет мертвая, чем живая, но не моя. Так не доставайся же ты никому! Великий Островский... Что-то она отвлеклась. Надо вернуться к Милене.

Итак, Милена. Что Настя успела сделать в этом направлении? Поговорила с ее сокурсницами. Урожай небогатый, первый курс, отучились всего два месяца, близкие отношения почти ни с кем еще не сложились. Те студенты, с которыми Милена общалась более или менее интенсивно, то есть сидела рядом на занятиях, обменивалась конспектами пропущенных лекций, подвозила кого-то из них до метро или даже до дома, никогда не слышали от нее имени Олега Канунникова. О Павле Седове — да, слышали, она не скрывала, что живет с ним, а вот об Олеге — ни слова. Настя запросила расшифровки счетов Погодиной из компании мобильной связи за последний месяц, но ничего интересного не выявилось. Разговоры с Канунниковым — ежедневно, иногда по два-три раза в день, но по одному звонку — обязательно. Остальные абоненты — родители, две девушки, Елена Бунич и Юлия Петракова, — из учебной группы, салон красоты, стоматологическая клиника, где Милена после перенесенной операции по имплантации зубов должна была регулярно наблюдаться, гинекологическая клиника, в которой она проходила длительный курс лечения от бесплодия, автосервис, магазины автозапчастей, специализированная фирма по чистке штор, туристическая фирма, где Милена заказывала поездку на Мальдивы для себя и Павла, пенсионерка, живущая в соседней с Седовым квартире (ей Милена по доброте душевной периодически приносила продукты и оказывала разные мелкие услуги), ну и сам Павел Седов, разумеется. Не сказать, чтобы у молодой красивой женщины был обширный круг общения. Похоже, Седов дал своей возлюбленной исчерпывающую характеристику: Мила интересовалась только учебой и домом, и он не смог назвать ее друзей не потому, что мало вникал в ее жизнь, а потому лишь, что этих друзей и в самом деле не было. Вся жизнь Милены Погодиной была сосредоточена вокруг нее самой, Павла Седова и Олега Канунникова.

Чтобы собрать всю эту информацию, Насте потребовалось время с середины вторника, когда был обнаружен труп девушки, до середины пятницы, когда она перестала заниматься своими прямыми обязанностями и полностью переключилась на кафедральные дела. Трое суток. А в результате — пшик! И это она, подполковник Каменская, так работает! Стыд и позор. Когда Большаков спросил, не нужно ли подключать еще людей, она с дурацкой самоуверенностью ответила, что не нужно. О чем она вообще думала в этот момент?! Голова у нее где была?! А думала она о том, что новый шеф выполнил свое обещание, добился назначения ее на вышестоящую должность, и нужно понять, что это означает и чем ей грозит. Очень, надо заметить, дельные мысли. Полезные и эффективные для работы по раскрытию преступления. Тьфу, дура. Прокол на проколе, ошибка на ошибке. Не заслуживает она этого повышения, ох не заслуживает.

Она не сразу сообразила, что звонит мобильник, сперва подумала, что это тренькает будильник на ручных часах: Настя поставила его на пятнадцать тридцать, чтобы не опоздать на совещание к следователю, и в первый момент пришла в ужас. Уже пора собираться, а она так мало успела! Да что там мало — почти ничего! Ей казалось, что если начать в восемь утра, то к половине четвертого у нее будет готов не только отчет, но и план неотложных оперативных мероприятий по каждой версии. Нет, слава богу, еще только четверть одиннадцатого. Она схватила трубку.

— Анастасия Павловна, кофейку не хотите выпить? — послышался насмешливый голос Равиля.

— С пирожным? — осторожно уточнила она.

— И с ним тоже.

Тоже. Значит, помимо пирожного, Равиль готов представить ей информацию. Уже что-то.

Они договорились встретиться через полчаса в кофейне на Пушкинской площади. Настя побросала бумаги в сейф, заперла кабинет и помчалась к выходу. Вообще-то за полчаса до кофейни можно было и на животе доползти, но она знала привычку Равиля приходить чуть раньше условленного времени. Осторожничает, осматривается, но это и понятно. Кому захочется, чтобы люди знали о его контактах с уголовкой? А вдруг Равиль принесет ей ценную информацию? А вдруг она успеет что-нибудь выкрутить из нее до начала совещания, то есть до пяти часов? В этом случае каждая минута дорога, и ее нельзя терять.

Настя оказалась права, Равиль действительно явился через двадцать минут, когда она уже пила свой кофе.

Как обычно, он просто подсел к ней за барную стойку, никаких посиделок за столиками он не признавал.

— Я вас разочарую, — негромко проговорил он, глядя в сторону. — Ваша девочка ни с кем не была.

— Вы хотите сказать, что не смогли установить, к кем она была, — сухо уточнила Настя, пытаясь скрыть разочарование.

А ведь она так надеялась!

— Что я хотел сказать — то и сказал, — ровным голосом отпарировал Равиль. — Она ни с кем не была. Я имею в виду, она не была ни с кем, кого постигла впоследствии печальная участь быть похороненным на чужбине и кто мог бы оставить после себя... м-м-м... спорное наследство. Ваша девочка совсем из другой сферы.

— Из какой? — насторожилась Настя.

Значит, он все-таки что-то узнал. Уже хорошо.

— Из продавщиц, — в голосе Равиля зазвучала нескрываемая насмешка. — Причем самого низкого пошиба. Торговала в продуктовой палатке.

— Этого не может быть. Это ошибка, — твердо произнесла она.

— Это не ошибка, и это может быть. Я же предупреждал вас: таких девочек, как она, не забывают и ни с кем не путают. Вы не мужчина, вам этого не понять. Сеть магазинов держит Файзулло, вы можете с ним поговорить, он предупрежден. Я сейчас пришлю на ваш номер сообщение с его координатами.

Равиль отвернулся, закурил, достал из кармана мобильник и принялся щелкать кнопками. Настя тоже отвернулась, сделала знак бармену, что готова заплатить, и полезла в сумку за кошельком. Пока она расплачивалась, мобильник мелодично звякнул, извещая ее о том, что пришло сообщение. Равиль молча встал, бросил на стойку крупную купюру и вышел. Глядя со стороны, невозможно было бы предположить, что он знаком с Настей и встречался с ней по делу. Просто зашел деловой человек на пять минут выпить чашечку кофе, из вежливости перекинулся парой слов с сидящей рядом дамой...

Одиннадцать утра. Еще или уже? До совещания осталось шесть часов.

* * *

Сквозь зыбкую хмельную одурь, которая все никак не хотела становиться плотной и укутать сознание непроницаемым ватным одеялом, к Павлу пробивался голос диспетчера закрытой базы данных. Из ОВД «Мневники» поступил запрос на Щеколдина Алексея Андреевича, телефон для связи...

Он с трудом отыскал ручку и клочок бумаги и записал номер. Алешка Щеколдин. Чигрик. Что с ним стряслось? Неужели попался, придурок?

Наркоман и мелкий наркоторговец Щеколдин по кличке Чигрик несколько лет состоял у Седова на связи, снабжал его информацией, давая возможность вскрывать более или менее крупные группы и оказывая множество всяческих полезных любому оперативнику услуг, но постоянное употребление героина не могло не сказаться на интеллекте, и Павлу некоторое время назад пришлось полностью отказаться от его услуг. Лучше совсем не иметь источника, чем связываться с такими протухшими мозгами. На спецучете Щеколдин-Чигрик, однако, стоять продолжал. На всякий случай. И вот теперь менты из Мневников им заинтересовались и начали пробивать по всем базам данных, как открытым, так и закрытым. Когда получили запрос, то, как и полагается, дали ответ, мол, по нашей базе не проходит. Таковы правила. Незачем каждому встречному-поперечному знать, кто стоит на спецучете. В то же время сотрудник информационного центра звонит человеку, поставившему Чигрика на этот самый учет, и сообщает, что его подопечным интересуются: должность... имя... контактный телефон.

Согласно тем же самым правилам Павел должен как можно быстрее (мало ли, какая нужда, а вдруг и в самом деле срочная) отзвониться и выяснить, кто интересуется Чигриком и зачем.

Надо звонить. Но сил нет. Лучше еще выпить.

Через полчаса Седов немыслимым усилием взял себя в руки и набрал номер, записанный на листке корявым неуверенным почерком.

— Вы делали запрос на Щеколдина Алексея, — начал он, с трудом выдавливая слова.

Хмельная одурь начала было уплотняться, еще немного — как раз столько, сколько нужно, чтобы закончить разговор с опером из Мневников, — и она превратится в вожделенное ватное одеяло, которое укутает сознание и сквозь которое невозможно будет вдохнуть воздух, а вместе с ним и не дающий покоя вопрос: зачем, Мила? Почему? Почему Канунников?

Голос в трубке что-то говорил, и одеяло вновь стало растворяться, делаться тонким до прозрачности и рваться по швам. Чигрика больше нет. Алешка Щеколдин убит.

Да и черт с ним! Не до него сейчас.

Зачем, Мила? Ну как же так? Для чего? Чего тебе не хватало?

* * *

Человек по имени Файзулло не видел ничего плохого в том, чтобы «дружить» с ментами. Он был улыбчив, доброжелателен и с готовностью согласился отвести Каменскую к владельцу магазинчика, выросшего на месте бывшей палатки, где Милена Погодина когда-то торговала продуктами. Впрочем, возможно, он на самом деле не хотел ссориться с Равилем, который настоятельно рекомендовал ему «оказать содействие». Настя до последнего сомневалась, о той ли Милене идет речь, и жалела, что не прихватила с собой фотографию, которая так и осталась у Равиля. Однако все сомнения рассеялись еще по дороге, когда Файзулло, толстый, усатый, с необъятным животом и лоснящимися губами, сказал:

— Мы землякам своим всегда помогаем, а как же! Света у нас, например, до сих пор работает.

Настя вздрогнула.

— Света? Светлана Зозуля?

— Ну да, она.

Ну вот, не было ни гроша, и вдруг алтын. Так всегда бывает.

В магазин они вошли со служебного входа. Настины опасения оправдались: в небольшом помещении, совмещающем кабинет директора со складом, был накрыт стол. Восточное гостеприимство. Ну а как же, человек не откуда-нибудь с улицы — от самого Равиля пришел! Файзулло представил ей хозяина магазина, высокого сутулого старика по имени Хаким, и отбыл. Он деловой человек, недосуг ему за обильно накрытыми столами рассиживаться со всякой мелкой сошкой вроде этого Хакима, это уж он исключительно из уважения к уважаемому Равилю и его уважаемой протеже сюда приехал, чтобы уважение сделать... Обижать старика Хакима Насте не хотелось, ничего плохого он не сделал, а то, что у него работают нелегалы, то есть люди, не имеющие российского гражданства и регистрации, — забота местного участкового, а никак не оперативника с Петровки. Так что за стол она все-таки присела и даже отщипнула веточку винограда.

— Вы помните Милену Погодину?

— Конечно. Несчастная девочка! Но в конце концов ей повезло.

— Почему несчастная и почему повезло?

— Она красивая была — мцм! — Хаким сделал выразительный жест рукой. — Пальчики оближешь! Только зубов там, сзади, не было, муж выбил, но так-то не видно было, незаметно. Хотела артисткой стать, в институт поступала, провалилась, пошла работать в магазин.

— В ваш?

— В мой — это уже потом, а сначала она у другого хозяина была, не из нашей диаспоры. Ее туда Света устроила. Хозяин плохой был человек, очень плохой, хотел, чтобы Мила с ним спала. Она не стала, и он ее выгнал. Тогда она к нам пришла. Вот.

— Долго она у вас работала?

— Полгода примерно.

— И когда это было?

— О, давно, давно было. Лет пять или шесть назад. Вы кушайте, кушайте.

— Спасибо, — поблагодарила Настя. — А почему она от вас ушла?

— Другую работу нашла.

— Какую — не знаете?

— Не знаю, — покачал головой Хаким. — Ушла — и ушла. Значит, та работа лучше была.

— А почему вы сказали, что ей повезло?

— Так ведь другую работу нашла. Раз ушла, значит, та работа лучше. Разве не повезло?

Да, старик Хаким явно не из болтливых. То ли от природы неразговорчив, то ли осторожничает сверх всякой меры. А может быть, и в самом деле ничего толком не знает. Какое ему дело до продавщицы? Желающих занять свободное место — пруд пруди, уходишь — другую наймем. Тем паче было все это давным-давно, уже и быльем поросло. Он ведь даже не спросил, почему женщина из уголовного розыска задает эти вопросы. Нет ему до Милены Погодиной никакого дела.

— Скажите, Хаким, как мне поговорить со Светланой? Она сегодня работает?

— Сейчас позову.

Он легко, несмотря на солидные года, поднялся с низкой скамеечки и вышел в торговый зал. Через минуту перед Настей стояла та самая Света Зозуля, школьная подружка Милены. Если не знать, что девушки когда-то учились в одном классе, можно было бы решить, что Света лет на десять старше своей подруги. Толстая до бесформенности, с редкими сальными волосами, при разговоре во рту мелькает несколько золотых коронок. Если она и была прежде юной красавицей, то теперь об этом напоминали только огромные яркие глаза в обрамлении длинных пушистых ресниц.

— Хаким сказал, вы насчет Милы? — она первой начала разговор. — Я давно с ней не виделась. А чего с ней?

В течение следующих десяти минут Настя с сочувственным терпением пережидала бурный поток слез. Светлана горевала о своей погибшей подруге искренне и отчаянно. Потом утерла слезы рукавом, высморкалась и начала отвечать на вопросы.

Мила объявилась в Москве, когда сама Светлана, в то время еще свеженькая, аппетитно пухленькая и ясноглазая, жила здесь уже три года, работала в магазине, жила в съемной квартире вместе с еще двумя девушками и была вполне довольна жизнью, поскольку хозяин магазина к ней весьма благоволил. Мила собиралась поступать «на артистку», но, естественно, не поступила. Один из членов приемной комиссии сказал ей, что артистические данные у нее, пожалуй, есть, но уж очень она скованна и неуверенна, с этим нужно бороться, это следует преодолевать. Как преодолеет — добро пожаловать на прослушивание.

Жила Мила первое время в той же квартире, что и Светлана, в одной с ней комнате. Они даже спали в одной кровати, потому что в тесной комнатушке некуда было втиснуть ни кресло-кровать, ни раскладушку. Провалившись в институт, Мила стала искать работу, и Света предложила помощь: она готова поговорить со своим хозяином, у них в магазине работы для Милы нет, но, может быть, в другом найдется. Милена согласилась принять помощь, и работа нашлась на удивление быстро. Тоже в магазине, на соседней улице, и тоже продавщицей, правда, тот магазин был и не магазином вовсе, а так, продуктовой палаткой, но всетаки... И платить обещали три тысячи рублей в месяц. Только хозяин предупредил, что первая зарплата — не раньше чем через два месяца, новенькая должна еще себя показать, то есть доказать, что, во-первых, умеет торговать и, во-вторых, не ворует. Мила согласилась, взятых из дому денег пока хватало на жизнь, пусть и совсем скромную.

На протяжении всех двух первых месяцев хозяин недвусмысленно давал ей понять, что нужно сделать, чтобы получить зарплату побыстрее, уже сейчас, но Милена делала вид, что намеков не понимает.

— Ты что, дура совсем? — возмущалась Светлана. — Ты думаешь, он тебя почему взял? Думаешь, других продавщиц мало? Вон вся Москва полна безработными. Я на своем месте три года держусь только потому, что сплю с хозяином, когда он захочет и где захочет. Скажет — у него дома, а скажет — так и под прилавком. Не в том мы с тобой положении, чтобы выкобениваться. Мой хозяин твоему сказал, что ты — красивая блондинка, вот он тебя и взял, а ты дурочку из себя строишь. Смотри, Милка, без работы останешься.

Но Милена не верила, что ее могут выгнать с работы просто так, без веской причины. Она не ворует, выручку всю сдает до копейки, бутылки с напитками не бьет, а то, что хозяину не уступает, — так не могут же за это уволить? Она была слишком наивна, чтобы сразу понять, каковы московские нравы.

Прошло два месяца, и прежде, чем выдать обещанную зарплату, хозяин прислал в палатку проверяющего. Тот насчитал недостачу размером в десять тысяч рублей.

— Никакой зарплаты ты не получишь, — зло сказал хозяин, — шесть тысяч за два месяца заберу в счет погашения долга, еще четыре тысячи будешь должна. Выбирай: или работаешь без зарплаты, пока долг не погасишь, или уходи. Четыре тысячи принеси — и скатертью дорожка. И не вздумай скрываться, я тебя через Светку все равно найду.

Мила никак не могла понять, откуда взялась такая огромная недостача, потом сообразила, что все это — спектакль, разыгрываемый с каждой новой продавщицей. Нанимаешь, два месяца не платишь, потом придумываешь недостачу и увольняешь. Имеешь бесплатную рабочую силу. Если удачно сложится — еще и сексуальных радостей перепадет. И никакого риска, потому что девушки все — нелегалки, других на такую работу не берут, и в милицию жаловаться они не станут.

— Я тебя предупреждала, — в отчаянии говорила ей Светлана, — я же говорила, что выгонит за милую душу. Легла бы с ним в койку — и имела бы стабильную работу. Ну что ты за дура такая?! Что ты о себе вообразила? Мы тут все иностранцы без регистрации, мы никому не нужны, хоть мы и русские, а если ты ставку на свою внешность делаешь, то и шла бы в проститутки наниматься. Думаешь, если ты красивее меня, то у тебя и сложится по-другому? Думаешь, из-за твоей красоты для тебя специальные правила жизни будут придумывать? Не будут!

Но Мила о своей красоте думала в то время меньше всего. Три года, прожитые в семье мужа, убедили ее в том, что она ни на что не годна, кроме самой простой и грязной работы, а провал в институте только укрепил ее в этом мнении. И она отправилась искать работу. Просто шла по улицам и заглядывала во все магазины подряд, начиная от самых невзрачных палаток и заканчивая супермаркетами. Она искала земляков. Не знакомых, нет, конечно, но ведь по лицу всегда можно определить, из какого региона Средней Азии человек родом.

Искала и нашла. Рассказала свою историю, попросила работу. Ей повезло: человек, с которым она разговорилась, знал другого человека, который был родом из ее города, а тот, конечно же, знал ее свекровь (ее вообще знал весь город!) и был о ней весьма нелестного мнения. Работу Мила получила. Она снова оказалась в палатке.

— У тебя опыта пока мало, — сказал ей новый хозяин, — всего два месяца торговала. Покажешь себя хорошо — переведу в магазин, за прилавком будешь стоять, а пока тут посиди.

Она была благодарна и за это и радовалась тому, что никто ни о каком интиме не заговаривает. Жить продолжала по-прежнему со Светланой, ни одной родной души у нее в Москве не было, кроме школьной подружки. Потом хозяина Светланы убрали, что-то там он с кем-то не так поделил, а новый хозяин ее выгнал. Пришла очередь Милены помочь подруге. И она помогла. Хозяин Милены, старик Хаким, землякам в помощи не отказывал и взял Свету в свой магазин, в трех шагах от палатки, в которой торговала Мила. Мила не обижалась, она понимала, что Света работает давно и опыта у нее больше.

Однажды она познакомилась с Олегом Канунниковым, который покупал в ее палатке какие-то продукты. Олегу сразу запала в душу скромная красивая девушка, они начали встречаться, а спустя какое-то время Мила сказала Светлане, что Олег пообещал через своего знакомого устроить ее на работу в фирму. Конечно, работа будет самая простая, Олег сразу предупредил, что речь может идти только о должности оператора-рецепциониста (если по-русски — девушки, отвечающей на телефонные звонки и переключающей абонентов на нужные линии) или — если очень повезет — офис-менеджера (опять же, если перевести на понятный язык, человека, отвечающего за наличие в конторе бумаги, скрепок и картриджей для принтеров). Но все равно это намного лучше, чем сидеть в палатке!

Олег слово сдержал, через пару месяцев Мила поблагодарила Хакима и уволилась. Светлана даже однажды была у нее на новой работе. Красота! Хотя, по большому счету, тесновато и бедновато, но разве сравнишь с магазином?

— Не помните, как называлась фирма, куда Канунников устроил Милену? — спросила Настя без всякой, впрочем, надежды.

— Нет, — покачала головой Зозуля. — Какая-то туристическая. На углу, напротив метро.

— Какого метро?

— Ой, я не помню. Ехали до «Боровицкой», а там потом какие-то переходы, лестницы, так что я уж и не помню, может, мы на «Боровицкой» вышли, а может, на «Библиотеке Ленина» или на «Александровском саду».

Ну что ж, этого вполне достаточно, чтобы найти турфирму, в которой работала Милена Погодина.

Только вот криминальный авторитет, безвременно покинувший этот лучший из миров и оставивший Милене кучу денег, как-то сюда не вписался. Ну совершенно не вписался. Зозуля лжет? Недоговаривает? Или просто не знает?

Впрочем, рано катить бочку на Светлану, вполне может быть, что со своим «авторитетным» поклонником Милена как раз и познакомилась, работая в турфирме. Ну конечно! Так оно и было. Не в палатке же сидючи она его подцепила.

Уже четвертый час. Ну что ж, Каменская, ты, конечно, проваляла дурака всю неделю, но за первую половину субботы тебе можно поставить твердую четверку. Даже с плюсом.

Глава 6

Федор Иванович Давыдов собрался закругляться. Они совещаются с пяти часов, сейчас уже без четверти восемь, план мероприятий на ближайшие дни согласован, пора и по домам расходиться. Он с самого начала был уверен, что дело Милены Погодиной — тухлое дело, и теперь только укрепился в этом мнении. Спорные деньги убиенного криминального авторитета — версия, конечно, вкусная, хотя и дырявая с точки зрения информации. Если Милена, приехав в Москву, сначала поступала в какой-то театральный вуз, потом работала в магазине, потом искала работу и снова работала, только уже в другом магазине, то на всю эту благодать ушел максимум год. Больше никак не выходило. Значит, с весны девяносто восьмого по весну — лето девяносто девятого. К этому времени она уже была знакома с Канунниковым, который оказался просто случайным покупателем, не оставшимся равнодушным к прелестям юной красавицы. Канунников забрал ее из магазина и устроил в фирму, предположительно туристическую, предположительно расположенную «на углу напротив выхода из метро», при этом имелся в виду крупный пересадочный узел «Библиотека им. Ленина» — «Боровицкая» — «Александровский сад», имеющий множество выходов в город. Ладно, с этим ребята разберутся, не маленькие.

Предположим, Канунников влюбился. Предположим, чувство оказалось взаимным. Откуда взялся криминальный авторитет? Ну, оттуда же, откуда они обычно и берутся. Хотя Милена, если верить ее характеристике, данной не только родителями, но и Светланой Зозулей, к светской жизни не тяготела, дорогие рестораны, ночные клубы и казино не посещала, да и не могла посещать, ибо средствами располагала весьма скромными. Если Канунников устроил ее в фирму на должность офис-менеджера или оператора-рецепциониста, то денег больших там не платили. Надо ж понимать: девяносто девятый год, бизнес только-только оправлялся от дефолта, найти хорошо оплачиваемую работу было непросто, а уж девушке без регистрации и без российского паспорта — тем паче. Значит, платили ей копейки, побольше, конечно, чем в палатке у Хакима, но не настолько, чтобы одеваться в бутиках и посещать ночные заведения. Зозуля сказала, что Милена, едва устроившись в фирму, сняла какое-то дешевое жилье, вроде комнаты в коммунальной квартире где-то на окраине Москвы, и переехала. Первое время подруги интенсивно общались, Светлана даже на работе у Милы побывала, а потом связь как-то оборвалась. И произошло это, со слов все той же Зозули, примерно в середине 2000 года. На тот момент ни о каком «богатсньком папике» Милена и не заикалась, у нее был Олег, с которым она продолжала встречаться, более того, ни по ее одежде, ни по украшениям нельзя было судить о том, что появился дополнительный источник доходов. В конце 2000-го или в начале 2001 года с Миленой знакомится Павел Седов и после кратковременного и активного ухаживания начинает с ней жить. Где же тут место для авторитета? Неужели всего полгода? Возможно. Но тогда получается, что Милена — отъявленная врушка, ведь Павлу-то она сказала, что жила со своим авторитетом не полгода, а куда как дольше, потому и деньги он ей оставил: успел привязаться и понимал, что может ей доверять. А если она сказала Павлу правду, то, значит, обманывала подружку Свету, которая об авторитете ни сном, как говорится, ни духом. Кстати, хотелось бы знать, что по этому поводу думал Олег Канунников, если вообще что-то думал. Канунников объявлен в розыск, его ищут повсюду, но пока не нашли.

Нет, с криминальным авторитетом решительно ничего не получалось, и самый жирный крест на этой версии поставил Равиль, когда твердо заявил: эта девочка ни с кем не была. А уж он-то знает, что говорит, и за слова свои отвечает. Тогда встает вопрос: откуда у Милены деньги? То, что не честным трудом они заработаны, — очевидно, а коль так, то они по определению в любой момент могут оказаться спорными и явить собой бесспорный повод для убийства. В середине 2000 года их еще не было (судя по тому, как она одевалась и какой образ жизни вела), в начале 2001 года они уже появились, ибо, как утверждает Седов, она в тот период занималась поисками квартиры для приобретения в собственность. Вот эти-то полгода жизни Милены Погодиной и нужно было раскопать и расписать буквально по минутам. Ничего себе задачка, если принять во внимание, что уже 2005 год заканчивается.

С версией о том, что Милену убили в качестве акта устрашения, направленного на Седова, тоже ничего толкового не получалось, хотя Сергею Зарубину удалось наметить два перспективных направления работы. Ах, как некстати сломался Павел! Почему-то в книгах и кино все свидетели дают показания вовремя, даже если эти показания и ложные, а вот что делать, если главный свидетель в глухом запое? И понять его можно: все-таки любимую женщину потерял, с которой прожил почти пять лет. А делать-то что?! Без его информации, причем данной на ясную голову, расследование продвигается с огромным трудом.

Или все-таки Канунников? Нет, то, что убийца Милены именно он, вне всяких сомнений, тут и обсуждать нечего. Но почему? Вернее, так: его наняли, пользуясь близостью Олега к намеченной жертве, или он убил Погодину по собственной инициативе? В любом случае убийство не было спонтанным, спровоцированным внезапной ссорой, ведь Олег Михайлович готовился к нему загодя, билетик-то в Прагу приобрел аж за сутки до убийства, в день убийства с утра — еще два билетика прикупил, то есть продумывал пути отступления из Москвы. И только имея на руках все три билета на разные поезда, он около двух часов дня вызвал телефонным звонком Милену к себе на квартиру, где и убил ее. Задушил руками. И скрылся. Может, ревность? Не внезапная, нахлынувшая в одну секунду, когда узнаешь об измене любимой женщины и не можешь с собой справиться, а давняя, тлеющая под спудом и в конце концов взрывающаяся невозможностью терпеть. Ведь Канунников знал Милену с девяносто девятого года, был ее любовником, потом вклинился Седов, и Милена ушла к нему. Какое-то время Олег и Милена не общались, потом встретились, может быть, случайно, или она сама позвонила ему, или он ее разыскал — стосковался, соскучился, и все началось снова, и продолжалось... Так часто бывает, уж Федор-то Иванович Давыдов это хорошо знал, за десятки лет следственной практики и не такое повидал.

— Ладно, ребятки. — Давыдов со вздохом выключил компьютер и принялся собирать со стола бумаги и прятать их в сейф. — Кому что делать, мы решили, в понедельник доложитесь. Вопросы есть?

Оперативники переглянулись, словно определяя, кто из них окажется самым нахальным. Самым нахальным оказался Зарубин.

— Нет, Федор Иванович, все ясно.

— Ну, тогда у меня будет вопрос, — голос следователя стал сухим и неприятным. — Вы когда закончите дурака валять, а? Вы когда начнете нормально работать? Мы тут с вами три часа совещались, так из них два — выясняли, кто из вас чего не сделал и почему. Вы думаете, я лопух старый и ничего не вижу? Думаете, я вашему начальству до сих пор на вас бочку не накатил, потому что считаю вас ударниками коммунистического труда? Нет, ребятки, не считаю я вас ударниками. Мне просто жалко вас, не хочу портить ваши отношения с вашим же руководством. Вот ты, Ваня, — обратился он к мрачному насупленному Хвыле, — всего месяц как из другого округа перевелся, тебя новое твое начальство совсем не знает, не хочу тебе репутацию портить. Ты, Витенька, — он ткнул пальцем в Рыжковского, — вообще салага еще, только-только из милицейской академии на землю пришел, опять же жалко твое личное дело поганить, потому как опыта у тебя — с гулькин нос. Да и у Настюхи с Сережей новый начальник. Жалею я вас, обормотов, вот и молчу. А не надо бы.

— А откуда вы знаете? — не справился с удивлением Витя Рыжковский.

— Я, сынок, всегда все знаю про людей, с которыми работаю. Ну что, по домам?

Все стали подниматься и прятать в сумки и карманы блокноты, и в этот момент зазвонил телефон. Давыдов снял трубку и, нахмурившись, слушал собеседника. Настя уже успела застегнуть куртку и сверху замотать вокруг шеи длинный шарф, когда следователь произнес:

— Ладно, давай приезжай. Я в кафе буду, за углом. Знаешь? Ага. Вот там меня и найдешь. А то я с утра не жравши. Потом, если надо будет, вернемся, скажешь мне все под протокол.

Он положил трубку и, поймав вопросительный взгляд Насти, проворчал:

— Седов оклемался. Какая-то срочная информация у него. Придется подождать.

— Всем? — безнадежно спросил Иван Хвыля.

Во время совещания он то и дело посматривал на часы и нетерпеливо ерзал, было видно, что неторопливое многословие следователя его раздражает, у него дела, он спешит, а тут...

— Всем, — зловредно припечатал Давыдов, вперив в оперативника особенный взгляд.

Настя не смогла сдержать улыбку. Она знала Давыдова давно и прекрасно понимала, что Хвылю он, конечно, отпустит. Но не сейчас, а минут через пять. Пусть парень понервничает, позлится.

Так и случилось. Они вышли из здания городской прокуратуры, дошли до кафе за углом, и уже перед самым входом следователь остановился и внимательно оглядел свою свиту.

— Ладно, — милостиво проговорил он, — ты, Ваня, иди, и ты, Витя, тоже свободен. А вы, — он ткнул пальцем в Настю и Зарубина, — со мной останетесь, будете Седова ждать.

— Минуй нас пуще всех печалей, — едва слышно пробормотал Сергей, толкая тяжелую дверь и пропуская Настю вперед.

— Ага, только пока непонятно, это проявление барского гнева или барской любви, — шепотом отозвалась она.

Давыдова здесь знали, это стало понятно с первых же секунд. Народу в кафе было много, что и неудивительно для субботнего вечера, но их тут же провели за каким-то чудом оставшийся свободным столик у окна. Следователь действительно был голоден, он заказал суп и фирменное блюдо из судака, Зарубин, не страдавший плохим аппетитом, попросил принести свиную отбивную, Настя же ограничилась одним салатом, который оказался гигантской порцией свежей зелени с редкими вкраплениями мелко нарезанных овощей. Есть не хотелось. Полученную от следователя выволочку она считала более чем справедливой и в очередной раз взялась за решение набившей оскомину задачки: уходить с оперативной работы или оставаться. Если уйти, то что о ней подумает Большаков? Он с таким трудом пробил ее новое назначение, повысил ее в должности, он так искренне просил ее остаться и спрашивал, что ему нужно сделать, чтобы она не уходила. Она ответила, он выполнил ее условие, и как после этого уйти? Как она будет выглядеть в его глазах? А если остаться и все время думать о том, что силы уже не те, что мозг работает не так быстро и четко, как раньше, и постоянно ловить себя на том, что недоделала, недодумала, совершила очередную ошибку, и ощущать на себе косые взгляды, и прятаться от этих взглядов, понимая, что она занимает чужое место, на которое можно было бы взять кого-то помоложе, посовременнее, пошустрее? А если все-таки уйти и потом рыдать ночами в подушку, тоскуя по любимой работе, и отравлять жизнь не только мужу, но и себе самой?

Свежая зелень казалась кисловато-безвкусной, как смоченная уксусом бумага, но Настя мужественно жевала, стараясь, чтобы лицо выглядело прилично.

— Охохонюшки, куда мы катимся? — монотонно причитал Федор Иванович, ловко расправляясь с обильной трапезой. — Ну вы посмотрите на этих мальцов, на Ванюшку с Витюшкой. Чему их учили? О чем они думают? Собирать информацию — это они ловки, спору нет, а человек-то где, человек? Неужто им не объяснили, что в деле раскрытия преступления не информация самое главное, а человек? От человека надо плясать, от характера его, от строя мысли, от нервной системы. Они эвона сколько бумажек мне насобирали, фамилий — что твой телефонный справочник, за год не обзвонишь, а что мы про Канунникова этого узнали? Да ничего! Перечень его одноклассников, однокурсников, товарищей по работе, с которыми он на строительстве работал, соседей по дому да по двору, и что? Что мне с этих списков-то? Ты мне не список подавай, а содержание: мол, такой-то и такой-то у него характер, то-то и то-то он любит, а вот это, наоборот, ненавидит, в таких-то ситуациях поступает вот так, а в других — вот эдак, потому как на этот счет у него твердые принципы и правила есть, а вот на эту тему он совершенно беспринципный. Для того чтобы такие сведения собрать, надо уметь с людьми разговаривать, надо уметь в душу к ним влезать и язык развязывать, а это разве наши мальчишки умеют? Не умеют они ни черта! Только и могут, что списки собрать и мне на стол положить. Охохонюшки, работа наша грешная...

Он отодвинул опустевшую тарелку, еще несколько минут назад до краев наполненную дымящимся супом, и зорко наблюдавший за ними официант тарелку сей же момент подхватил и немедленно кинулся нести фирменного судака.

— Федор Иванович, но ведь на то, чтобы списки составить, тоже время нужно, и немалое, — осторожно заступилась Настя за молодых оперативников. — И потом, они адреса выясняли, где может прятаться Канунников, и проверяли их по всей Москве и Подмосковью, в другие города запросы посылали. Они просто не успевают, слишком мало времени прошло, а их всего двое.

— А почему их двое всего? Вот я тебя спрашиваю, почему их только двое? Кто принимал решение, сколько их должно быть? Я умом-то понимаю, что для работы по убийству четыре опера — достаточно, если они грамотные, но у нас получается только три, потому как Ванюшка с Витюшкой вдвоем на одного работника тянут, да и то с трудом. Но ведь у нас не только расследование убийства, у нас еще и розыск скрывшегося подозреваемого. А куда Управление организации розыска у нас подевалось? Умерли там все, что ли? Или их упразднили-сократили? Почему Ванька с Витькой должны за них работу делать?

Настя пожала плечами. Претензии следователя были справедливы, но что она могла ответить? Эти вопросы решает руководство, а не она. А какими соображениями руководствуются начальники, решая служебные вопросы, она за двадцать с лишним лет службы так до конца и не поняла. Знала только, что в результате многочисленных реорганизаций, переименований, структурных изменений и бешеной кадровой текучки сотрудники, равно как и начальники, почти полностью утратили, во-первых, представление о том, кто чем и в каком порядке должен заниматься, а во-вторых, умение поддерживать оперативные связи между подразделениями. Есть такое понятие: время прохождения команды. Так вот это время, в прежние, доперестроечные времена измерявшееся минутами, сегодня измеряется не то неделями, не то месяцами, а иногда и вообще ничем не измеряется, потому как команда не проходит вовсе. Застревает где-то, оседает и потихоньку покрывается плесенью.

Зарубин вскинул голову и уставился в окно.

— О, глядите-ка, нашего друга привезли. Похоже, он сам-то за рулем пока сидеть не может.

Настя и Давыдов оторвались от еды и посмотрели на улицу. Из остановившейся перед кафе машины вышли Седов и какая-то женщина, а сидевший за рулем мужчина остался в салоне. Женщина заботливо поправила на Павле шарф, выбившийся из куртки, и что-то торопливо сказала. Седов отмахнулся и побрел к входу. Женщина снова села в машину.

Выглядел Павел отвратительно, но было заметно, что он старался привести себя в порядок. Веки набрякли, белки глаз в красных прожилках, под глазами темные мешки, но чисто выбрит и с вымытыми волосами. И запах перегара, тяжелый, душный, острый, от которого Настю мгновенно замутило. У немедленно подскочившего официанта он попросил двойной эспрессо и минералку с газом.

— Ну, сынок, рассказывай, — ласково проговорил следователь, и Настя в очередной раз удивилась его способности менять тон. Только что он разговаривал сердито, был недовольным и ворчливым, а тут в мгновение ока превратился в заботливого дядюшку, опекающего убитого горем племянника.

— Мне сегодня сообщили, что убит мой источник. Теперь вы понимаете, что идет атака конкретно на меня, лично на меня. Сначала убили Милу, теперь моего человека.

— Ну так это в корне меняет ситуацию, — оживился Давыдов. — Теперь легче будет. По какому делу с тобой работал этот источник? Среди фигурантов мы убийцу-то и отыщем. Или заказчика.

— В том-то и дело, что я с этим источником уже давно не работаю. В учетах он числится, но я с ним уже больше года не контактирую. Наркоман, мозги совсем дырявые стали, как такому доверять?

— Но раньше-то работал? Паша, это же очевидно: тебе мстят за какое-то дело, в работе над которым ты использовал этого парня. Парня они вычислили, расколлеги, с ним расправились и тебе напакостили. Ты нам только скажи, что это за дело было, а уж мы свою работу выполним, можешь не сомневаться. Как фамилия-то твоего человека?

— Щеколдин. Федор Иванович, Щеколдин — мелкая дрянь, ни в одной по-настоящему крупной разработке я его не использовал, не тот у него уровень. Те люди, на которых он давал мне информацию, не могут мне мстить спустя столько времени и так жестоко. Все они — безмозглая рвань, низовые распространители, они ни одного крупного дилера ни по имени не знают, ни в лицо. Так, шелупонь. Они не могут совершить два убийства, да еще таких!

— Не могут, не могут, — проворчал Давыдов. — Много ты понимаешь, кто чего может, а кто не может. Ведь убили же? Убили. Значит, надо понять, за что.

— Да не за что, а для чего, — разозлился Седов. — Как же вы не понимаете? Это не месть, это устрашение. И теперь это совершенно очевидно.

— Да мне-то один черт, — миролюбиво улыбнулся следователь, — что месть, что устрашение. Чего ты сердишься, сынок? Ты бы вот пил поменьше, голову бы трезвую сохранил, мы бы уже, глядишь, и разобрались, по какой такой надобности тебя устрашают. А то коллеги-то твои в твоих оперативных разработках не больно сведущи, а может, просто делиться информацией не хотят, но толку мы от них пока не добились. Так что ты, сынок, вот что: кончай пить и давай помогай нам убийцу искать. Я все понимаю, у тебя горе, но ты мужик и погоны носишь, а ты развел тут, понимаешь, алкогольный потоп и все дело нам тормозишь. Завязывай с водкой.

Фразу Федор Иванович заканчивал уже совсем другим тоном, жестким, сухим и не терпящим возражений.

Седов молча пил кофе и на следователя не смотрел.

Настя и Зарубин тоже молчали, в разговор не вмешивались, но слушали внимательно.

— У тебя есть кто-нибудь близкий, чтобы побыл с тобой? — спросил Давыдов.

— Зачем? — равнодушно откликнулся Седов. — Мне никто не нужен. Я один справлюсь.

— Ага, я вижу, как ты справляешься. Тебя кто это сейчас привез? Друзья, что ли?

— Жена. Бывшая.

— О, вишь как, — покачал головой следователь. — Бывшая, а заботу проявляет. Хорошая, видать, женщина, добрая. А за рулем кто?

— Ее друг.

— Друг? — брови Давыдова приподнялись вверх, изображая некоторый скепсис.

— Ну, любовник. Какая вам разница?

— Идиллия, — хмыкнул Федор Иванович. — А он сам-то как? Морду тебе не начистит из ревности?

— Он нормальный человек, все понимает.

— И что ж ты думаешь, ему это нравится?

— А мне плевать, нравится ему или нет, — резко ответил Павел. — Наташа в трудную минуту оказалась рядом, и я ей за это благодарен, а что ее Илья по этому поводу думает, мне до лампочки.

— Ладно, сынок, не заводись, — голос следователя снова стал мягким и уютным, — это я просто так интересуюсь, в плане общего человековедения. Ты вот что: ты меня подожди на улице, я минут через пять выйду, и мы с тобой пойдем протокольчик составим, чтобы мне было с чем к начальству идти насчет объединения дел. Иди-иди, не жди официанта, я за твой кофе заплачу, расход невелик.

Седов молча поднялся и вышел. Давыдов смотрел ему вслед, пока за Павлом не закрылась дверь.

— Дрянной человечишка, — вынес он свой вердикт. — Вот в таких мелочах люди и проявляются. Плевать ему, видите ли. Старую жену бросил, молодую бабу завел, на ее деньги живет, а как припекло — так снова старую позвал, давай, мол, утешай меня в моем неизбывном горе, а что твоя личная жизнь при этом страдает, так мне до лампочки. Не люблю я таких. Ладно, ребятки, давайте к делу. Какие мысли есть?

Мысли у Зарубина и Каменской были, они их кратко обговорили, получили указания следователя и попросили счет. Но у Насти был еще вопрос, который нужно было обсудить.

— Федор Иванович, я бы хотела побывать в квартире Канунникова.

— Зачем?

— Так просто. Посидеть, подумать. Посмотреть, не торопясь, как он жил. Может, что в голову придет.

— Понимаю, — кивнул Давыдов. — Ты сейчас со мной иди, я тебе ключи дам, они у меня в сейфе лежат, и полоску с печатью, будешь уходить — дверь снова опечатаешь. И знаешь еще что? Возьми с собой того участкового, глазастенького, он малый толковый, глядишь, что и подскажет. Только ты с его начальством не связывайся, ты напрямую ему позвони, я тебе его визитку дам.

Получив от следователя ключи от квартиры Канунникова, полоску бумаги для опечатывания двери и телефон участкового Дорошина, Настя вышла на улицу и решила сразу же позвонить. Не стоит откладывать на завтра, мало ли какие у человека могут быть планы на воскресенье. Ей вдруг стало неловко: ну в самом деле же, воскресенье, а она собирается просить человека в его законный выходной день идти с ней на место происшествия. Нехорошо как-то.

Дорошин, судя по голосу, от ее просьбы в восторг не пришел, но пойти на квартиру, где было совершено убийство, все-таки не отказался. Они договорились встретиться завтра в десять утра возле дома, где снимал квартиру Олег Канунников. Настя полистала свой блокнот, нашла телефон родителей Олега и снова позвонила. Сестра Олега обещала подъехать к часу дня.

* * *

Наталья Седова с тревогой смотрела на сидящего рядом в машине Илью. Когда Павел сказал, что должен вместе со следователем зайти в прокуратуру и дать показания, ей показалось, будто на лице Ильи мелькнуло неудовольствие. Конечно, его можно понять, ведь сначала речь шла только о том, что они подвезут Павла в Балакиревский переулок, где он встретится со следователем, подождут, пока они поговорят, и отвезут назад, домой. Паша обещал, что разговор будет недолгим, а теперь вон что выходит. И оставить его одного нельзя, он с трудом держится после нескольких дней беспробудного пьянства, у него кружится голова, ему очень плохо, тяжелейшее похмелье. Ну как оставишь? Ведь или упадет прямо на улице, попадет в больницу, или, еще того хуже, в вытрезвитель, или зайдет в первую попавшуюся забегаловку и... и все сначала. Ей, Наталье, с таким трудом удалось сегодня привести его в чувство. И спасибо Илюше, что согласился помочь, отвезти Пашу. Она могла бы, конечно, вызвать такси, но побаивалась, мало ли что выкинет человек после такой дозы выпитого. С Ильей все-таки надежнее.

— Спасибо тебе, — негромко сказала она и ласково прикоснулась к его руке.

Илья сжал ее ладонь, поднес к губам.

— Не надо, Наташенька, я все понимаю. Ты не думай, я не ревную, я просто знаю, что ты очень добрый человек и не можешь бросить Павла в таком состоянии. Сколько нам еще ждать?

— Не знаю. Паша сказал, нужно протокол написать.

Я не знаю, сколько времени на это требуется. Я испортила тебе вечер?

Конечно, испортила, она прекрасно это понимала. У них были совместные планы, они собирались... а, да что теперь вспоминать, все равно ничего не вышло. Среди дня позвонил Павел и заплетающимся языком попросил приехать. Срочно. Наталья испугалась, бросила все и примчалась к нему. Он открыл ей дверь, страшный, небритый, с мутными глазами, и начал прямо в прихожей невнятно бормотать что-то о том, что ему необходимо срочно встретиться со следователем, потому что кого-то убили, кого-то еще, не Милену, а какого-то не то Чирика, не то Чигаря. В общем, встретиться нужно непременно и срочно, а ему так плохо, у него раскалывается голова, язык не слушается, да и ноги тоже как чужие. Глубоко нетрезвый Павел — явление Наташе знакомое еще со времени их брака, и она знала, что и как нужно делать, чтобы вернуть ему хотя бы подобие человеческого облика. Все это она неоднократно проделывала, когда он возвращался домой на рассвете после очередной пьянки, а через два часа ему нужно было уходить на службу.

К семи часам Павел был уже вполне адекватным, но отпускать его одного Наталья побоялась. За руль ему уж точно нельзя садиться, а в метро чего не случится: голова закружится — и рухнет вниз по эскалатору или с платформы прямо на рельсы. И она позвонила Илье. Какой же он чудесный, ее Илюша! Она не сомневалась, что ему это не нравится, но он ни словом, ни взглядом не показал, что недоволен, просто примчался по первому зову помогать ее бывшему мужу-пьянице.

— Наташа, ты выйдешь за меня замуж?

Она вздрогнула и очнулась. Неужели? Неужели дождалась? Но почему именно сейчас, когда ее мысли заняты в основном Павлом и тем, как ему помочь? Впрочем, все понятно. Он все-таки ревнует, хотя и старается этого не показывать. Наталья улыбнулась широко и счастливо.

— Выйду, Илюша. Когда ты хочешь?

Ей показалось, что он несколько растерялся. А какого, интересно, ответа он ждал? Отказа, что ли? Ей стало смешно.

— Я надеюсь, не прямо сейчас? — со смехом продолжила она. — Вечер субботы, загсы все уже закрыты.

— Нет, не сейчас. И даже не завтра, потому что завтра воскресенье. Но я хочу знать в принципе: выйдешь?

— Конечно.

Они сидели в машине возле здания городской прокуратуры, и Наталья то и дело поглядывала на дверь. Вот дверь стала открываться, и ей показалось, что сейчас выйдет Павел, но это оказалась та женщина, которая вошла в здание вместе с ним и со следователем. Сколько еще ждать? Хочется уже скорее отвезти Пашу домой и хотя бы остаток вечера провести с Ильей. Правда, Соня одна дома, но ничего, она уже взрослая, скучать не будет, пойдет с подружками погулять или в кино сходит.

Соня в последнее время очень ее беспокоит. Мало того, что она с неприятной настойчивостью постоянно твердит о деньгах и выгодах, теперь она еще и к отцу рвется, да так, что не удержишь. Вчера, например, сразу после школы отправилась к Паше, но очень скоро появилась дома злая, расстроенная, долго не отвечала на Наташины расспросы, потом все-таки разговорилась. Оказалось, Павел валяется пьяный в дымину, с трудом открыл дверь, дочери не обрадовался, сразу ушел в кухню, где Соня обнаружила все мыслимые и немыслимые следы затяжного пьянства. Общаться с Соней он не захотел, сидел молча, потом свалился на диван и уснул. Для Наташи в этом не было ничего нового, она Павла повидала во всяких видах, в том числе и в таких, но она понимала, что движет девочкой, и от этого понимания ей делалось еще горше. Сонька хочет денег. Она хочет тряпок, оставшихся от Милены, и что самое ужасное — говорит ей, матери, об этом открытым текстом, то есть даже не чувствует, насколько это непристойно. Не просто неделикатно, бестактно, а именно непристойно. Она хочет жить в красиво обставленной квартире отца, носить вещи его покойной любовницы и тратить заработанные ею деньги. Какая мерзость! И носитель этой мерзости — ее родная дочь, ее девочка, ее Сонечка. Когда же она успела стать такой? Почему? Самое большое потрясение родителей — внезапное понимание того, что рядом с ними не их любимый ребенок, а совершенно чужой человек.

И вот Илья сделал ей предложение... Сказал наконец те слова, которых она так долго ждала. И она ответила согласием сразу, не раздумывая, потому что любит его и хочет быть с ним. Но теперь, сидя в теплой тишине машины, Наташа вдруг поняла, что с замужеством придется подождать. Разве имеет она право вводить в семью такое маленькое корыстолюбивое чудовище, как Соня? Разве имеет она хоть какое-то право обременять Илью заботами о ней, постоянным общением, жизнью под одной крышей? Нет, пусть Сонька закончит школу, поступит в институт, и тогда Наташа что-нибудь придумает, чтобы им не жить вместе. Может быть, переедет к Илье, а дочери оставит свое жилье, хотя этой соплячке слишком жирно будет получить, не вкладывая ни капли труда, целую двухкомнатную квартиру. Может быть, они с Ильей сумеют как-то обменять две свои квартиры таким образом, чтобы Соня получила «однушку». Так будет правильнее. С другой стороны, разве можно ее оставлять жить одну? С такими-то взглядами на жизнь? Да она моментально впутается в какую-нибудь историю, стоит только на горизонте мелькнуть деньгам и призракам роскошной жизни. За ней глаз да глаз нужен. Как же быть? И Соню оставлять нельзя, и сажать ее на шею Илье тоже неправильно.

Ну почему, почему все так... нелепо, что ли. Неправильно. Сколько раз она представляла себе этот момент, ждала его, и ей виделась красивая сцена где-нибудь в ресторане, и Илья достает из кармана коробочку с кольцом и делает ей предложение, и она так счастлива ответить согласием, и они тут же начинают строить планы: когда подавать заявление, когда регистрироваться, куда поехать в свадебное путешествие, и они целуются на глазах у всех, и официант приносит шампанское, самое дорогое... Как в кино. А получилось совсем по-другому. Те слова, которых она так долго ждала, прозвучали в машине, рядом со зданием городской прокуратуры, в салоне до сих пор висит противный запах Пашкиного перегара, и она не знает, что ей делать с этим долгожданным предложением, потому что не может его принять. Как глупо. Как обидно.

— Илюша, — робко начала она, — ты не шутишь насчет женитьбы?

— Я очень серьезен. Как никогда.

— Ты не рассердишься, если я попрошу тебя подождать?

— Почему?

— Пусть Соня еще подрастет. Чтобы я уж могла оставить ее одну со спокойной совестью.

— Ты не хочешь, чтобы мы жили вместе?

— Честно? Не хочу. Ты ведь не слепой, ты прекрасно видишь, какая она. Она моя дочь, единственная дочь, и я буду любить ее, какой бы она ни была. Но ты не обязан.

Илья повернулся к ней, взял за обе руки и внимательно посмотрел в глаза.

— Ты меня не обманываешь? Дело действительно только в этом?

— А в чем же еще? — растерялась Наталья.

Действительно, какие могут еще быть причины, чтобы повременить со свадьбой, если любишь человека так давно?

— Я подумал, может быть, тебе нужна отсрочка, потому что ты... ну, одним словом, хочешь разобраться со своими отношениями с Павлом. Или с каким-нибудь другим мужчиной. Например, с этим австрийцем, о котором постоянно твердит Соня. Нет?

— Нет, — твердо ответила она. — Никаких других мужчин. И уж конечно, не Павел. Только ты. Но не сейчас, хорошо? Давай повременим.

— Давай.

Ей показалось? Или в голосе Ильи она услышала облегчение? Нет, конечно же, показалось.

Наталья снова посмотрела на дверь, ведущую в здание прокуратуры. Ну почему эта женщина не уходит? Стоит, звонит кому-то по мобильному. Сколько можно звонить? Или она не уходит специально, ждет кого-то? Кого? Павла? Следователя? Почему не идет, наконец, домой, ведь суббота, почти десять вечера? Неужели там что-то серьезное с Пашей? Он говорил, что какие-то неприятности... Господи, хоть бы все уже закончилось! Пусть он похоронит Милену, если надо — Наталья ему поможет все организовать, и на похороны придет, если он попросит, и на поминки, будет рядом, только пусть уже все закончится. Пусть он переживет свое горе, перестанет так сильно пить и начнет работать, и тогда можно будет не беспокоиться о нем и не ездить к нему после работы, не выслушивать его стенания и бесконечные рассказы о Милене, которые ей, в сущности, совсем неинтересны. Да, она ему изменяла. Ну и что? Он что, святой? Почему всем мужчинам изменять можно, а ему одному нельзя? Ему, не очень молодому и прилично пьющему нищему нарко-полицейскому. Тоже мне, сокровище для молодой состоятельной красавицы. Просто удивительно, как она столько лет его терпела, и не просто терпела, а была ему верной подругой, заботилась о нем, кормила, лечила. Да ей памятник надо при жизни ставить, а не удивляться, что у нее был любовник. Ей-то, Наталье, Павел достался в лучшем своем виде, молодым, сильным и здоровым, когда он пил все-таки не так много, как впоследствии, а Милена получила его уже в достаточно потрепанном виде.

Внезапно на Наталью накатило дикое раздражение на Павла и на дочь. Они душат ее, требуя то одного, то другого, Павел — внимания, времени и душевных сил, Соня — денег и благ, они не дают свободно радоваться жизни, не дают любить Илью. Надо все сделать по-другому: надо приложить все силы к тому, чтобы Паша как можно быстрее оправился от потрясения, встал на ноги, и пусть Сонька живет с ним, раз ей так хочется. Пусть носит наряды Милены, пусть пользуется ее косметикой, духами, пусть тратит ее деньги, если они еще остались, пусть делает, что хочет. Пусть только они оба, Паша и Соня, оставят ее в покое. А она выйдет замуж за Илью и будет счастлива.

Она тут же устыдилась своих мыслей. Ну разве так можно? Сонечка ее девочка, ее маленькое солнышко, а она сидит в машине любовника и строит планы, как бы отделаться от нее. Какая гадость! И Паша тоже... Он так страдает, так мучается, а она злится. Это неправильно. Его можно понять: он стыдится того, что Мила ему изменяла, он не может поделиться этим ни с кем из друзей-мужчин, самолюбие не позволяет, и раз уж так сложилось, что на сегодняшний день у него нет никого ближе бывшей жены, разве имеет она право его отталкивать? Он просит о помощи, и отказать ему будет просто бесчеловечным.

— Наташенька, так я не понял, что все-таки случилось у Павла? Из-за чего весь сыр-бор? Ты говорила, кого-то убили?

— Он так сказал, — вздохнула она. — Какого-то наркомана, которого он близко знал.

— А почему с этим нужно бежать к следователю, который занимается убийством Милены? Это что, как-то связано?

— Наверное. Паша говорит, что Милу убили, потому что хотят его запугать. Это все как-то связано с его службой. Подробности он не рассказывал.

— А, тогда понятно. Ты голодна?

— Немного, — улыбнулась она. — Я сегодня даже пообедать не успела. А ты?

— Зверски! Давай выйдем, прогуляемся, может, хоть киоск с хот-догами найдем.

— А если Павел выйдет?

— Да подождет твой Павел, ничего с ним не случится. Подышит воздухом десять минут, ему полезно.

Ну вот, Илья тоже сердится на Пашу. Как же сделать, чтобы никого не обделить вниманием, никого не обидеть?

Почему-то Наталье совсем не приходил в голову вопрос: как же сделать, чтобы быть счастливой?

* * *

Евгений Леонардович Ионов знал, что пошел на сделку. Он считал себя слишком старым, чтобы иметь право поддаваться соблазну самообмана, поэтому не искал красивых оправданий и ничего лишнего не придумывал. Он так много лет и сил отдал Программе, что хотел увидеть хотя бы начало ее реализации, чтобы умереть спокойно. Чтобы, уходя из этой жизни, знать, что все было не зря. Именно поэтому он дал согласие на то, что Программа будет реализовываться тогда, когда это будет выгодно с точки зрения политики, даже если все расчеты и прогнозы покажут, что момент выбран неудачно. Неудача в этом контексте означала, что эффект от реализации, безусловно, будет, и мощный, но, увы, кратковременный, то есть не на длительную перспективу, а лет на пять-семь. Но для политической жизни этого вполне достаточно, ибо президентский срок — всего четыре года, и за пять-семь лет можно дважды обеспечить выборы.

Условия соглашения, которое Ионов, не кривя душой, сам для себя называл не иначе как сделкой, согласовывались только с ним, даже ближайший соратник Дмитрий Шепель ничего об этом не знал. Руководство Фонда и все его сотрудники искренне полагали, что Программа вступит в действие именно тогда, когда обе сферы — и правоохранительная, и криминальная — единовременно достигнут нужной для максимального эффекта кондиции. Однако же, как и при всяком слишком затянувшемся ожидании, цель постепенно стала отступать на второй план, а на первый вышел сам процесс интересной, увлекательной, необычной и высокооплачиваемой работы. Никто уже не верил в то, что момент реализации настанет, и сотрудники просто от души наслаждались работой, которую любили и которая давала возможность безбедно существовать.

Что ж, давешние слова Шепеля понять можно, он действительно утратил веру в Программу, и ценность той идеи, ради которой он так старался много лет, померкла перед повседневными заботами. Сейчас ему куда важнее сохранить мир в семье и не разрушить отношения с женой и сыном. По большому счету, думал Ионов, это правильно, потому что Дима уже в том возрасте, когда семейные ценности становятся самым важным, самым главным и приходит понимание того, что все остальное, в том числе и карьерно-служебное, не имеет значения. Сам же Евгений Леонардович столь тщательно на протяжении многих лет выстраивал собственную независимую старость, что связи с семьей практически разрушились, и у него ничего не осталось, кроме Программы — любимого своего ребенка, которого он создал и вырастил, и теперь хочет увидеть, как тот встанет на ноги и заживет самостоятельной взрослой жизнью. Только увидев своими глазами его первые уверенные шаги, сможет Ионов спокойно отойти от дел и, бог даст, легко и быстро умереть. Дальше пусть ребенок развивается самостоятельно, выживет — хорошо, не выживет — значит, судьба у него такая.

Он не любил ездить с этим водителем, молчаливым и надменным, но служба охраны загородной резиденции не позволяла посетителям приезжать со своими водителями. Незачем посторонним людям знать этот адрес, этот дом и маршрут проезда. Если посетитель, которому разрешен визит, сам за рулем — пожалуйста, а если нет, то за ним высылали машину со «своим» водителем, проверенным вдоль и поперек, и потом отвозили назад.

И еще Ионову не нравилась эта манера назначать деловые встречи поздним вечером, а иногда и ночью. Нет, он все понимает, высокий государственный муж занят настолько, что другого времени для разговора у него не найдется, но все это здорово попахивало «теми» временами, когда самые важные политические вопросы решались в ночной тиши кабинетов за тщательно закрытыми дверьми и зашторенными окнами. Простые люди спокойно спят в своих постелях, а руководство страны не дремлет и вершит судьбы, без сна и отдыха, не щадя живота своего. Сталинщина какая-то, право слово.

И Рублевку, по которой они ехали, Евгений Леонардович тоже не любил, ибо живущие здесь люди олицетворяли собой, на его взгляд, неправильное отношение к деньгам. Он твердо полагал, что деньги должны быть функциональны, как часы. Ему абсолютно непонятно, почему часы должны стоить десятки тысяч долларов, если точность хода остается той же, что и в часах за тысячу рублей. Зачем нужны корпуса и браслеты из платины, зачем украшать их бриллиантами, зачем платить за громкое имя производителя, если часы должны всего-навсего правильно показывать время? То же и с деньгами. Зачем, например, ставить в доме мраморный камин? Камин — это понятно, это живой огонь и тепло в любое время года, независимо от отопительного сезона и наличия электричества, и Ионов сам не отказался бы иметь его в своей квартире, но разве огонь станет живее, а воздух теплее оттого, что камин из мрамора, а не из более дешевого материала? Или взять бассейны: тоже понятно, не каждому хочется плескаться в муниципальном бассейне или в оздоровительном центре, куда люди приходят с купленными или выписанными «не глядя» медицинскими справками, и какой только заразы там не нахватаешься. Свой бассейн куда лучше, и плаваешь ты в нем когда хочешь, и идти никуда не надо. Против собственно бассейнов Ионов ничего не имел и даже приветствовал, но вколачивать немыслимые деньги в то, чтобы выложить его самой дорогой плиткой, — этого он постичь не мог. Он не понимал, каким образом удовольствие и польза от плавания связаны с ценой отделочных материалов. Здесь, на Рублевке, по мнению Ионова, деньги утрачивали функциональность и изначальный смысл, и это раздражало.

На контрольно-пропускном пункте у Ионова проверили документы, и только после этого кованые въездные ворота плавно распахнулись. Хозяин резиденции проявил уважение — ждал гостя на высоком крыльце.

Евгений Леонардович выпрямил спину и постарался подняться по ступенькам легко, не касаясь перил.

— Рад вас видеть, Евгений Леонардович, — хозяин протянул ему руку и крепко пожал. — Как доехали?

— Добрый вечер, Владимир Игнатьевич. Доехал отлично, вы же знаете своих водителей. Комфорт и безопасность.

Они вошли в дом и сразу направились в кабинет.

— Ужин? — на ходу обернувшись, спросил Владимир Игнатьевич.

— Нет, благодарю, я не голоден.

— Тогда чаю?

— С удовольствием.

В кабинете Ионов сразу занял свое привычное место, не в кресле, стоящем у письменного стола, а на мягком кожаном диване, рядом с широким низким столиком. Он здесь не проситель, он — уважаемый гость, и так повелось с самого начала, еще с тех времен, когда у этой резиденции был совсем другой хозяин.

— Время позднее, Владимир Игнатьевич, поэтому я перейду сразу к делу. В моем возрасте уже трудно не спать допоздна.

Ионов не отказал себе в удовольствии немного пококетничать и в ответ получил ожидаемый комплимент.

— О чем вы говорите, Евгений Леонардович! Дай бог нам всем в вашем возрасте сохранить такую работоспособность и ясный ум. Но я вас слушаю внимательно. У вас что-то случилось? Возникли проблемы?

— В некотором роде. Поскольку о нашем с вами соглашении знасм только мы, в Фонде зародились... м-м-м... неправильные настросния. Люди не видят перспективы и смысла своей работы и начинают рассматривать Фонд как некую синекуру, где можно уютно отсидеться и куда имеет смысл пристраивать родственников и знакомых. Если позволить этим настроениям набрать силу и разрастись, мы очень скоро утратим тот высокий научный потенциал и уровень научной работы, который создавали когда-то и все эти годы поддерживали. Пока мне удается сдерживать процесс, потому что я все еще пользуюсь авторитетом и без моего заключения на должности никого не назначают, но я стар, Владимир Игнатьевич, я очень стар, мне уже исполнилось восемьдесят, и в любой момент я могу оказаться вне своего кабинета. Нет-нет, не спорьте, — Ионов сделал протестующий жест, заметив, что хозяин дома снова собрался встрять с дежурным комплиментом, — восемьдесят — это восемьдесят, это не тридцать и не сорок, и в любой момент организм может меня подвести. Тогда процесс примет необратимый характер. В связи с этим я хотел бы задать вам вопрос, Владимир Игнатьевич.

— Да, конечно, я слушаю.

— Вам действительно нужна наша Программа? Потому что если она не нужна, если вы не видите в ней смысла и пользы, то я не стану портить отношения с людьми и позволю им приводить к нам на работу кого угодно. Поверьте, это не пустые слова. Я вчера позвонил вам после очень тяжелого разговора с человеком, который хочет, чтобы у нас работал его сын. И я оказался перед выбором: либо я жертвую уровнем и в конечном итоге самой Программой, на которую потратил двадцать лет, либо порываю дружеские и доверительные отношения с человеком, которого знаю тридцать лет, которого люблю, уважаю и который мне искренне дорог. Поверьте мне, Владимир Игнатьевич, это непростой выбор, очень непростой. Сегодня я пожертвую отношениями с одним давним коллегой, завтра — с другим и в конечном итоге останусь один на один с Программой, которая, как выяснится, никому не нужна. Это не самая радужная перспектива для глубокой старости, вы не находите?

— Господи, Евгений Леонардович, как вы можете так думать? — всплеснул руками хозяин дома. — Почему вы решили, что Программа не нужна? Разве мы стали бы вкладывать такие огромные деньги в содержание вашего Фонда, разве платили бы такие высокие зарплаты, если бы не видели в этом смысла?

— Вкладывали бы, — спокойно ответил Ионов. — И платили бы. Вы не хуже меня это понимаете.

— Да зачем же? Уж мы бы нашли куда направить эти деньги.

— Да затем, дорогой Владимир Игнатьевич, что ребенок, у которого внезапно отняли любимую игрушку, начинает орать, плакать, визжать, топать ногами, замахиваться на маму с папой кулачками и жаловаться на них всем подряд. Если закрыть Фонд, то как поведут себя все те люди, для которых эта работа была любимой и, заметьте, прибыльной? Именно так и поведут. И, уже не связанные подпиской о неразглашении и высокой зарплатой, всем все расскажут. Представляете, какой поднимется скандал в стране? Оказывается, государство целенаправленно вкладывало деньги в то, чтобы развалить правоохранительную систему, чтобы бандиты безнаказанно разгуливали по улицам и стреляли в честных тружеников, отнимая у них последнее, чтобы коррупция и беззаконие процветали... ну и так далее. Вы же понимаете, что в научных разработках это все не так и цели у Программы совсем другие, но в случае громкого политического скандала формулировки будут именно такими. Вам это не нужно. И вы готовы платить, вкладывать большие деньги, чтобы этого не допустить. Даже если сама Программа вам не нужна и неинтересна. Поэтому я снова задаю свой вопрос: как мне поступить? Какой выбор сделать?

Дверь кабинета приоткрылась, и Владимир Игнатьевич, собравшийся было ответить, умолк и сделал знак рукой: входите. Горничная, немолодая женщина с тонким недобрым лицом, внесла поднос с чайником, чашками и двумя блюдами, на одном бутерброды, на другом выпечка. Ловко и быстро расставив все на столике и налив чай, она вышла. Ионов поднес к губам свою чашку, сделал глоток и удовлетворенно улыбнулся: хоть и не любимая им Рублевка, а чай здесь заваривали хорошо.

— Евгений Леонардович, мы с вами договорились, что вы поддерживаете научную сторону Программы до тех пор, пока мы не примем решение о ее реализации. Я понимаю ваши сомнения и колебания, время идет — и ничего не происходит. Поверьте мне, ждать осталось недолго.

— Недолго — это сколько? Я не зря напомнил вам о моем возрасте. Период времени, который в вашем представлении является недолгим, для меня может оказаться непреодолимым.

— Ну, не надо так пессимистично, что вы! Вы в прекрасной форме, два-три года для вас не срок.

— Вы точно уверены, что речь идет именно о двух-трех годах?

— Точно, Евгений Леонардович, совершенно точно. Следующие выборы в 2008 году, и новый Президент начнет свою деятельность с реализации вашей Программы. Тем самым он обеспечит себе крепкую репутацию в народе, и его наверняка выберут на второй срок. Таким образом мы планируем обеспечить стабильность власти на восемь лет.

Значит, ждать как минимум до весны 2008 года, то есть три с половиной года. Долго. Здоровье может подвести. И все эти три с половиной года ему придется бороться за каждую вакантную должность, расставаться с друзьями и наживать врагов. Нет, это невозможно, он просто не выдержит. В молодости конфликты переживаются легче, подумаешь, с одним поссорился — с другим подружился, а в старости на место потерянного друга или соратника никто уже не приходит, и все больше пустот образовывается вокруг, и все страшнее одиночество.

— Я бы предложил другой вариант, — задумчиво проговорил Ионов. — Введите в игру нового министра внутренних дел. Уже сейчас. Уберите министра нынешнего, он все равно не пользуется любовью у населения, приведите нового человека, и пусть он начнет реализацию Программы.

— Вы считаете, что сейчас момент благоприятный?

— Нет, я так не считаю. Но что такое благоприятный момент? Это гарантия того, что эффект получится долговременным и прочным, на перспективу, на десятки лет. Если начать Программу в любой другой момент, она все равно даст эффект, вопрос только в его длительности. Начнете сейчас — на ваш век хватит, девять-десять лет я вам гарантирую. Новый министр начнет реализацию, к середине 2007 года станет очевидным, что он сделал невозможное: обеспечил безопасность населения и поставил правоохранительную систему на службу гражданам, а не чиновникам и политикам. Вы делаете его премьером, это будет встречено страной с пониманием и одобрением. Он идет на выборы в марте 2008 года и легко их выигрывает, после чего немедленно меняет верхушку прокурорской и судебной систем, и в этих системах начинается реализации их части Программы. В течение всего первого срока, до 2012 года, Программа работает и набирает обороты, и люди с удовольствием проголосуют за него еще раз. Ваша стабильность на восемь лет будет обеспечена.

— Мы рассматривали такой вариант, — осторожно проговорил Владимир Игнатьевич, — но у нас сегодня нет подходящей фигуры для такой игры. Мы думали о нынешнем министре...

— Он не фигура, — резко оборвал его Ионов. —

В глазах населения он — никто, за ним нет ни одного сколько-нибудь существенного шага, который люди могли бы назвать Поступком с большой буквы.

— Но начало Программы и станет таким Поступком!

— Нет. Человек, который много лет ничего не делал, не может ни с того ни с сего совершить Поступок, сделать Шаг. Этому никто не поверит. Совершить Поступок может только совершенно новый человек, неожиданный. Тогда все будут говорить: вот наконец пришел настоящий руководитель, знающий и компетентный, радеющий за народ, а не за собственный карман. Мы все, Владимир Игнатьевич, совершили ошибку.

— Какую?

— Мы слишком увлеклись игрой в коррупцию. Сначала она была нам на руку, потому что разваливала систему, которую мы планировали разрушить, и мы не заметили, как она превратилась в политическую силу. Она сама по себе, как явление, стала мощной политической силой, потому что обладает способностью формировать общественное мнение.

— Вы имеете в виду подкуп избирателей?

— Да нет же! Не об этом речь. Все население страны знает, что девяносто восемь процентов государственных чиновников берут взятки. И сам по себе этот факт привел к тому, что люди уже никому не верят. Они не верят в то, что те политики, которых они уже знают, вдруг захотят сделать хоть что-нибудь для народа. Переломить ситуацию может только абсолютно новый человек, ранее неизвестная фигура, не замаравшая себя тупым бездействием, публичной демагогией и строительством загородного дома за три миллиона долларов. Желательно также, чтобы у него не было детей, которые кого-то сбили на машине или устроили драку и которых отмазали от уголовной ответственности.

— Вы же понимаете, что найти такую фигуру очень непросто.

— Понимаю. Но ее надо найти. И начать реализацию Программы немедленно. В этом случае я смогу обеспечить научное сопровождение на высоком уровне и гарантировать эффект. Если вы будете тянуть, я ничего не смогу обеспечить. Я старый человек, мне трудно противостоять конфликтам. Буду с вами откровенным до конца, Владимир Игнатьевич: мне трудно бороться со страхом одиночества. Оно уже подступило совсем близко и обрушится на меня с катастрофической силой, если вы вынудите меня поддерживать Программу еще несколько лет без всякой надежды, что я наконец увижу, как она работает. В этом случае я не могу вам обещать, что останусь в Фонде. И вам придется договариваться с кем-нибудь другим.

На лице Владимира Игнатьевича отразилось неудовольствие, смешанное с растерянностью. Ионов фактически предъявил ему ультиматум, хотя очень мягкий и весьма завуалированный.

— Или вы начинаете реализацию Программы в самое ближайшее время, или я теряю перспективу увидеть плоды собственной многолетней деятельности, и тогда уже ничто не удержит меня в Фонде и не заставит выполнять взятые на себя обязательства, в том числе и по сохранению конфиденциальности. Последствия разглашения вам известны, я их только что озвучил. А я человек старый, мне бояться нечего, я и так скоро умру. Решайте.

— Я доложу о наших с вами переговорах, Евгений Леонардович. Надеюсь, будет принято такое решение, которое вас устроит.

— Я тоже надеюсь. Спасибо за чай.

Ионов поднялся и пошел к двери. Хозяин вежливо проводил его до самых ворот, пожал руку на прощание и усадил в машину. Улыбка его была напряженной. Ничего, думал профессор, позлится до утра, потом доложит кому надо. И дело сдвинется. Сколько же можно сидеть и ждать? Вчерашний разговор с Шепелем подтолкнул его к разговору сегодняшнему, и за прошедшие сутки Евгений Леонардович отчетливо понял альтернативу: или спокойная достойная старость, или одиночество наедине с нереализованной Программой. Второй вариант его совсем не устраивал.

* * *

Настя Каменская уснула в этот вечер быстро, но уже около двух часов ночи проснулась от неясной мутной тоски. Ей снился следователь Давыдов, который почему-то тряс ее за плечи и выкрикивал прямо в лицо: «Дрянной человечишка! Дрянной человечишка! Ты что, сама не видишь? Какой же ты сыщик после этого?!»

Она осторожно выбралась из постели, закуталась в теплый халат и пошла на кухню пить чай. Ну почему она такая дура? Слепая доверчивая дура!

Не было у Милены Погодиной никаких собственных денег, и никакого любовника из числа криминальных авторитетов у нее тоже не было. Она была обычной девушкой-мигранткой, без российского паспорта и без прописки. Зато деньги были у Павла Седова. И очень приличные деньги. Приличные не в смысле их происхождения, а по количеству. Сколько нынче стоит «непривлечение» к уголовной ответственности за преступления, связанные с наркотиками? Десять тысяч долларов, это московский городской тариф. В Питере столько же, в других городах — дешевле. Сцапать пацана или девчонку и быстренько позвонить родителям. Если у них есть деньги — договориться, если нет — сделать «палку» в отчетность. Даже не особо напрягаясь, то есть проворачивая по одному такому делу в месяц, можно заработать больше ста тысяч долларов за год. Вот тебе и квартира, и евроремонт, и лечение за границей, и пятизвездочные отели, и зубы для Милены в лондонской клинике. Что ей там еще делали? Кажется, ринопластику, ей муж нос перебил, сильно повредил перегородку. Родители Милены не особо задавались вопросом, откуда у Павла такие деньги, им, как и многим приезжим из бывших союзных республик, казалось, что в Москве все много зарабатывают, а порядка цен на лечение в клиниках Германии, Швейцарии и Англии они и знать не знают, поэтому отец Милы с чистым сердцем подробно рассказывал о том, как Пашенька с Милочкой ездили лечиться за границу и как Паша дал денег на то, чтобы купить им квартиру в Подмосковье, и так далее. А сам Седов прекрасно понимал, что все эти вопросы рано или поздно возникнут, поэтому сделал финт ушами: выдал следователю байку о любовнике Милены и тут же ушел в глухой запой. С пьяного да горем убитого какой спрос? Кто ему вопросы задавать будет? Кто станет проверять, откуда у Милы деньги? Ну были они — и были, какая разница, откуда.

Столько сил и времени потрачено впустую на поиски этого убитого бандита, который якобы оставил Милене деньги! Правда, польза все-таки есть, ведь Насте пришлось обратиться к Равилю, а он вывел ее на Файзулло и Хакима. Но если бы Седов не врал, все это стало бы известно куда раньше.

Теперь по крайней мере понятно, почему Сережке Зарубину не удается найти общий язык с коллегами Павла. Они прекрасно знают, каким способом он зарабатывает деньги, вполне возможно, они там все или почти все это делают, потому и не знают, что можно рассказывать оперу с Петровки, а чего нельзя. И Павел, как назло, в запое, они у него спросить не могут.

Значит, версию о спорных деньгах можно отбросить. Не было у Милены никаких связей с криминальным миром и никаких чужих денег. Остаются две версии: месть Седову и ревность Канунникова. В обоих случаях убийца — Олег Канунников, который непонятно куда скрылся. То ли сел в один из поездов, но сошел до границы, то ли уехал на машине, то ли не уехал вообще. Его ищут, но пока безрезультатно.

Завтра она пойдет вместе с участковым Дорошиным на квартиру Канунникова, посмотрит все подробно и внимательно и постарается составить хоть какое-то собственное представление об этом человеке. А потом...

Ей даже думать тошно было о том, что придется делать потом. Потому что придется ей плотно общаться с Павлом Седовым. Как себя вести? Как с ним разговаривать? Дать понять, что знает о происхождении денег и его лжи следователю? Или сказать это открытым текстом? И что дальше? Негодовать, стыдить, упрекать? Идиотизм. Можно подумать, Седов убежден, что поступает хорошо и правильно, а тетенька с Петровки вдруг откроет ему глаза на всю омерзительность того, что он делает. Делать вид, что все в порядке, все нормально, все путем? То есть тем самым признать, что она его одобряет? Или прикинуться клинической тупицей, которая ничего не понимает, не знает, что сколько стоит, и вопрос о соразмерности его официальных доходов и трат ей даже в голову не приходит?

Нет, это какой-то другой мир, другая жизнь, к которой она не приспособлена. В этом мире другие нравственные нормы, другие мерки, а она, Настя Каменская, — пережиток прошлого, который в этих нормах и мерках просто не может существовать. Ей надо уходить из розыска. Ей там не место.

Из комнаты послышалось шарканье шлепанцев. Чистяков даже в глубоком сне умудрялся обнаружить, что жены нет рядом. Он появился на кухне заспанный и взлохмаченный.

— Ну что опять? Бессонница или мировая скорбь?

Алексей уселся за стол напротив нее, схватил Настину чашку, отхлебнул остывший чай и сморщился.

— Господи, что за гадость ты пьешь?

— Что ты заварил, то и пью, — огрызнулась она.

— Так я это утром заваривал, когда мы завтракали. Сколько раз ты чайник доливала?

— Два, — призналась Настя. — За ужином и сейчас. И никакая это не гадость, нормальный чай.

— Понимала бы ты в чае чего-нибудь, — проворчал он. — Сейчас свежий заварю. Есть будешь?

— Буду.

— Значит, мировая скорбь, — с усмешкой сделал вывод муж. — Когда у тебя бессонница, ты обычно голодом не страдаешь, зато много куришь. А когда скорбишь, у тебя просыпается зверский аппетит.

Это было правдой. Настя с удовольствием съела разогретые мужем котлеты, закусывая их маринованными огурчиками, потом выпила свежезаваренный сладкий чай с лимоном. Алексей, как человек дисциплинированный, по ночам обычно не ел, поэтому он молча сидел и терпеливо ждал, когда страдающая супруга насытится и обретет расположение духа, способствующее светской беседе.

— Теперь рассказывай, из-за чего мы сегодня скорбим.

Настя пошарила глазами по кухонным полкам, обнаружила коробку с датским сдобным печеньем, поставила на стол. Долго придирчиво выбирала печенинку, наконец выбрала и отправила в рот.

— Леш, я все-таки уйду из отдела.

— Ну привет! Тебя только что в должности повысили, скоро полковником станешь. Что опять не так?

— Ты знаешь, я поняла, что не надо было меня повышать. От этого только хуже стало. Понимаешь, когда тебя повышают в должности, то тем самым как бы говорят, что ты хороший работник. И теперь я должна это мнение оправдать.

— Ну и оправдай, в чем проблема-то? Ты же действительно очень хороший работник.

— Да нет, Лешик, никакой я не хороший работник. Во-первых, я прошляпила на этой неделе все, что только можно было прошляпить, и запорола все, что можно было запороть.

— Но ты же к обсуждению на кафедре готовилась! У тебя голова была другими вещами занята. Ты волновалась, переживала. Вполне естественно, что на этой неделе ты работала не в полную силу. И что, вот из-за этой ерунды надо бросать работу? Не смеши меня, Аська.

— Есть еще и «во-вторых». Я не могу и не хочу работать с людьми, которые считают меня полной дурой.

— Интересно, кто это так считает? — скептически прищурился Чистяков. — Что-то я на своем веку таких не встречал.

— В том-то и дело, Леш. В этом-то весь и фокус. Наш с тобой век — это прошлый век, это другие критерии оценки человека. Сейчас новый век, пришло новое поколение наглых и нахрапистых, которые ничего не стесняются и никого не боятся. Леш, наши опера сплошь и рядом берут взятки за отмазку от уголовного дела, не знать об этом невозможно, они делают это настолько открыто, что надо быть слепым и глухим олигофреном, чтобы не замечать. И что с этим делать? Стучать на них? Бессмысленно, потому что начальники их об этом знают и всегда их прикроют перед службой собственной безопасности. Объяснять им, какие они нехорошие? Глупо. Они будут смотреть на меня как на идиотку. Почему нехорошие-то, когда все так делают, от самого маленького милиционерчика, занимающегося поборами, до самого большого генерала, берущего миллионные взятки. Знаешь, сколько стоит должность заместителя министра?

— Ну и сколько?

— Два миллиона американских рублей. Заплатишь — будешь. Все об этом знают, поэтому искренне не понимают, почему они должны стесняться брать свои маленькие и средненькие взяточки. Можно, конечно, делать вид, что ничего не знаешь и не замечаешь, и тогда они уж точно будут считать меня этой самой слепой и глухой олигофренкой. Короче, Лешка, мне это все глубоко противно, и как мне жить рядом с этим — я не знаю. Так уж лучше я рядом с этим жить не буду. И тут возникает «в-третьих».

— Какое?

— Мой новый начальник. Я так и не поняла, что он за птица, но сути это не меняет. Он очень просил меня остаться, он спрашивал, что нужно сделать, чтобы я не уходила на преподавательскую работу. Я ответила, что мне нужно получить полковника и право служить еще пять лет. Он это условие выполнил, причем в рекордно короткие сроки. Просто в немыслимо короткие. Руководство сопротивлялось, им Афоня про меня успел целую балладу гадостей напеть, так новый шеф даже Ивану Заточному звонил, просил посодействовать, нажать на нужные рычаги. И вот пройдет всего неделя, и я пойду к Большакову и скажу, что ухожу на кафедру. Как это будет выглядеть? И что он обо мне после этого будет думать? И что будет думать обо мне Заточный, который кому-то звонил, кого-то просил, с кем-то договаривался? На нашем с тобой веку, Леш, было телефонное право. Человек снимал трубку, давал указание — и все делалось, и при этом звонящий никому ничего не был должен. Сейчас все по-другому устроено, сейчас телефонного права нет, а есть бартер, всюду и во всем. Я тебе позвонила, попросила — ты сделал, но теперь ты имеешь право обратиться с просьбой ко мне, и я уже не могу тебе отказать. Заточный за меня просил, то есть он теперь кому-то что-то должен, и получается, что все напрасно, потому что я его помощью не воспользовалась, работать не стала и все равно ушла. Перед Большаковым неудобно, перед Заточным неудобно, работать в насквозь коррумпированной среде противно, а работать хочется, и работу свою я люблю почти так же сильно, как тебя. Тебя, конечно, сильнее, но после тебя на втором месте моя работа. Вот я и страдаю. Заблудилась в трех соснах.

— Все понятно, — Чистяков со вздохом поднялся и потянул Настю за рукав халата. — Ситуацию надо разбирать по деталям, а у меня на это нет сил. Я жутко хочу спать, Аська, жутко! Я сейчас умру, если не лягу в постель и не засну. Давай мы выспимся как следует, а завтра целый день будем перетирать твои страдания. Сначала выспимся, потом плотно позавтракаем, я что-нибудь вкусненькое приготовлю, потом оденемся потеплее и пойдем в парк гулять. Будем медленно ходить, дышать свежим воздухом и обсуждать, что делать с твоей проблемой. Договорились?

Настя скинула халат, нырнула под одеяло, свернулась клубочком. Удивительный Лешка человек! Всегда находит нужные слова и нужную интонацию, чтобы успокоить ее. Выспаться, позавтракать и долго-долго гулять по парку и разговаривать... Сладкая мечта. Жаль, что ей не суждено сбыться.

— Не получится, Лешик, — виновато проговорила она. — У меня завтра повторный осмотр места происшествия. В десять утра.

— Тьфу ты! В воскресенье? Не могла на понедельник назначить?

— Убийцам, Леш, календарь по барабану, они на него не смотрят. Они просто исчезают и прячутся, и их приходится искать, не разбирая дней недели. Мог бы уже привыкнуть за столько-то лет.

— Да я и привык. Ладно, спи. Давай я тебе колыбельную спою. Хочешь?

— Хочу.

Она привычно устроилась у мужа на плече, подоткнув под щеку край одеяла.

— Давай сначала сказку, потом стишок и песенку, — потребовала Настя.

— Жили-были три поросенка...

Глава 7

В квартире было душно и наряду с невыветрившимися химикатами пахло безнадежностью и какой-то ненужностью. Человек, который здесь жил, никогда уже сюда не вернется, он в бегах, а настоящий хозяин не войдет, пока следователь не разрешит. Настя молча сняла куртку, прошла в комнату и села на диван, не сводя глаз с того места, где несколько дней назад, во вторник, лежало тело Милены Погодиной. Участковый Дорошин встал в дверях, прислонился к косяку.

— Будем смотреть или сначала подумаете?

— Подумаю. Да, я хотела поблагодарить вас за свидетеля из восьмидесятой квартиры. Он действительно большой любитель у окна посиживать и наблюдать: кто приходит, к кому, когда, даже во что одет. Забавный старикан. А вы что, про всех жителей на своем участке все знаете?

— Ну, не про всех, конечно, — улыбнулся Игорь, — но про многих. Про тех, кто давно здесь живет, — знаю практически все, я же на участке тринадцать лет, всех по именам выучил. А старики — они редко переезжают, так что их я знаю наизусть. Что касается переменного состава, то есть арендаторов и временно проживающих приезжих, то тут я смотрю выборочно. Если есть опасность каких-то неприятностей, то приглядываю за ними, а если нет — то и бог с ними, пусть живут.

— Все равно на то, чтобы так изучить жилой сектор, нужна куча времени, — покачала головой Настя. — Как же вы все успеваете? У вас ведь огромное количество других обязанностей.

— А я и не успеваю, — Игорь легко рассмеялся. — Если честно, то я почти ничего и не делаю, кроме работы с населением.

— Ну да?! А что начальство? Как же оно вам это позволяет?

— Оно и не позволяет. У меня что ни квартал — то выговор. За тринадцать лет службы я ни одной премии не получил. Зато как подведение итогов — так меня шпыняют принародно, у меня вечно показатели самые низкие.

Странный парень, подумала Настя. Зачем ему эта работа, если он ее все равно не делает, только выволочки от руководства получает. Ни благодарностей, ни премий, ни повышения по службе. Наверное, он приезжий, за жилье бьется, участковым служебные квартиры дают.

— Вы не москвич? — спросила она рассеянно.

— Почему? Коренной москвич. И мама с папой здесь родились, и дедушки с бабушками.

Ну надо же! Коренной москвич, толковый, красивый... И что он в участковых делает, хотелось бы знать. Да еще так долго, целых тринадцать лет. Значит, держится за свою работу. Зачем? Она вдруг вспомнила, на какой машине Дорошин подъехал к дому, где жил Канунников, и ей стало тошно. Чему удивляться? В этой части города огромное количество квартир, сдающихся в аренду не имеющим регистрации приезжим без надлежащего оформления, с каждого нелегального арендатора участковый может иметь по 500 рублей в месяц, а то и больше, если квартира дорогая и жилец не бедствует. И магазинов здесь полно, с которых можно брать мзду. Не говоря уж об административных протоколах, которые можно составлять каждый день пачками за всевозможные нарушения. А можно и не составлять. Это как договорятся. Конечно, на загородный дом на этой работе не заработаешь, но на приличную машину за тринадцать лет собрать вполне можно. Господи, и он такой же, как все!

— Игорь, — она подняла голову и посмотрела ему прямо в глаза, — зачем вам эта работа? Вы что, ничего получше не могли найти?

Лицо его на мгновение напряглось, потом сразу расслабилось и снова стало милым и приветливым.

— Это старая история, долгая и скучная, и я не люблю ее рассказывать. Сойдемся на том, что меня эта работа полностью устраивает.

— Что-то слабо верится, — усмехнулась Настя. — Как может устраивать работа, если за мизерную зарплату получаешь только тычки и выволочки?

— Да буду я еще внимание на это обращать! Ну тычки, ну выволочки, и что? Начальство само по себе, я — сам по себе, делаю только то, что я считаю нужным и что мне интересно. Я существую как-то отдельно от руководства и прекрасно себя чувствую.

— И как же вам это удается? — спросила она с внезапным интересом.

— Что именно?

— Существовать отдельно от мнения руководства, которое считает вас плохим работником.

— Да очень просто! Наша правоохранительная система устроена таким хитрым образом, что она живет как бы отдельно от людей, которых, по идее, должна защищать и оберегать. Ну она такая, что ж теперь поделаешь. Переделать ее я не могу. И на людей наплевать тоже не могу. Так что мне пришлось выбирать, кому служить, людям или системе в лице моих начальников. Одной, простите, задницей на двух стульях мне не усидеть, и вообще, слуга двух господ — это что-то из области мошенничества и авантюризма, я этого не люблю. Есть сотрудники, которые выбирают начальство, а есть идейные придурки вроде меня, которые выбирают людей.

— Но ведь те, которые выбирают начальство, выбирают вместе с этим продвижение по службе, карьеру, благодарности, премии. Вам что, это не нужно?

— Не-а, — он снова рассмеялся. — Мне нужна моя работа. Мне нужно, чтобы на моем участке дети-алкоголики не отнимали пенсию у престарелых родителей, чтобы мошенники не обирали пенсионеров, чтобы подростки не обижали малышей, чтобы пьющие родители не оставляли детишек без надзора. Пафосно звучит, да? Вам, наверное, трудно в это поверить, но это правда. А если вы имеете в виду мою машину, то она куплена, конечно, не на зарплату. Хотите спросить, откуда деньги?

Настя хотела. Но от этой прямоты как-то растерялась и не сразу нашла, что ответить.

— Я, наверное, не имею права этим интересоваться, — осторожно ответила она. — Это, в общем-то, не мое дело.

— Конечно, не ваше, — легко согласился Игорь. — Но по вашему лицу я вижу, что вы меня подозреваете во всех смертных грехах, начиная от мелких поборов и заканчивая крупным взяточничеством. Успокойтесь, я этим не занимаюсь. Просто у меня состоятельная семья.

Что-то подобное Настя уже недавно слышала. Павел Седов, живущий явно не по средствам, тоже утверждал, что у него богатая любовница и все, что он себе позволял, делалось на ее деньги. Ну-ну.

— Жена хорошо зарабатывает?

— Я не женат.

— Родители богатые?

— Что-то в этом роде. Анастасия, мы сюда пришли обсуждать мой финансовый статус?

— Простите, — Настя поднялась с дивана. — Я, кажется, и в самом деле лезу не в свое дело. Игорь, я вас попросила прийти, потому что вы почти ровесники с Канунниковым. Я сорокапятилетняя замужняя женщина, мне не всегда удается увидеть мир глазами тридцатичетырехлетнего холостого мужика. Вы — молодой неженатый мужчина такого же возраста, вам легче его понять. Представьте себе, что вам нужно срочно удариться в бега после совершенного убийства.

— Постараюсь, — усмехнулся Дорошин.

— А теперь давайте осматривать квартиру. Не как место, где произошло убийство, а просто как место, где человек долго жил и внезапно уехал, по всей вероятности, навсегда. К часу дня должна подъехать сестра Канунникова, и мы сможем задать ей все те вопросы, которые у нас за это время накопятся. Вы помните, как здесь все было, когда мы нашли труп?

— Здесь? — Он задумался. — Все разбросано, дверцы шкафов открыты, то есть полная картина внезапных и поспешных сборов. На столе бутылка вина и два полных бокала. То есть картина такая, будто Погодина пришла на свидание к любовнику, они собрались романтически выпить, но не успели, разгорелась ссора, и он ее убил. Кажется, медэксперт говорил, что, кроме следов удушения, у Погодиной он обнаружил травму черепа, то есть Канунников ее сначала ударил по голове чем-то тяжелым, потом задушил руками. Я ничего не перепутал?

— Ничего, все так и было. Ну что, приступим? Вам — кухня и санузел, мне — комната.

— Как скажете.

Игорь вышел из комнаты, а Настя стала не спеша рассматривать полки открытого шкафа и мебельной стенки. Одежда — ничего особенного, не самая дешевая, но и не запредельно дорогая. Впрочем, возможно, самые дорогостоящие вещи Канунников взял с собой. Что показал бдительный сосед из восьмидесятой квартиры? В понедельник между двенадцатью и часом дня Олег приехал домой вместе с каким-то мужчиной (это был его помощник Кирилл Сайкин), и очень скоро они вышли с дорожной сумкой. Сумку поставили в багажник той машины, на которой приехал второй мужчина, на ней же оба и уехали, а свою машину Канунников предварительно поставил в гараж. И свидетель, и помощник говорили именно об одной сумке, а не о больших чемоданах. Если Олег действительно взял с собой самые ценные шмотки, то в сумку вряд ли поместится больше одного костюма и пары свитеров. С другой стороны, зачем человеку, ударяющемуся в бега, дорогие вещи? Жаба задушила, жалко стало бросать? Ладно, этот вопрос мы зададим сестре Канунникова, она — женщина, а женщины всегда помнят все, что касается одежды. Заодно она и скажет, насколько трепетно ее брат относился к собственным тратам, берег ли вещи, жалел ли их.

В застекленных секциях мебельной стенки стояли книги, в основном справочники по строительству, но были и художественные, судя по названиям — боевики и фантастика. Очень мужской набор. Настя присела на корточки, открыла дверцы нижних секций. Тоже ничего особенного, коробки с дискетами, запасной картридж для принтера (а он не экономил, отметила она про себя, не возил картриджи заправлять, а покупал новые), папки с документами и чертежами, четыре нераспечатанные одинаковые коробки. Настя вскрыла одну из них, вытащила флакон темного стекла, внутри которого оказались таблетки. Какое-то лекарство. Все надписи на немецком, этим языком Настя не владеет и понять ничего не может.

— Игорь! — крикнула она.

— Ау! — отозвался Дорошин.

— Вы немецкий язык знаете?

— Ни в одном глазу. А что, надо?

— Надо.

Участковый появился в комнате, держа в руках сковороду.

— Зачем вам сковорода? — удивилась Настя.

— Проверяю, насколько тщательно хозяин дома моет посуду. Это деталь характера. А зачем вам немецкий?

— Да я тут нашла четыре упаковки с каким-то лекарством. Похоже, наш дружок Канунников привозил его из-за границы и делал свой маленький гешефт.

— Почему вы так решили? Может, его попросили привезти для больного.

— Тогда почему не отдал?

— Не успел.

— Да нет, Игорь, не получается. В фирме Канунникова четко сказали, что в последние два месяца он никуда не уезжал из Москвы. Уж за два-то месяца можно было успеть отдать лекарство. Значит, либо оно привезено на продажу и ждет своего покупателя, либо это его таблетки.

— Нет, — покачал головой Игорь, — тоже не получается. Там на кухне у него аптечка, такая, знаете, пластиковая коробка, спереди бумажка наклеена, на бумажке написано: «Лекарства». Так вот, она совершенно пустая. То есть Канунников, когда собирал вещи, все лекарства взял с собой, и это означает, что он действительно уезжал навсегда, а не в краткосрочную командировку. Если бы эти немецкие таблетки были ему нужны, он бы их тоже взял. Знаете что, я сейчас позвоню своей подруге.

— Она знает немецкий? Или она фармацевт?

— Она — любящая и заботливая жена очень больного мужа. Про медицинские препараты знает все.

Дорошин взял одну из коробок, вытащил мобильник, дозвонился до своей знакомой, тщательно, по буквам продиктовал ей надписи.

— Это препарат для снижения уровня холестерина в крови, — обратился он к Насте, спрятав телефон в карман. — Его принимают постоянно, каждый день в течение как минимум года. В каждом флаконе по сто таблеток, то есть четыре коробки — это как раз годовой запас. Нет, Анастасия, человек, постоянно принимающий препарат, не может без него уехать. Не получается. Можно болеутоляющее забыть или йод, но не такой препарат.

— Не получается, — согласилась Настя. — Ладно, продолжаем.

Она записала в блокнот очередной вопрос для сестры Канунникова и занялась стоящим у окна компьютером. Первым делом проверила дискеты, которые нашла в мебельной стенке, они оказались чистыми. Вторая коробка с дискетами стояла на компьютерном столе, на них оказались всяческие служебные документы, расчеты, схемы, чертежи, сметы. Настя не стала терять время на тщательный просмотр, сунула коробку в сумку и решила, что займется этим потом, когда время будет. Все равно на этих дискетах не может быть ничего, что имеет отношение к убийству. Заказы на убийство в письменном виде не составляются, а Милену Канунников убил почти наверняка по заказу.

— Анастасия! — раздался из кухни голос участкового. — Можно вас попросить подойти?

Он стоял перед открытым навесным шкафом и задумчиво рассматривал стоящую на полках посуду: стаканы, бокалы, рюмки.

— Что вы увидели?

— Правильнее было бы спросить, чего я не увидел, — озадаченно ответил Дорошин. — Вот смотрите, всех бокалов, стаканов и прочих емкостей — строго по шесть штук.

— Ну правильно, они так и продаются, по три или по шесть. Иногда, правда, по четыре, — пожала плечами Настя.

— Но у Канунникова всего по шесть, — настойчиво продолжал он. — Тарелки всех мастей, вилки, ложки, столовые ножи — все по шесть.

— Ну и что?

— А те два бокала, которые забрали эксперты? Ну те, из которых Канунников и Погодина собирались пить вино? Если два бокала изъяли, значит, каких-то бокалов должно быть только четыре. Понимаете? А я этих четырех бокалов что-то нигде не вижу.

Точно. Молодец Дорошин. Сама Настя к посуде относилась безалаберно, у нее никогда не было ни сервизов, ни комплектов «по шесть» или «по двенадцать», тарелки и чашки она регулярно била, поскольку во всем, что касалось кухни, отличалась ловкостью необыкновенной, чайные ложечки с завидной регулярностью оказывались в мусорном ведре, и когда какой-то посуды начинало катастрофически не хватать, покупала в ближайшем супермаркете парочку подходящих предметов, нимало не заботясь о единообразии.

— Но бывает же, что бокалы продаются по два, — возразила она, — например, какие-нибудь праздничные, свадебные, эксклюзивные. Вы не помните, какие бокалы стояли на столе?

— Точно не помню, но мне кажется, самые обычные, из тонкого стекла. Хотя признаюсь честно, я их не рассматривал, так что могу и ошибаться. А вы сами не помните?

— Нет. Но можно позвонить дяде Федору, он наверняка на работе сидит, у него дело под рукой.

Игорь повернулся и удивленно посмотрел на нее, держа двумя руками вынутый из духовки противень.

— Дяде Федору?

Настя смутилась.

— Федору Ивановичу, следователю. Дядей Федором мы его за глаза зовем. И как вам противень?

Дорошин повертел противень в руках, осмотрел обе поверхности.

— Можно констатировать, что Олег Михайлович был человеком педантичным и аккуратным. К состоянию кухонной утвари претензий нет.

— Может, это Погодина здесь чистоту наводила? — предположила Настя. — И посуду по шесть предметов покупала тоже она? Седов утверждает, что Милена была очень аккуратной, точной и обязательной, и родители ее, и сокурсники говорят то же самое.

— Может быть, — Дорошин насторожился, прислушался к чему-то и улыбнулся. — Скорее всего, вы правы. В пользу вашего предположения свидетельствует одна деталь.

— Какая?

— Слышите? В ванной откуда-то вода подтекает. У педантичного и аккуратного хозяина краны не текут, он их вовремя чинит.

Настя прислушалась, но ничего не услышала. Ну и шутник этот участковый! Небось ванную уже осмотрел и подтекающий кран видел, а теперь хочет, чтобы она поверила, будто у него такой тонкий слух.

— Ничего не слышу, — сердито сказала она. — А что в ванной? Есть какие-нибудь наблюдения?

— Я там еще не был. Я сразу с кухни начал, как вы и сказали.

Ничего себе! Не был он в ванной, оказывается. Неужели он действительно так хорошо слышит? Или у нее самой с возрастом слух стал притупляться?

Настя вернулась в комнату, по дороге из любопытства заглянув в ванную. Сперва ничего не заметила, во всяком случае, краны были в полном порядке. Однако, присмотревшись, она обнаружила лужицу рядом с унитазом, в которую падали редкие капли из гибкой трубки, соединяющей бачок унитаза со стояком холодной воды. Ну и ну.

Она села на диван и позвонила следователю. Давыдов, как она и ожидала, оказался на месте, в своем кабинете в городской прокуратуре. Не одна Каменская по воскресеньям работает.

— Бокалы? — переспросил он с недоумением. — Да помню я их, обыкновенные бокалы, стеклянные. Не хрусталь, это точно.

— А фототаблицы у вас есть? — настаивала Настя. — Может, посмотрите?

— Ты что, памяти моей не доверяешь? — возмутился Федор Иванович. — Мала еще во мне сомневаться-то.

— Я не сомневаюсь, Федор Иванович, я проверить хочу. Есть очень дорогие фирмы, изготавливающие посуду, на вид она простенькая, а стоит кучу денег. Такие дорогие предметы продают не только большими комплектами, но и по одному — по два. Ну пожалуйста, мне очень нужно.

— Ладно, — проворчал Давыдов. — Погоди, сейчас дело достану.

В трубку Настя слышала, как звякнули ключи на связке и с металлическим скрежетом провернулся замок несгораемого шкафа. Через некоторое время раздался голос следователя:

— Ну вот, смотрю. Чего глядеть-то?

— Надписи на бокалах. Какие-нибудь фирменные знаки, логотипы.

— Нет ничего. Просто бокалы, самые обычные, пузатенькие такие, на высоких ножках.

— Точно ничего нет?

— Ну что я, слепой, что ли? Не веришь — приезжай

да посмотри сама. Я сегодня часов до пяти здесь проторчу, мне к завтрашнему дню обвинительное надо закончить, а там дело в двенадцати томах. Чего ты завелась-то насчет этих бокалов? Что с ними не так?

— Я вам потом объясню. Спасибо, Федор Иванович.

— Ну а вообще что в квартире? Мысли появились?

— Кое-какие, — уклончиво ответила Настя. — Я к вам обязательно заеду сегодня, если успею.

Ей хотелось еще посидеть на удобном мягком диванчике и подумать, тем более что с комнатой она уже закончила, но она услышала, как Дорошин вошел в ванную, совмещенную с туалетом, и пошла к нему. Правда, не сразу. Все-таки не отказала себе в удовольствии пять минут посидеть с закрытыми глазами, обдумывая увиденное в квартире и пытаясь составить множество деталей в единую картинку. Картинка не составлялась.

В ванной участковый, сидя возле унитаза на корточках, возился с гибкой подводкой при помощи инструментов. Интересно, где он их взял? Настя не стала мучиться в догадках и спросила.

— Это мои, — коротко ответил он, не оборачиваясь.

— Вы что, всегда носите с собой инструменты?

— Когда на работе — всегда.

— А зачем?

— Мало ли что... Бывает, замок нужно вскрыть, вся милиция уже на месте, а слесаря нет и когда будет — неизвестно. И потом, старики на моем участке привыкли к тому, что я — как «Скорая помощь». Если что-то случается, они сперва в ДЭЗ звонят, но если с первого раза не дозваниваются, то звонят мне. Для них текущий кран или выбитые пробки — настоящая катастрофа, которая не может ждать, пока в ДЭЗе трубку возьмут. Они же старики, — с нежностью повторил он, — они всего боятся. Им вообще трудно понять современный мир, а чем больше непонятного — тем сильнее страх и тем труднее с ним справляться. Я к этому отношусь с пониманием. Опаньки!

— Что такое?

Настя подошла ближе и наклонилась.

— Видите?

— Нет. А что я должна увидеть?

— Ну как же, Анастасия... Вот, видите?

— Да нет же, — она начала сердиться. — Я в этом не разбираюсь. Ну, резиновая прокладка, гайка какая-то, это я вижу. Отсюда и течет.

— Гайка ослаблена на пол-оборота. Течет именно поэтому.

— Что значит — ослаблена? Сама, что ли, отвернулась?

— Гайки сами не отворачиваются. Вот смотрите, вода подтекает оттого, что прокладка прилегает неплотно, а неплотно она прилегает именно оттого, что гайку провернули и ослабили зажим.

— Погодите, Игорь, — Настя зажмурилась, потерла пальцами веки, — я ничего не смыслю в этом. Почему вы решили, что прокладка неплотно прилегает из-за того, что гайку проворачивали? Может, она от старости...

— Если бы от старости, то сама прокладка осталась бы на месте, в том же положении, в каком ее поставили, когда собирали кран отвода. Она сама не может повернуться.

— А она? — с любопытством спросила Настя, начиная понемногу понимать, о чем ей толкует «глазастенький» участковый.

— А она не на месте. Она явно повернута. Ну смотрите же: прокладка резиновая, на ней есть вмятины от зазубрин и выступающих элементов, оставленные плотно прилегающими с двух сторон металлическими поверхностями. Видите?

Настя прищурилась, всматриваясь, и кивнула:

— Вижу.

— А эти зазубрины находятся вот здесь. Не тут, где следы на прокладке, а вот здесь. Это означает, что прокладка была долгое время прижата вот в таком положении, видите? — Дорошин повернул резиновый кругляшок таким образом, что вмятина совпала с выпуклым элементом на поверхности гайки. — А потом гайку провернули. Причем совсем недавно.

— Зачем? — недоумевала Настя.

— Это вопрос не ко мне, — рассмеялся Дорошин. — Но вам имеет смысл позвонить вашему дяде Федору. Очень я сомневаюсь, что мужчина, занимающийся строительством, не обратит внимания на такую неисправность. Это вам простительно, вы — женщина, а Канунников обязательно должен был сообразить, что может прорвать отвод и тогда вода зальет не только его квартиру, но всех соседей. Он бы обязательно починил.

Он прав, подумала Настя, надо звонить Давыдову, чтобы прислал эксперта. Пусть снимут отвод и посмотрят его в лаборатории, как полагается. Неужели действительно гайку провернули специально? Кто? Зачем? Сумасшедший дом какой-то.

Ничего не получается с целостностью картинки, ну совсем ничего. Настя вздохнула и пошла звонить следователю.

* * *

Сестра Олега Канунникова опоздала на полчаса и явилась не в час дня, как с ней договаривалась Настя, а в половине второго. Полная, румяная и громкоголосая, она мгновенно заполнила собой всю малогабаритную однокомнатную квартирку.

— Ой, простите, что опоздала, — начала она прямо с порога, — воскресенье же, дети дома, а с ними разве так просто уйдешь? То одно, то другое. Олежку-то не нашли еще?

— Ищем, — коротко ответила Настя.

— Куда ж он запропастился? Сказал, что в командировку едет на пару дней, к выходным вернется. Он что же, даже не знает, что Милу у него в квартире убили? А похороны уже были? Олежка даже проститься не успел.

— Похороны во вторник.

— Ой, чего ж так долго-то? По православному обычаю на третий день положено...

— К сожалению, Елена Михайловна, судебно-медицинская экспертиза не успевает. Пока вскрытие, пока в лаборатории все биохимические исследования сделают... Это долго.

— Ну, может, это и к лучшему, — почему-то обрадовалась сестра Олега. — Олежка к этому времени объявится, из командировки вернется, так хоть попрощаться с Милой успеет, а то не по-человечески как-то получается, он же ее очень любит.

Тому, как эта женщина любила своего брата, можно было только позавидовать. Ведь сотрудники, беседовавшие со всей семьей Канунникова, ясно дали понять, что Олег подозревается в убийстве Милены, но Елена Михайловна ничего не хотела слышать. Вернее, слышала только то, что хотела. Она и мысли не допускала, что ее брат может оказаться убийцей. Впрочем, думала Настя, это дело обычное, самые близкие, как правило, знают преступников хуже всего и не замечают очевидного. Вытеснение, продиктованное любовью и доверием, делает их слепыми. Ну и не надо педалировать подозрения, пусть Елена Михайловна чувствует себя более свободно.

Настя и Дорошин открыли свои блокноты и начали задавать вопросы. Первым приступил к опросу Игорь.

— Елена Михайловна, ваш брат — человек аккуратный?

— Да, очень. Знаете, он еще в детстве таким был, никогда игрушки после себя разбросанными не оставлял, все аккуратненько по местам разложит, только после этого спать ложится. И в тетрадках у него всегда порядок был, учителя хвалили. А когда черчение началось, так вообще он первым во всем классе был, его постоянно в пример ставили. А за одеждой своей как следил! Мать нарадоваться не могла. Сам все рубашечки стирал, брючки наглаживал. А вы почему спросили?

Дорошин благополучно пропустил вопрос мимо ушей и продолжал гнуть свое:

— Когда Олег переехал сюда, вы помогали ему обустраиваться?

— Это в каком смысле? — насторожилась Елена.

— Ну, квартира же сдавалась только с мебелью, надо было посуду покупать, постельное белье, полотенца. Или он из дома взял?

— Ах, это... Это Мила ему помогала. Они вместе все покупали. Знаете, Олежек так радовался тогда, ему ведь с нами очень тяжело было жить, нас и так четверо было в двухкомнатной квартире, родители и мы с братом, потом я замуж вышла, потом у нас первый ребенок родился, потом второй. Все друг у друга на головах, пятеро взрослых и двое малышей, можете себе представить, какой гвалт в доме стоял, теснота, вечно все разбросано, не наубираешься. Олег очень сердился, со мной все время ссорился, мужу моему замечания делал, на детей ругался, когда чего-то найти не мог. Страшно не любил, когда вещи на место не клали или за собой не убирали. И вот начал что-то зарабатывать, первым делом квартиру снял, чтобы с нами не жить. Они с Милой прямо семейное гнездышко вили.

— То есть они в этой квартире жили вместе? — уточнил Игорь.

Настя мысленно ему поаплодировала. Хороший вопрос, правильный. Ответ ей известен, да и ему тоже, но необходимо услышать, как ответит на него сестра Канунникова.

— Нет, у Милены было свое жилье, она тоже снимала, только не квартиру, а комнату, подешевле, она ведь не так хорошо зарабатывала, как Олежек.

— Так я не понял, почему они вместе-то не жили? Вы говорите, у них такая любовь была, чего ж не жили здесь?

— У Милены свои правила были. Понимаете, ей первый муж развода не давал, поэтому они с Олегом не могли пожениться. А она считала, что жить вместе без регистрации нельзя. Встречаться можно, а вести общее хозяйство нельзя. Нет, вы не подумайте, она хорошая девушка была, очень хорошая, спокойная такая, приветливая, всегда улыбается, всегда в настроении. Я за все эти годы ее сердитой или недовольной ни разу не видела. И Олежку она любила по-настоящему.

Во как интересно! Значит, про первого мужа, который не давал развод, семья Олега знает, а про то, что развод он все-таки дал, им неизвестно. И о том, что Милена с ее «хорошими правилами» распрекрасно жила с Павлом Седовым, они действительно не знают.

— Я обратил внимание, что в квартире очень чисто. Это Олег так тщательно делал уборку? Или Милена?

— Олег, конечно, Олег, — убежденно ответила Елена. — Он и дома когда жил, и здесь всегда как следует убирался, и посуду до блеска надраивал.

— Вы часто здесь бывали?

— Я? Нет, не очень. Если честно, раза два в год приезжала. Да некогда мне, я же работаю, дома муж, родители, дети, пока продукты купишь, пока приготовишь, пока постираешь, погладишь... На день рождения Олега мы обязательно приезжали всей семьей, поздравить, и на Рождество у него собирались, он всем подарки дарил... А что?

— Когда вы всей семьей приезжали, вы, наверное, помогали на стол накрывать и все такое?

— Ну конечно. Если Мила была, то мы с ней вдвоем все делали, а если ее не было, то мы с Олежкой.

— Значит, о посуде имеете представление?

— Ну да.

— Скажите-ка мне вот что, Елена Михайловна: тарелок на всех хватало? Стаканов, бокалов?

— Ой, нет, вы знаете, Олег всего по шесть штук купил, а нас, взрослых, как раз шестеро и получалось, если с Милой считать, так что дети у нас оставались без приборов. Ну, мы им еду на блюдечки клали, они все равно много не съедают, ножами они еще не умеют пользоваться, а вместо вилок мы ложечки давали.

— А бокалы?

— А что бокалы? Дети же вино не пьют, а взрослым хватало. Детям сок наливали в стаканы, там на кухне еще шесть стаканов стоит. В шкафчике, — зачем-то уточнила Елена.

— То есть бокалов и стаканов было строго по шесть?

— Ну да.

— Вы не помните, может быть, у Олега были какие-то бокалы парой? Ну, особенно красивые, дорогие, или купленные на память, или кем-то подаренные.

— Не было ничего такого. — Она немного подумала и добавила: — Вообще-то я давно здесь не была, с лета, когда у Олежки день рождения был. Может быть, он после этого что-то покупал. А почему вы все это спрашиваете? Что-нибудь пропало?

— Так мы потому и спрашиваем, что не знаем, пропало или нет. Надеялись, что вы нам подскажете, — вступила Настя, потому что возник удобный момент спросить про одежду. — Посмотрите, пожалуйста, вещи в шкафу. Я понимаю, вы с братом вместе давно не живете и не можете знать наизусть весь его гардероб, но, возможно, что-то бросится вам в глаза.

Она встала и распахнула перед Еленой дверцу платяного шкафа. Та сперва бегло прошлась глазами по полкам и вешалкам, потом стала рассматривать содержимое шкафа более пристально.

— Костюма нет, темно-синего в полоску, в нем Олежка такой элегантный был. Наверное, он в нем поехал, все-таки деловая поездка.

— Какой фирмы костюм, не помните?

— Почему же? Помню прекрасно. «Хьюго Босс».

Настя сделала пометку в блокноте.

— Что еще заметили?

— Свитеров нет теплых. Может, он до зимы их убрал куда-нибудь?

Да нет, мысленно ответила Настя, не убрал он их, а взял с собой, зима-то на носу, а уехал он надолго, если не навсегда. Значит, костюм надел, а теплые вещи в сумку сложил. Пока все сходится.

— Ой, а куртка-то? Куртка где? — вдруг переполошилась Елена.

— Какая куртка?

— Тут в шкафу куртка висела, на лисьем меху, такая теплая, никакой мороз не страшен. Совсем новая, даже бирки не срезаны.

— Может быть, ваш брат в ней уехал?

— Да ну что вы говорите, не мог он в ней уехать! Господи, да где же она?

— Погодите, Елена Михайловна, давайте-ка все по порядку. Что за куртка и почему Олег не мог в ней уехать?

— Ну я же вам объясняю, совсем новая куртка, дорогая, красивая, даже бирки не срезаны. На лисьем меху, а сверху такая золотистая. И кулиска на талии.

Интересно, откуда она знает, что бирки не срезаны, если не была здесь с лета?

— Олег ее купил ранней весной, когда началась распродажа и на зимние вещи делали скидки пятьдесят процентов. За весну и лето он очень поправился, у него с обменом что-то разладилось, и когда мы в августе приехали его поздравлять с днем рождения, он хотел похвалиться курткой, из шкафа достал, примерил, а она ему мала — просто ужас! В спине тесна, спереди с трудом застегивается. Он сначала расстроился, он, знаете, к вещам очень трепетно относился, выбирал с любовью и носил потом хорошо, с удовольствием, следил за ними, в химчистку вовремя сдавал, в общем, ухаживал. И куртка эта ему так нравилась! А вот стала мала. Мила его тогда утешала, говорит, не переживай, может, ты до зимы еще сумеешь вес сбросить. И он пообещал, что если не похудеет, то отдаст эту куртку мне. Для мужа. Он тогда тоже примерил, ему в самый раз оказалось.

— Ну и как, удалось Олегу сбросить вес? — поинтересовался Дорошин.

— Нет, ничего не получилось. Он пытался на какой-то диете сидеть, но сразу получил осложнение на печень, и врач ему категорически запретил экспериментировать с питанием. У Олежки и без того проблемы со здоровьем.

— Какие? — быстро спросила Настя.

— У него холестерин очень высокий, он уже второй год постоянно какое-то лекарство пьет.

— Какое лекарство?

— Не знаю, ему Мила из-за границы привозила, из Швейцарии. Ну вот, куртка ему по-прежнему мала, и, когда я в последний раз с ним разговаривала, он сказал, что в конце месяца завезет ее нам, поближе к холодам. И еще он сказал, что бирки и ценник не срезал, потому что куртка дорогая и если мы с мужем передумаем, то можем ее продать. А нам он ее отдавал за полцены, как купил. У меня деньги отложены, — зачем-то сообщила Елена, — немножко не хватает, но муж сказал, что на работе перехватит у кого-нибудь, к Новому году им премию дадут — и он отдаст.

— И когда вы об этом разговаривали с Олегом?

— Да в прошлое воскресенье! Ровно неделю назад. Ну и где куртка?! В воскресенье еще с бирками висела, а в понедельник Олег уже уехал. Украли, что ли?!

— Успокойтесь, Елена Михайловна, — Настя закрыла шкаф, — мы разберемся.

— Уж разберитесь, а то мы деньги откладывали, у мужа на зиму совсем ничего нет, мы на эту куртку очень рассчитывали.

Похоже, сестру Канунникова заклинило на куртке «с бирками и на лисьем меху», нужно было чем-то ее отвлечь, и Настя незаметным жестом указала Дорошину на дверь, ведущую в санузел. Тот быстро перехватил эстафету.

— Елена Михайловна, про вашего брата можно было сказать, что он на все руки мастер?

— Это в каком смысле?

— Ну, прибить, починить, привинтить, приклеить.

— А, это да, Олежка все дома делал, если время было. Он все умел.

— И водопроводный кран починить мог?

— Да легко! С тех пор как ему двадцать лет исполнилось, мы вообще сантехника ни разу не вызывали, он все сам делал. У него всегда инструменты были хорошие, он за ними следил, в порядке содержал.

— И еще вопрос, Елена Михайловна, — вступила Настя. — У Олега были дорожные сумки, чемоданы?

— Были, конечно.

— Какие? Сколько?

— Две сумки, одна поменьше, синяя, другая большая такая, защитного цвета, на колесиках. А вот чемоданов не было.

Никаких сумок Настя в квартире не обнаружила. С одной сумкой, той, что поменьше, Канунников вышел из дому в сопровождении своего помощника Кирилла Сайкина. Эту синюю сумку описывал и сам Сайкин, и свидетель из восьмидесятой квартиры. А вот куда девалась большая сумка на колесиках? Очевидно, Канунников набил ее вещами и взял с собой, когда уходил отсюда после убийства Милены. Жаль, что бдительный дедушка этого не видел, у него с двух до пяти обед и послеобеденный сон. Сайкин показал при беседе, что на вокзал Канунников уехал на такси, а не на служебной машине, однако попытки разыскать водителя, который его вез, окончились полным провалом. Выяснилось, что сначала Канунников попросил секретаря Жанну вызвать такси по телефону, ей это сразу не удалось, потом она на что-то отвлеклась, в это время Сайкин вышел из офиса на улицу купить сигареты, увидел свободное такси и остановил его. Водитель согласился отвезти Олега Михайловича. Номера машины Сайкин, естественно, не запомнил, да он и не смотрел. Кто же мог знать тогда, что понадобится.

Эх, найти бы этого водителя! Он бы рассказал, что Канунников из офиса поехал не на вокзал и не по делам, а к себе домой, попросил подождать, через полчаса примерно вышел с большой сумкой на колесиках. Впрочем, что толку в этих рассказах? И без того ясно, как было дело. Правда, тот самый водитель мог бы рассказать, куда он Канунникова отвез потом, но это тоже большого значения не имеет, потому что Олег мог выйти где угодно и поймать еще одну машину. А потом еще одну. И так до бесконечности.

Приехал присланный следователем эксперт, Дорошин быстро организовал парочку понятых из числа жильцов дома, гибкий отвод отсоединили, сняли, упаковали, и эксперт отбыл. Уехала и сестра Канунникова.

Настя снова набрала номер Давыдова.

— Федор Иванович, когда я могу к вам приехать?

— Погоди, не отвлекай, у меня тут еще работы часа на три.

— Вы же собирались к пяти закончить.

— Мало ли чего я собирался. Не получается. Сейчас у нас сколько? Половина четвертого? Давай к семи подъезжай. И глазастого своего возьми с собой, я с ним потолкую. Все, Настюха, не отвлекай меня.

Она растерянно спрятала телефон.

— Игорь, у нас с вами проблемы.

— Серьезные? — улыбнулся Дорошин. — Вы разочарованы, что я ничем вам не помог и мои глаза холостого мужчины ничего особенного не углядели?

— Вы очень помогли. Но проблема в том, что дядя Федор требует вас к себе.

— Да ради бога. Когда?

— Это еще одна проблема. К семи. Так что вечер у вас пропал, с дядей Федором спорить — себе дороже. Кроме того, есть еще одна проблема, лично у меня. Куда мне деваться на три часа? Я живу на «Щелковской», возвращаться домой мне смысла нет, все время на дорогу уйдет.

— Если хотите, я вас отвезу, я же на машине, — предложил Игорь.

— А потом? От моего дома до Балакиревского хоть и не очень далеко, но добираться страшно неудобно, замаешься, тем более под дождем. Тоже бессмысленно.

— Тогда у меня есть предложение. Давайте поедем ко мне в гости.

— А вы далеко живете?

— На машине — десять минут.

Соблазнительно, конечно. Но как-то неловко.

— Если вы меня привезете к себе, это кого-нибудь побеспокоит?

— Никого, кроме моих котов. Если вас интересует, не ждет ли меня дома дама сердца, то сразу скажу: не ждет. Она сейчас стажируется в Санкт-Петербурге, на факультете психологии. У вас нет аллергии на кошек?

— Вроде нет. А сколько их у вас?

— Шесть.

— Да ладно вам, — Настя от души рассмеялась, — я серьезно. Сколько? Две?

— Я же говорю — шесть. Было пять, но недавно я взял еще котенка. Я бы пригласил вас куда-нибудь попить кофе, но котенка нужно кормить четыре раза в день, он еще маленький, два с половиной месяца, так что мне непременно надо попасть домой до того, как мы поедем к вашему дяде Федору. Ну как, едем?

— Поехали, — решилась Настя.

* * *

Она ожидала чего угодно, только не этих четырехкомнатных хором. Не слабо живет рядовой московский участковый. Просторная квадратная прихожая, в которую выходят распахнутые двери всех четырех комнат, кухни, ванной и туалета. Интересно, почему у него все двери открыты? Конечно, это хорошо, можно сразу все увидеть. Вон там гостиная, это спальня, это комната с тренажерами, а это... что-то непонятное, похожее на студию, кабинетный рояль, синтезатор, кажется, еще гитара, аппаратура... Наверное, его девушка увлекается музыкой. Хотя Игорь вроде бы сказал, что она на стажировке на факультете психологии. Ну ладно, всякое бывает, встречаются и психологи — любители музыки.

— Проходите, — Дорошин помог ей раздеться, дал тапочки.

Настя заметила, что ее ботинки он спрятал в шкаф-купе и задвинул зеркальную дверцу. Поймав ее удивленный взгляд, Игорь объяснил:

— Вы у меня в первый раз, неизвестно, как коты на вас отреагируют. Если вы им не понравитесь, могут сделать пакость.

— Например, какую?

— Например, написают в ваши ботинки. Прецеденты были, так что лучше не рисковать. К мужчинам они более лояльны, а с дамами приходится соблюдать осторожность.

— Почему же такая дискриминация?

— Трудно сказать. Наверное, они понимают, что мужчина не может остаться здесь навсегда, — улыбнулся Дорошин. — А дама может. Давайте сразу пойдем на кухню и пообедаем. Или вы предпочитаете есть в комнате?

— Нет-нет, — испуганно отказалась Настя, — никаких обедов в комнате. Я привыкла есть на кухне. А где ваши обещанные коты?

— Погодите, они пока прячутся. Дайте им минут двадцать, они ребята осторожные. Только маленький ничего не боится. Кстати, смотрите под ноги, а то ненароком наступите на него, он примерно такого же цвета, как пол.

И словно в ответ на его слова как раз со стороны кухни раздалось пронзительное жалобное мяуканье.

— Иду, деточка моя, уже иду, не плачь, — заворковал Дорошин, — сейчас будем кушать.

Кухня поразила Настино воображение не столько своими размерами, сколько длинным рядом мисок: пять одинаковых пластиковых, одна большая металлическая и две совсем маленькие, рядом с которыми лежал в позе вечной голодной скорби очаровательный круглоглазый котенок, почти полностью сливаясь светло-бежевой шерсткой с плиткой, которой выложен пол.

— Садитесь. Сейчас я быстро мясо разморожу для малыша, и будем обедать.

Игорь подхватил котенка на руки, поцеловал в лобик и в пушистую спинку, прижал его к щеке.

— Когда они маленькие, они невозможно сладкие, — он посмотрел на Настю сияющими глазами, в которых светилась огромная нежность.

— А когда взрослые? Кислые? Или горькие? — пошутила она.

— Взрослые — сложные, — ответил он очень серьезно. — Все как у людей.

Придерживая котенка одной ладонью возле щеки, Игорь другой рукой открыл морозильную камеру, достал упакованное в фольгу мясо, бросил в раковину, пустил горячую воду, через несколько секунд ловко, продолжая орудовать одной рукой, снял фольгу, положил смерзшийся мясной ком в стеклянную емкость и поставил ее в микроволновую печь. Не отпуская котенка, закрыл дверь из кухни в коридор и, поймав взгляд Насти, пояснил:

— Сейчас весь зверинец сбежится на запах мяса.

— А вам жалко? — поддела его Настя.

— Порядок должен быть. Кому можно мясо — тот получит вечером, а кому нельзя, тот не получит совсем.

Не успел он договорить, как за дверью послышалась возня, похрюкивание и мяуканье, а через несколько секунд в дверь начали молотить с изрядной силой.

— У вас там что, собака? — удивилась Настя.

— Нет, там взрослые коты и кошки в хорошей физической форме, — рассмеялся Игорь. — Если хотите, можете взглянуть, только дверь не открывайте, через стекло смотрите.

Настя из любопытства встала, подошла к двери и заглянула через стекло. Внизу по ту сторону копошилось нечто, состоящее из хвостов, лап и сверкающих глаз. Она не смогла сосчитать количество животных, но поняла, что их точно больше трех.

— А если я открою дверь, что будет? — поинтересовалась она.

— Ничего страшного, они ворвутся сюда, дождутся, когда я положу мясо в котенкину мисочку, и начнут войну не на жизнь, а на смерть. Бедному малышу при этом ничего не достанется, ему против них не выстоять. Я мог бы, конечно, покормить его с руки, но не хочу приучать.

— А отогнать котов от котенкиной миски вы можете?

— Могу, конечно, но это неправильно. Кошки должны сами выстраивать свои взаимоотношения. Понимаете, есть определенный порядок кормления, они к нему привыкли, но каждый раз надеются, что я сломаюсь и правила нарушу. Если я нарушаю правила, то есть кормлю одних котов мясом на глазах у других, это в их кошачьем мозгу будет означать, что я разрешаю войну. То есть подходи, отпихивай того, кто послабее, и отбирай кусок. А если я при этом начинаю их всех гонять и к миске не подпускать, то что же получается? Как говорит моя Юлька, получается когнитивный диссонанс.

Насте стало жалко котенка, она испугалась страшного кошачьего «когнитивного диссонанса» и решила войну не провоцировать.

* * *

Соня Седова бежала на свидание. Она уже безнадежно опаздывала, потому что пришлось ждать, пока мама уедет с Ильей на какую-то выставку. Не то чтобы мама запрещала ей встречаться с мальчиками, но Соне хотелось одеться по-особенному и, самое главное, по-особенному накраситься, ведь сегодня ей предстояло встретиться не с мальчиком из класса, как обычно, а с настоящим парнем, взрослым, таким, как у Ляльки Гордановой, даже еще лучше. Они познакомились пару дней назад на дискотеке и договорились встретиться в воскресенье. Она так ждала этого момента, все рассчитала и, когда он позвонил, как и договаривались, утром, назначила встречу на пять часов, потому что знала, что мать с Ильей уедут около четырех. Однако они все не уходили и не уходили, сначала обедали, потом долго пили чай и что-то обсуждали, потом мама затеялась кому-то звонить. Соня нервничала, смотрела на часы и понимала, что либо здорово опоздает, и неизвестно, станет ли Антон ее ждать так долго, либо ей придется явиться на это свидание совсем не в том виде, как хотелось бы. А хотелось ей выглядеть взрослой, независимой, стильной, одним словом — крутой, а не сопливой школьницей. Она наверняка успеет вернуться домой раньше матери, так что мама и не узнает, во что сегодня одета ее дочь и какой макияж сделала, ведь после выставки мать, как обычно, потащится к Илье, а это надолго, допоздна. Черт, как же ей надоело жить с матерью! Хуже нет, когда родители работают в той же школе, где учится ребенок, вообще ни секунды покоя нет, постоянно находишься под присмотром, да еще врать надо особо изворотливо, потому что мама знает всех Сониных подружек и одноклассников и любую информацию может проверить. Ох, как же ей это надоело! Хорошо бы жить с папой, он умеет вообще ни во что не вникать, и потом, он много работает, приходит поздно, не говоря уж о такой замечательной вещи, как дежурства, когда его целые сутки нет дома, а то и дольше. Соня давно заметила, что отцов вообще легче обманывать, чем матерей, потому что отцы отчего-то стесняются задавать некоторые вопросы, которые матери задают обязательно, да еще и настырно требуют ответа.

Она пулей вылетела из вагона метро и помчалась вверх по эскалатору, протискиваясь между плотно стоящими пассажирами. Эскалатор был длинным, Соня быстро начала задыхаться, но все равно рвалась вперед. Она опоздала на полчаса.

Но Антон ее все-таки дождался. Слава богу! Вон он стоит, такой красивый, модно одетый, такой взрослый. Ему двадцать три года, он студент театрального, уже понемногу снимается в эпизодах, но его обязательно заметят и предложат главную роль в каком-нибудь сериале, который будет смотреть вся страна. Вот тогда Лялька Горданова утрется со своим бандитом. Подумаешь, в рестораны он ее водит и трахает на шикарной хате! А с кинозвездой на фестивале потусоваться — это как? Слабо?

— Привет, — задыхаясь, проговорила Соня. — Извини, я время не рассчитала.

— Ничего, — улыбнулся Антон и поцеловал ее. — Потрясающе выглядишь, совсем не так, как на дискотеке. Я бы тебя и не узнал.

— Ну, дискотека, — как можно небрежнее ответила она, — детский сад, там и выглядеть надо соответственно.

— Ну да, конечно. Куда пойдем? Хочешь, посидим где-нибудь?

Они немного прогулялись, болтая о всякой ерунде, потом зашли в бар дорогого ресторана, Антон выпил кофе, а Соня, в рамках взятой на себя роли взрослой девушки, попросила коктейль с яичным ликером.

— Куда теперь пойдем? — спросил он, пристально глядя ей в глаза.

Соня смутилась, не зная, как реагировать на такой вопрос. Она вовсе не была глупой или неопытной и прекрасно понимала, что Антон имеет в виду.

— Можно в кино, — неуверенно ответила она.

В кино она обычно ходила с мальчиками, потому что там можно было много чего себе позволить. До главного дело, конечно, не доходило, для настоящего секса надо было старательно улучать момент, когда дома никого нет, но для всего остального кинотеатр вполне годился. Тем более при первом свидании.

— Соня, я уже не в том возрасте, чтобы держать девочек за коленки и лазить им под юбку. Тебе есть куда пойти?

Она покраснела и отвела глаза, но быстро преодолела смущение.

— А тебе? — с вызовом спросила она. — Или ты привык, что об этом твои девушки должны думать?

Он усмехнулся и закурил.

— Я, девочка моя, привык, чтобы мои девушки чувствовали себя комфортно и свободно. А комфортно и свободно девушка чувствует себя только в том месте, которое сама выбрала, а не в том, которое ей навязал мужчина. Понятно? А лучше всего девушки чувствуют себя в собственном доме, где их собственная постель и их собственная ванная.

Это было так по-взрослому, так не похоже на то, что обычно говорили и делали мальчишки, которым все равно — где, все равно — как, лишь бы случилось.

— А ты не слишком торопишься? — Она постаралась, чтобы голос звучал холодно и надменно.

— Я вообще не тороплюсь. Ты хочешь сказать, что со временем решишь вопрос?

— Решу, — твердо ответила Соня.

— Когда?

— Думаю, через неделю, может быть, даже раньше. Я собираюсь к отцу переехать, — соврала она.

— А что это изменит? Что мать, что отец — разница невелика.

— Только не с моим папой, — засмеялась она. — Ты его не знаешь. Он ни во что не лезет, вопросов не задает, его целыми днями дома не бывает, а иногда и ночами.

— Ладно, я подожду. Только смотри, я не из тех, с кем можно динамо крутить.

— Да ты что, Антон, — горячо заговорила Соня, — я тебе честное слово даю, я все устрою.

Потом они снова прогулялись до метро, где Антон припарковал свою машину, и поехали кататься. Уже совсем стемнело, Антон остановил машину в тихом пустынном переулке и целовал Соню так долго и искусно, что она готова была прямо сейчас прийти домой, собрать вещи и заявиться к отцу. Не выгонит же он ее, в конце концов! Нет, надо решать вопрос как можно скорее, если Антон не дождется — она себе этого не простит.

Соня, как и планировала, вернулась домой раньше матери, быстро переоделась, смыла с лица косметику, легла в своей комнате на диван и принялась обдумывать план переезда к отцу.

* * *

Обед оказался незамысловатым, состоящим из блюд, купленных в кулинарии ближайшего супермаркета, но вкусным. Впрочем, Настя Каменская привередливой не была. Насытившийся котенок метеором носился по всей квартире, играя любым попадавшимся под лапы предметом. Периодически Настя слышала загадочное шипение, доносящееся то из одной, то из другой комнаты.

— Что это шипит? — спросила она Игоря.

— Это Карма. Она единственная, кто пока не принял котенка. Он лезет к ней, хочет поиграть, а она его гоняет.

Они сидели в комнате, пили чай с пирожными и готовились к разговору со следователем.

— Смотрите, Игорь, что у нас получается. Во всей квартире следы рук трех человек: Милены Погодиной, Кирилла Сайкина, который приходил вместе с Канунниковым в день убийства и помогал ему собираться, и еще кого-то, предположительно — самого Олега Канунникова. Больше никаких следов нет, а ведь так не может быть, чтобы в квартире не было следов постоянно проживающего хозяина, правильно? Можно, конечно, предположить, что убийца — не Канунников, а кто-то еще, но тогда этот кто-то должен был тщательнейшим образом уничтожить все следы хозяина, понаставить всюду собственные отпечатки, при этом не повредив следы Погодиной и Сайкина. Это из области фантастики, согласны?

— Согласен, — кивнул Дорошин.

— Идем дальше. В присутствии Сайкина Канунников делает вид, что собирается уезжать на три дня. Но для длительного отсутствия ему вещей явно недостаточно, и все, что он не взял, когда приходил с Сайкиным, он должен был взять потом, после убийства Милены. Что же он берет с собой? Куртку, которая ему совершенно не нужна, потому что он не может ее носить. А что он не берет?

— Лекарство, без которого ему не обойтись.

— И что это означает?

— Что после убийства Погодиной вещи собирал не Канунников, — задумчиво ответил Дорошин.

— А кто же?

— Не знаю. Может быть, у него был сообщник по убийству. Внизу ждало такси, долго задерживаться Канунников не мог, чтобы не вызвать подозрений, и он прислал кого-то собрать вещи. Этот помощник взял у Канунникова ключи от квартиры и действовал в перчатках, поэтому никаких следов не оставил.

— Хорошая версия, — кивнула Настя. — Тем более она укладывается в заказное убийство. Надо будет сегодня уточнить у дяди Федора, что нам эксперты сказали. Перчатки ведь оставляют собственные следы, не говоря уж о том, что смазывают имеющиеся следы рук. Пойдем дальше. Ревность. Из ревности обычно убивают в одиночку. Кстати, Игорь, скажите мне как молодой мужчина, можно много лет терпеть измену, а потом вдруг ни с того ни с сего начать бешено ревновать, да так, что до убийства дело доходит?

— Можно, — уверенно ответил он. — Я знаю, у женщин это по-другому, но у мужиков бывает и так. Я, честно признаться, больше склонен думать о ревности, чем о заказе.

— Почему?

— Если бы хотели отомстить Седову, то его бы и убили. При чем тут Милена? И этот Щеколдин, который у Седова на связи состоял. Вы же сказали, что Седов с ним давно не контактирует. Одно с другим не связывается, Анастасия. Предположим, Щеколдин когда-то давно слил Седову информацию, на основании которой взяли группу наркодилеров или большую партию товара. Прошло время, заинтересованные люди нашли возможность поквитаться. Если они считают, что мера расчета — человеческая жизнь, то вполне логично, что они убивают тех, кто виноват, то есть Щеколдина и самого Седова. Если же речь идет не о давнем деле, а о текущем, то есть Седова нужно просто запугать, оказать на него давление, то убийство Милены сюда укладывается, а смерть Щеколдина — никак. Щеколдин Седову уже не нужен, они не общаются, и его убийство не может оказать на Седова никакого воздействия.

— Резонно, — согласилась Настя. — Но я вам нарисую еще одну картинку: мы убили твою любовницу, мы убили твоего агента, пусть бывшего, но теперь-то ты понимаешь, как давно мы за тобой наблюдаем и как много о тебе знаем. У тебя есть еще дочь и бывшая жена. Не хочешь подумать, кто из них будет следующим? И как тебе живется, дорогой Павел, с такими думами? Спится хорошо? А работается как? Ты уверен, что можешь их защитить? Уверяю вас, Игорь, смерть по сравнению с этим кошмаром лучший выход. Я через это прошла, так что могу судить по собственному опыту, а не с чужих слов. Но мне бы хотелось понять другое. У Милены и Олега все было ровно и гладко, он мирился с тем, что она живет с Седовым, потому что понимал, что иным способом ей свои проблемы не решить. Ей нужно забирать родителей в Россию, ей нужно получать российский паспорт, ей нужно добиться развода с придурком-мужем, ей нужно починить зубы и нос, ей нужно пролечиться от бесплодия, и во всем этом ей может помочь именно Павел, у которого есть деньги и связи, а никак не Олег. В конце концов, ей нужно получать образование, а за поступление на юрфак, если ты не золотой медалист, приходится платить тысяч двадцать долларов, чтобы тебя не завалили на экзаменах. Не заплатишь — завалят, там дело на поток поставлено, как и в других вузах. Другими словами, Олег понимает, что Милена пошла на сожительство с Седовым из сугубо меркантильных соображений, а не по любви, и, поскольку он не может предложить ей ничего лучшего, он молча терпит это положение вещей, тем более Милена продолжает с ним регулярно встречаться, помогает обустраивать квартиру, покупает вместе с Олегом посуду, постельное белье, полотенца, вместе с ним встречает гостей на правах хозяйки. Так вот я хочу понимать, чем можно было соблазнить Канунникова, чтобы уговорить его убить Милену, с которой он в любви и согласии существовал несколько лет. Неужели только деньгами? Или, может, его шантажировали чем-то очень серьезным?

— Я думаю, денег вполне достаточно, — усмехнулся Игорь.

— Почему вы так считаете?

— Канунников полагал, что ради денег можно жить с нелюбимым человеком, изменяя при этом любимому. Ведь Милена фактически использовала Седова, продолжая любить своего ненаглядного Олега. И Олег его тоже, в конечном итоге, использовал, потому что Милена получила развод, а это означает, что она в любой момент могла уйти от Седова и выйти замуж за

Канунникова. Ситуация более чем некрасивая, но если Олег ее принимал, значит, считал вполне допустимой. А если он считал допустимым такое, то почему не пойти дальше? Кстати, я тут подумал, что дело могло быть не столько в ревности, сколько в унизительности положения самого Олега. И кто-то мог мастерски это использовать, дескать, зачем тебе терпеть это унижение, делить свою бабу с другим, который ее всем обеспечивает, довольствоваться жалкими крохами и смиренно ждать, пока она насытится и соблаговолит его бросить, когда можно избавиться разом и от унижения, и от нищеты. Конечно, у Канунникова своя фирма, но, судя по тому, как он живет, много денег она ему не приносит.

— Это да, — вздохнула Настя. — Типичное отмывалово. Его просто наняли, чтобы он зарегистрировал фирму на свое имя и открыл счета, перегнали на эти счета деньги, прикрылись липовыми договорами об оказании консультационных услуг, за которые заплачены огромные гонорары, потом на эти деньги строится дом, квартиры продаются гражданам, платятся налоги — и все, деньги чистенькие, как из баньки. Канунников на самом деле не владелец, а наемный управляющий с весьма скромной зарплатой. По завершении операции ему, конечно, пообещали заплатить приличную сумму, но, скорее всего, не заплатили, в противном случае он не соблазнился бы деньгами за убийство Милены.

— Соблазнился бы. Еще как соблазнился. Денег много не бывает, их бывает только мало. Кстати, о деньгах. Мне тут не все понятно. Вам еще чаю принести?

— Да, будьте добры.

Игорь вышел на кухню, Настя, потирая затекшую на мягком диване спину, поднялась и стала прохаживаться по комнате, разглядывая висящие на стене фотографии в рамочках. Вот роскошный пушистый кот, кажется, один из тех, кто собирался на войну за котенкино мясо, но ракурс совершенно потрясающий, и кошачья морда на снимке выражает целую гамму мыслей и чувств — от полного презрения до миролюбивой снисходительности к этим глупым двуногим, которые щелкают какой-то штуковиной вместо того, чтобы мясо давать. Вот портрет дивно красивой женщины лет сорока с небольшим в вечернем платье с открытыми плечами, фамильное сходство несомненно, оно просто бросается в глаза: это мать Игоря. А вот еще одна фотография, на ней Игорь, та же красивая женщина, только в другом платье, но тоже в вечернем, и какой-то мужчина с удивительно знакомым лицом. Господи, да это же знаменитый баритон Дорошин! Дорошин... Ну вот, теперь все встало на свои места, Игорь — сын того самого Дорошина. Более того, это тот самый человек, который... Настя вспомнила, как несколько лет назад, расследуя серию убийств, связанных с модной певицей Светланой Медведевой, разговаривала с ее продюсером, который так, между прочим, поведал ей о некоем молодом человеке, сыне известного оперного певца, написавшем чудесный шлягер для Светланы. Официально автором песни считается другой композитор, потому что парень этот, песню написавший, вообще не от мира сего, за славой не гонится, на авторстве не настаивает, но от денег не отказывается и получает их исправно. Выходит, продюсер говорил об Игоре Дорошине. Или нет? Тогда, по крайней мере, понятно, откуда у него столько денег. Но парень и впрямь не от мира сего, если славе композитора предпочел бесславную и тяжелую работу участкового в милиции.

Игорь вернулся с чайником и стал разливать чай. Настя снова уселась на диван, прилагая определенные усилия, чтобы не косить глазами в сторону висящей на стене фотографии, которая все не давала ей покоя.

— Так что вам насчет денег непонятно?

— Давайте еще раз пройдемся по срокам, — попросил Дорошин. — Канунников снял квартиру в августе 2000 года, верно?

— Верно.

— А Погодина стала жить с Седовым в начале 2001 года. Фирма «Контракт — ОК» появилась существенно позже, года через два-три. До этого Канунников перебивался случайными заработками, которые никак не позволяли ему снимать квартиру в центре Москвы. Откуда у него деньги?

— От Милены. Вряд ли Седов жестко контролировал ее расходы, уж раз в месяц урвать пятьсот долларов на квартиру для любовника она всяко могла.

— Согласен. Но квартира у Олега появилась раньше, чем Седов — у Милены. Так откуда деньги?

Настя задумалась. А ведь и в самом деле, откуда? Тем более квартиру надо было обживать, покупать все необходимое. Неужели Милена в своей турфирме зарабатывала так много? Но тогда почему она сама не снимала квартиру поприличнее, а довольствовалась комнатой в коммуналке на окраине города? Опять ничего не сходится!

— Надо искать турфирму, в которой работала Погодина, — сказала она. — Ее туда Канунников устроил. Найдем и выясним, кем она там работала и какая у нее была зарплата. А если деньги на то, чтобы снимать квартиру, появились у самого Канунникова, то надо обязательно выяснить, откуда. Возможно, он впутался во что-то нехорошее, получил за это большие деньги, а теперь его этим шантажируют и заставили убить Милену. Все-таки хорошо, что вы со мной сходили сегодня на квартиру. Теперь есть о чем со следователем говорить и, главное, появилась ясность, в каком направлении искать, а то мы тыкались во все стороны, как слепые котята, разбрасывались, а толку — чуть.

Она с удовольствием съела еще одно пирожное и внезапно поняла, что не может справиться с собственным любопытством.

— Игорь, вам имя Светланы Медведевой что-нибудь говорит?

Настя ожидала, что он растеряется, смутится, отведет глаза, но Дорошин даже не вздрогнул.

— Говорит. Если вы имеете в виду певицу, — уточнил он спокойно.

— Вы с ней знакомы?

— Знаком. Правда, не очень близко.

— Это вы для нее песню написали?

— Я. Но это было давно, лет пять назад или около того. Кто вам сказал?

— Ее продюсер.

— Болтун безмозглый, — невозмутимо заметил Игорь, отпивая чай. — Но я не ожидал, что вы близки к шоутусовке.

— Я и не близка, — засмеялась Настя, — я с ним по работе встречалась, когда пошла серия убийств после ее выступлений в клубах.

— А, да, мне рассказывали, помню.

— Вы только для нее песню написали или других тоже осчастливили?

— Анастасия, я не люблю об этом распространяться, но раз уж вы спросили — отвечу: я пишу в основном для группы «Ночные рыцари», то есть две из каждых трех моих песен берут они, остальные уходят к другим исполнителям. Получается примерно по пять-шесть песен в год. Это вы мои деньги считаете?

— Нет, я пытаюсь понять, как вы живете. Ваши начальники и коллеги знают об этом?

— Только мой старший участковый, он мой старый друг, остальные не знают.

— Но на работу вы ездите на своей роскошной машине?

— Конечно. Другой машины у меня нет.

— И прочие признаки благосостояния от окружающих не скрываете?

— Не скрываю. В прошлом году к нам пришел новый начальник, так он к моим ботинкам от Кензо прицепился, мол, знаю, какими способами ты на такие ботиночки деньги заработал. Машину, кстати, он тоже заметил.

— А вы что? — живо заинтересовалась Настя.

— А я сказал, что у меня папа богатый и дает мне много денег.

— А он?

— Начал меня стыдить за то, что я, капитан милиции, сижу на папиной шее. Очень было весело.

— То есть он вам не поверил?

— Ни на одну минуту, — весело констатировал Дорошин.

— Значит, он считает, что вы занимаетесь поборами?

— Само собой. Никакой другой способ зарабатывания денег ему просто в голову не приходит.

— И остальные сотрудники вашего отдела тоже так думают?

— Наверное, — он равнодушно пожал плечами. — Они же не слепые, и головы у них есть, а раз головы есть, то они думают.

— И как же вы с этим боретесь?

— Я? — он удивленно приподнял брови. — Да никак не борюсь. Пусть думают что хотят, мне-то что за дело?

— Вот я и пытаюсь понять, как вы живете, — настойчиво повторила Настя. — Начальство вас регулярно ругает и считает плохим работником, вы сами это сегодня говорили. Более того, все ваши коллеги считают вас взяточником. Иными словами, все ваше профессиональное окружение так или иначе думает о вас плохо. Так?

— Не знаю, — он снова пожал плечами. — Наверное, так. И что с того?

— И вас это устраивает. Я не могу понять, почему вас это устраивает. Ну объясните же мне, почему?

Дорошин вздохнул, поднялся, вышел на минуту и вернулся, неся в руках огромного сибирского кота, того самого, что был на фотографии. Снова усевшись в кресло напротив Насти, он усадил кота на колени и принялся мерно почесывать его живот и грудь. Кот зажмурился и заурчал.

— Понимаете, Анастасия, в служебной жизни мы либо собаки, либо кошки. Собака преданно любит своего хозяина, хочет заслужить его одобрение и радуется, когда ей это удается. Она выполняет команды даже тогда, когда ей этого совсем не хочется, потому что ее так выучили, выдрессировали, и она понимает, что, если не выполнит команду, хозяин будет недоволен. Собака — стайное животное, для нее жизненно необходимо одобрение вожака стаи, она так устроена. А кошки — животные не стайные, они делают только то, что считают нужным, и только тогда, когда хотят, и ни в каком одобрении со стороны хозяина не нуждаются, потому что не признают его первенства, его главенства. Именно поэтому кошки практически не поддаются дрессировке.

— А Куклачев как же? У него ведь целый театр кошек.

— Куклачев — мудрый человек, он не заставляет кошек делать то, чего они делать не хотят, он за ними длительное время наблюдает, высматривает, что им нравится делать, и использует и закрепляет только это. Каждый человек волен выбирать, кем ему быть в жизни, собакой или кошкой. Если он выбирает быть собакой, то ему, конечно, важно, чтобы о нем хорошо думали окружающие, чтобы начальство его любило, он стремится угодить главе стаи и получить от него поощрение. Я выбрал быть кошкой. То есть котом. И мне совершенно все равно, что обо мне думают окружающие, если сам я уверен, что делаю правильно и поступаю так, как велит моя душа. У меня не очень выспренно получилось?

— Очень, — улыбнулась Настя. — Выспренно, зато образно и доходчиво. Вы именно поэтому любите кошек?

— Да нет, здесь процесс скорее обратный. Я их просто люблю, еще с детства, но, наблюдая за ними, стал понимать, каким хочу быть.

Значит, он выбрал быть котом. А она, Настя, получается, сделала для себя выбор в пользу собаки и теперь мучается вопросом, кто и что о ней подумает да как будет к ней относиться.

— Ваши родители знают о том, чем вы зарабатываете на жизнь?

— Разумеется. Для них и это, и моя работа в милиции — постоянный источник головной боли. Они видели для меня совершенно другое будущее.

— То есть они вас не одобряют?

— Это еще мягко сказано, — усмехнулся Дорошин. — В самые критические минуты они заявляют, что я их позорю.

— Даже так? И как вам с этим живется?

— Ну я же сказал, что выбрал быть котом. Они имеют право на собственное мнение, и я его уважаю. Но я имею право на собственную жизнь и вправе надеяться на то, что они тоже будут ее уважать. Они, правда, ее не уважают, но это ничего не меняет. Я все равно делаю и буду делать только то, что считаю нужным и правильным.

Он посмотрел на часы и встал. Кот при этом мягко спрыгнул с коленей хозяина и недовольно мяукнул.

— Нам пора ехать, Анастасия.

* * *

Моросил нудный холодный дождь, и Наталье ужасно не хотелось выходить из машины. Они с Ильей так хорошо провели этот вечер, давно уже ей не было так спокойно и радостно. И Павел, кажется, вышел из беспробудного опьянения, во всяком случае, за сегодняшний день ни разу не позвонил, не просил приехать, не жаловался на одиночество и на то, что ему не с кем поговорить о Милене. Он тяжело пережил известие о ее неверности, но, кажется, справился.

— Спокойной ночи, Илюша, — ласково сказала она.

— Спокойной ночи, — он нежно поцеловал ее. — До завтра?

— Завтра педсовет, я освобожусь часов в семь.

— Ну и нормально. Я тоже буду весь день занят, а вечером увидимся, договорились?

— Договорились. — Она вылезла из машины и помахала ему рукой: — Пока.

Уже час ночи, но во всех комнатах горел свет. Значит, Соня еще не спит. Наталья обнаружила дочь в своей комнате, девочка сидела на диване, поджав под себя ноги, укутавшись пледом, и смотрела на мать испуганно и как-то затравленно. С чисто умытым лицом, без подкрашенных ресниц и губ, с вымытыми и до конца не просохшими волосами, она казалась такой маленькой, хрупкой и беззащитной, что у Натальи сердце сжалось. Неужели этот нежный ангел, ее маленькая девочка, и есть та самая девушка, которая думает только о деньгах и всевозможных выгодах?

— Что случилось? — встревоженно спросила Наталья. — Почему ты здесь сидишь? Почему до сих пор не в постели? Тебе же завтра в гимназию.

— Я... я боюсь, — пробормотала Соня.

— Чего ты боишься? Ты никогда не боялась оставаться одна в квартире. Что ты выдумываешь?

— Я не выдумываю. Мам, за мной, кажется, следят.

— Что?!

Наталья обессиленно опустилась на стул.

— Кто за тобой следит? С чего ты это взяла?

— Я ходила с девочками в кафе, и там один тип на меня все время смотрел. Я думала, он просто познакомиться хочет, а он все смотрел, смотрел, потом вышел на улицу, мне через окно было видно, он там с каким-то другим дядькой встретился, они о чем-то поговорили, а когда я домой возвращалась, я этого второго дядьку заметила. Мне так страшно стало!

— Сонечка, а тебе не показалось?

— Нет, не показалось, я уверена. Я теперь буду бояться из дома выходить.

— Ну что ты, девочка моя, успокойся. Мы завтра с тобой вместе пойдем в гимназию и домой будем вместе возвращаться, и так каждый день. Когда я с тобой, ничего не случится, — стала успокаивать ее Наталья, хотя у самой сердце в пятки ушло.

Милену убили, потом еще какого-то человека, Паша очень разнервничался, он считает, что все это как-то связано с его работой. Но если это и в самом деле так, то и Соне может угрожать опасность.

— А этот... этот человек, которого ты заметила, он видел, в какой дом ты вошла?

— Да, он даже в подъезд зашел следом за мной, но я успела в лифт войти.

Значит, он знает не только в каком доме живет Соня, но и на каком этаже. Господи, да что же это! Надо спрятать ребенка куда-нибудь, пока ничего не случилось. Но куда, куда?! К Илье? Нет, это не выход, Соня его недолюбливает и ни за что не согласится, хотя Илья, конечно, не откажется помочь. Но и здесь ее оставлять нельзя, ведь случись что — в квартире две беспомощные женщины, это в самом лучшем случае, а то и одна Сонька. Надо срочно звонить Павлу, он что-нибудь придумает, в конце концов, это его профессия и это его дочь.

Пришлось долго ждать, пока Павел снимет трубку, видно, крепко спит.

— Паша, за Соней следят, — выпалила Наталья без долгих предисловий. — Что нам делать?

Павел мгновенно очнулся, попросил Соню взять трубку и долго задавал ей вопросы, потом велел позвать к телефону мать.

— Я думаю, ее надо привезти ко мне, — решительно заявил он. — Здесь ее искать не будут, все знают, что она живет с тобой. Ночью за домом вряд ли следят, я немедленно приеду и заберу Соню, а ты пока приготовь ее вещи.

— Но, Паша, это не выход, — запротестовала Наталья, — ей же нужно ходить в гимназию, ее все равно выследят.

— Значит, ты завтра же пойдешь к директору, все объяснишь и договоришься, что Соня не будет ходить на занятия, пока все не утрясется. Она вообще никуда не будет выходить из дома, и ее никто никогда не найдет. Ты поняла? И, кстати, подумай о том, что тебе тоже нужно где-то временно пожить. Раз они знают адрес, то тебе не нужно там оставаться одной. Поживи у родителей или хотя бы у своего Ильи. У Ильи даже лучше. Пусть он тебя отвозит по утрам на работу и потом забирает, одна никуда не ходи. Поняла?

Он говорил так четко, напористо и убедительно, что Наталья больше не возражала. Павел знает, как лучше сделать, и надо ему довериться.

— Сейчас же позвони Илье и скажи, чтобы он приехал за тобой. Не оставайся в квартире одна. А я минут через сорок заберу Соню.

Наталья положила трубку и кинулась к шкафу.

— Собирайся, сейчас за тобой папа приедет.

— Зачем? — удивилась Соня.

— Ты будешь жить у него, пока все не разъяснится.

— А как же в школу? Он ведь не сможет меня отвозить и забирать, а одна я боюсь.

— Ты не будешь ходить в школу, я договорюсь. Будешь сидеть у папы дома и носа наружу не высовывать.

— А ты как же? Тебя тоже могут выследить.

— Я буду жить у Ильи. Не волнуйся, Сонечка, это все временно, вот разберутся, кто убил Милену, найдут всех преступников, выяснят, кто и зачем за тобой следил, и все будет по-прежнему, мы снова будем жить здесь вместе с тобой. Иди собери свои вещи.

Дождавшись, когда девочка скроется в своей комнате, Наталья набрала номер мобильного телефона Ильи.

— Илюша, ты еще не доехал?

— Нет, пока в дороге. Что-нибудь случилось?

— Мне очень неловко тебя беспокоить, но... ты не мог бы вернуться и забрать меня?

— Забрать? — изумленно переспросил он. — Куда?

— К себе. У нас тут некоторые осложнения, я тебе потом все объясню. Соня временно переезжает к отцу, и мне тоже нужно где-то пожить. Или у родителей, или у тебя. Если ты против, то я поеду к родителям, хотя им придется все объяснять, они начнут нервничать, волноваться... Но если ты против... если тебе это неудобно...

Ей самой противно было слушать свой жалкий лепет, но Наталья, будучи человеком деликатным, вовсе не была уверена, что Илья примет ситуацию с восторгом. Ей так хотелось, чтобы он отвез ее к себе! Но, с другой стороны, все это было так неожиданно, как снег на голову, а Илья Бабицкий неожиданностей очень не любил, уж это-то Наталья знала совершенно точно.

— Ну что ты, Наташенька, — послышался его ласковый голос, такой родной, такой любимый, — как я могу быть против. Я уже разворачиваюсь, минут через тридцать буду у тебя. Быстрее не смогу, дождь, очень мокро.

Ну вот, зря она боялась. Илья действительно любит ее, теперь в этом можно не сомневаться.

* * *

Александр Эдуардович Камаев спал этой ночью глубоко и спокойно. Дело, которому он решил посвятить свою жизнь, приобрело в последнее время несколько неожиданный разворот, так что пришлось менять планы и некоторые отработанные схемы, но это вносило приятное разнообразие и некоторую изюминку в повседневную рутину. Вечером он плотно и с аппетитом поужинал, с удовольствием почитал недавно купленную книгу и рано уснул.

Из мягкого пухового сна его выдернул телефонный звонок. Бабицкий. В час ночи. Что там еще?

— У Натальи какие-то проблемы, и мне придется на некоторое время забрать ее к себе, — заявил он.

— Какие проблемы? — встрепенулся Камаев. — Что произошло?

— Не знаю, она расскажет потом, сейчас я еду к ней. Просто ставлю вас в известность, что какое-то время она будет жить у меня.

— Черт! Да что там могло случиться?

— Говорю же вам — не знаю. Завтра сообщу.

— А она не разводит тебя, Илья? Может, это их бабские штучки: напридумывать всякого, чтобы переехать к тебе якобы временно, а потом ее не выгонишь.

— Александр Эдуардович, позиция Натальи мне известна: она не собирается жить отдельно от дочери, пока девочка не повзрослеет и не поумнеет, и она не хочет, чтобы мы жили втроем. Вы можете не беспокоиться, навсегда она пока не останется.

— Ну смотри, на твою ответственность. А сейчас она вместе с дочерью к тебе собирается?

— Нет, одна. Соня поедет к отцу, он ее заберет.

— Господи, да что же там такое происходит? — Камаев не на шутку разволновался.

— Я вам завтра все расскажу.

— Илья, я еще раз повторяю тебе: не вздумай переводить эту ситуацию в женитьбу. Я категорически против, и ты это знаешь. Я нанял тебя, ты на меня работаешь и будь любезен выполнять мои требования.

— Я все помню, Александр Эдуардович.

После этого разговора Камаев долго не засыпал, лежал неподвижно в постели, уставившись в потолок, и думал, думал... Все должно получиться, надо только набраться терпения. Не может не получиться. Во всем есть жесткая внутренняя логика, этой логике подчинено поведение человека, и если ее правильно понять, поведением можно управлять. А денег никогда не бывает много. Их бывает только мало. Или не бывает совсем.

Глава 8

Спать Насте совсем не хотелось, и она решила просмотреть дискеты, найденные в квартире Канунникова. Обычный набор молодого мужчины, занимающегося строительством и продажей квартир: схемы, чертежи, сметы, типовые договоры купли-продажи квартир в строящемся доме, такие же типовые договоры подряда на проведение строительно-монтажных и отделочных работ, немного «игрушек» — «стрелялок» и «бродилок». В общем-то, Настя и не рассчитывала найти на этих дискетах и дисках что-то волнующее, проливающее яркий свет на совершенное убийство, ей просто нужно было доделать работу до конца, а заодно и постараться получше понять самого Олега Канунникова. Правда, характер Олега от просмотра дискет ярче не прорисовывался, но она все равно методично изучала все материалы, потому что понимала: уснуть не удастся. Она чувствовала себя какой-то взбудораженной, словно внутри некая застывшая масса вдруг всколыхнулась, ожила и начала приобретать совершенно новые формы, попутно перестраивая и все, что находится рядом с ней: мысли, чувства и даже работу сердца.

В строительстве она не понимала ровным счетом ничего, поэтому даже если на этих дискетах и было что-то необычное, она бы все равно не заметила. Однако продолжала смотреть и даже пыталась во что-то вникать, например, поэтажный план дома, который построила фирма «Контракт — ОК», она все-таки освоила. Обычный дом, квартиры от однокомнатных до четырехкомнатных, планировка стандартная, никакого шика, в каждом подъезде по два лифта и помещение для консьержки. Для оживления скучной работы она даже принялась рассматривать планы квартир, прикидывая, в какой ей хотелось бы жить. Четыре комнаты отбрасываем сразу, это слишком много, им с Чистяковым столько не нужно, да и уборки в этих хоромах — никаких выходных не хватит. Три? Можно подумать. В одной комнате спальня, в другой — диван с телевизором и компьютером, в третьей... Н-да, третья, пожалуй, будет лишней. Наверное, двухкомнатная была бы в самый раз, например, вот такая, с большой кухней. Или вот эта, в ней кухня поменьше, но зато просторная прихожая, в нее можно поместить огромное количество полок с книгами и папками, и это существенно облегчит решение проблемы пространства в гостиной.

Мечтать было сладко. Настя покосилась на мирно посапывающего мужа и пошла на кухню выпить чаю. За чаем мечталось еще лучше, особенно если перед тобой целая коробка вкусного печенья. Зачем она смотрит эти дискеты? Настя представила себе, как утром принесет их на работу, пойдет к начальнику докладывать о вчерашнем дне, проведенном сначала в квартире подозреваемого, потом в кабинете следователя, расскажет про дискеты, и Большаков спросит у нее: есть там что-то интересное? А она честно ответит: «Я ничего не поняла, я в этом не разбираюсь». И что он о ней подумает? Вместо того чтобы вызвать специалиста, который понимает в строительстве, и отдать дискеты ему, она продержала их у себя почти сутки, причем без всякого результата. Это что, показатель высокого профессионализма? Это достойные слова в устах человека, которого только что повысили в должности?

И вдруг в голове ее появилась мысль, совершенно Анастасии Каменской не свойственная. «А мне плевать, что он обо мне подумает. Пусть думает что хочет. Мне нужно было сперва самой посмотреть эти дискеты. В конце концов, я — старшая в группе, и мне необходимо по каждому факту иметь собственное мнение».

Настя прислушалась к мысли, немало ей удивилась и налила себе еще чаю. Откуда бы это? Что это с ней такое? С каких это пор ей стало наплевать на мнение начальника?

Дорошин. Что-то он с ней сегодня такое сделал, что-то волшебное, и она вдруг поняла, что можно жить не только так, как живет она сама, но и по-другому. Она — женщина, выросшая и получившая воспитание в советское время, когда одобрение вожака стаи, будь то руководитель по службе или партийный босс, было входным билетом на лестницу карьерного продвижения. Мнение окружающих о тебе было той движущей силой, которая приводила в действие весь механизм твоей социализации, и если механизм не работал или работал плохо, ты превращался в неудачника. Тебе не давали путевок в дом отдыха или санаторий, тебя не включали в списки на поощрение, не ставили в очередь на приобретение дефицитной мебели, телевизора или машины, а о жилье и говорить не приходится. И уж конечно, тебя не принимали в партию, а без партбилета тебя не повышали в должности и не переводили на более высокооплачиваемую работу. Таковы были правила игры в те времена, дефицит всего и вся, начиная от продуктов и заканчивая квартирами, создавался искусственно, чтобы сделать людей зависимыми от расположения вожака стаи и, стало быть, управляемыми.

А Игорь Дорошин — это уже другое поколение, ему исполнилось двадцать лет, когда на смену старым правилам игры окончательно пришли новые, а уж эпоху застоя он вообще вряд ли помнит. Когда умер Черненко, пришел Горбачев и началась перестройка, Игорю было лет двенадцать, а Насте — двадцать пять, уж она-то успела пожить в ту эпоху, и не только воспитание и образование получить, но даже и поработать. Обыкновенный участковый Дорошин сегодня преподал ей урок удивительной внутренней свободы.

Ей вдруг стало легко и весело. «Никуда я не уйду, — подумала она, не замечая, что улыбается во весь рот. — Не дождетесь. И можете думать обо мне что хотите. Судьба подарила мне великую удачу — работу, которую я люблю и которой хочу заниматься еще много лет, работу, которая дает мне и радость, и отчаяние, и усталость, и победы, и никогда не надоедает. И я буду, буду, буду заниматься этой работой, что бы вы там про меня ни говорили и ни думали. Уволить меня на пенсию вы теперь не можете, если Большаков не обманет и напишет представление, скоро я стану полковником и получу право служить как минимум до пятидесяти лет, а выкинуть меня со службы по другим причинам я вам повода не дам. Вот так!»

Она быстро допила чай и вернулась к компьютеру. Вставила очередную дискету и, обнаружив на ней очередные поэтажные планы, решила поддержать хорошее настроение и продолжить мечтать о более просторном жилье. Так, где там у нас третий подъезд? Именно в нем находятся те самые «двушки» с большой прихожей. Вот страничка, сверху надпись «Подъезд 3». Но квартиры какие-то другие. Настя могла бы поклясться: на всех просмотренных чертежах она таких квартир не видела. И вообще, здесь всего по две квартиры на этаже, а не по четыре.

Она всмотрелась внимательнее. Ничего не понятно. Прежние планы она читала легко, а тут разобраться не может, какие-то совсем другие обозначения появились. Лешка помог бы, он все-таки мужчина, но ведь он спит, жалко будить.

— Леш, — шепотом позвала она.

Ну а вдруг? Вдруг он спит не так уж крепко?

Чистяков приоткрыл глаза и сиплым от сна голосом промычал:

— Ну?

— Ты планы читать умеешь?

— Какие еще планы?

— Ну такие, строительные. Дома, этажи, квартиры. Умеешь?

— Чего там уметь-то?

— Лешик, подойди сюда, а? — жалобно попросила Настя. — Я тут не все понимаю.

— А совесть у тебя есть?

— Нет и никогда не было, — рассмеялась Настя. — Ты что, родной? Откуда у меня совесть возьмется?

— Оно и видно, — проворчал он.

Алексей, кряхтя, сполз с дивана и, завернувшись в одеяло, босиком прошлепал к компьютеру.

— Ну, и чего тут непонятного?

— Вот смотри, — Настя мышью подвела стрелку к заинтересовавшему ее месту на плане. — Вот это лифт, это входная дверь в квартиру, это дверь в кухню, это дверь в комнату. Правильно?

— Правильно.

— А вот это что?

— Это камин.

— Камин? — удивилась она. — Ты уверен?

— Господи, Ася, ну это же элементарно! Видишь выступ в стене? Это каминная труба.

— Ничего себе! А вот это что?

— Это лестница.

— Куда?

— Аська, ну ты что, слепая? Вот же второй этаж, на него и лестница. И ради этого ты меня будила? И вообще, чем ты всю ночь занимаешься? Я думал, ты работаешь, а ты, оказывается, квартиры рассматриваешь. Задумалась о переезде, что ли?

— Так, — она улыбнулась, — мечтаю о несбыточном. Спасибо, Лешик. Ты мне очень помог. Иди ложись.

Он с хмурым видом побрел к дивану. Настя вскочила, укутала его поплотнее, поцеловала.

— Ну, Леш, не сердись, а? — попросила она. — Мне правда было нужно. И это правда для работы. Спи, мой золотой.

Она посидела на краешке дивана, мерно похлопывая мужа по плечу, будто ребенка укачивала, пока он снова не засопел. Значит, это вообще не тот дом. А если продолжать логическую цепочку — это не та дискета, то есть это дискета, не имеющая никакого отношения ни к фирме «Контракт — ОК», ни к самому Канунникову. И это никак не может быть дом, который Олег строил раньше, до того, как создал фирму, потому что на всех чертежах есть дата. Чертежи дома, в котором предусмотрены двухэтажные квартиры с каминами, датированы 2004 годом. Чужие чертежи и чужая дискета. Как они оказались у Канунникова? Зачем? Имеет ли это отношение к убийству Милены Погодиной?

Она на цыпочках отошла от дивана и снова уселась за компьютер. Кажется, на первой странице всех комплектов поэтажных планов был адрес дома. Точно, был. А на этой дискете она первую страницу пропустила, потому что искала приглянувшуюся квартиру в третьем подъезде. Настя быстро нашла нужное место и усмехнулась: адрес другой. Прямо с утра она поедет по этому адресу и посмотрит на месте.

Впрочем, почему с утра? До утра еще куча времени, а спать все равно не хочется. Она вытащила дискету и вывела на экран карту Москвы. Вот эта улица, и не так уж далеко, по ночному городу можно минут за двадцать доехать.

— Леш, — снова прошептала она.

— Убью, — сонно отозвался муж.

— Леш, мне нужно съездить кое-куда. Я возьму машину, можно?

— Обалдела? — Голос Чистякова приобрел некоторую грозность. — Три часа ночи. Куда ты поедешь?

— Хочу посмотреть на дом с лестницами и каминами.

— А завтра нельзя?

— Можно, но время будет упущено. Так я поеду?

— Да делай ты что хочешь.

— А ключи где?

— В кармане куртки. Все, я сплю.

Настя оделась, взяла ключи и выскочила из квартиры.

Дорога заняла больше времени, чем она рассчитывала: шел дождь, и Настя побоялась ехать слишком быстро. Машину водить она умела давно, но водителем была аховым, поскольку на практике применяла свои умения крайне редко. Через полчаса она нашла нужное место и притормозила. Вон он, этот дом, обнесен дощатым забором, то есть строительство еще не окончено. Наверное, идут отделочные работы, потому что внешне дом производит впечатление полностью завершенного. Настя медленно поехала вдоль забора, пока не увидела большой плакат, извещающий население о том, кто ведет строительство, каковы плановые сроки сдачи дома и по каким телефонам обращаться по вопросу приобретения квартир. Всю эту информацию она добросовестно переписала в блокнот и поехала домой.

* * *

Рабочее утро началось с неожиданностей. В кабинет Каменской ворвался сияющий Сергей Зарубин.

— Ты не поверишь! — заорал он, потрясая зажатой в руке папкой.

— Не поверю, — тут же согласилась Настя. — А чему?

— Наш новый шеф сделал невозможное! Он дожал руководство Седова, и они сегодня с утра пораньше прислали материалы по всем делам, которыми он занимался за последние три года. Не его собственные оперативные материалы, а выписки, в которых обозначена суть дела и перечислены фигуранты. Ну все, теперь можно работать, а то я только тем и занимался, что клещами информацию тянул. Слушай, а наш новый-то — ничего, Афоня бы ни за что не стал ради нас задницу рвать.

— Это точно, — снова согласилась она. — Сережа, надо пробить одну фирму. Срочно. Сделаешь?

— А сама? Хворая? Или ты теперь большим руководителем заделалась и о мелочи ручки не мараешь? — хитро прищурился Зарубин.

Настя тут же поймала себя на мысли, что еще вчера в ответ на такую тираду она бы расстроилась, распереживалась, ну как же, ее коллеги о ней плохо подумают, дескать, зазналась и все такое. Сегодня же слова Зарубина ее нисколько не задели. Спасибо тебе, Игорь Дорошин, за вчерашний урок.

— У меня назначена встреча с участковыми, которые обслуживают территорию в районе Государственной библиотеки. Хочу найти турфирму, в которой работала Погодина. Мне уже бежать нужно, Сереженька, так что ты уж сделай, будь добр. Вот, держи, здесь все написано.

Она сунула в руки Зарубину вырванный из блокнота листок, заперла кабинет и помчалась по длинному казенному коридору, по которому в последнее время обычно ходила медленно и тяжело.

Участковых было трое, разброс между выходами трех станций метро оказался действительно большим, и все выходы приходились на разные участки.

— Меня интересует туристическая фирма, которая в 1999—2000 годах находилась рядом с одним из выходов с пересадочного узла, — объяснила Настя.

— На моем участке таких нет, — сразу отозвался один из участковых. — У меня Александровский сад, сами понимаете, правительственная трасса. На Моховой есть несколько, но это не рядом с выходом из метро, это гораздо дальше.

— У меня, кажется, есть то, что вам нужно, — задумчиво произнес другой. — Маленькая фирмочка, но жутко блатная.

— Блатная? — переспросила Настя. — Это как?

Она не очень хорошо представляла себе смысл слова «блатной» в данном контексте.

— Ну, это же центр, самый центр, рядом с Кремлем, здесь арендная плата — будьте-нате, и выживают только крупные фирмы, по-настоящему богатые. А эта маленькая совсем. Я бы даже сказал — захудалая.

— Откуда же у них столько денег, чтобы платить аренду?

— Я выяснял. Владелица — жена какого-то крутого не то бандита, не то бизнесмена, впрочем, это почти всегда одно и то же. Ей захотелось игрушку, вот муж ей и купил. Даме нужно чем-то заниматься, чувствовать себя при деле, командовать, распоряжаться, а прибыль значения не имеет. За аренду муж платит. Если хотите, можем сейчас пройти, я покажу.

— Обязательно пройдем. А у вас есть что-нибудь? — обратилась Настя к третьему участковому, угрюмому мужчине средних лет.

— У меня есть одна турфирма, только вряд ли она вас заинтересует, она только в прошлом году появилась.

— А что раньше было на этом месте?

— Магазин. Он разорился, и помещение купила крупная фирма для своего филиала.

— А до магазина? — настойчиво спрашивала Настя.

— Не знаю, я на этом участке с 2002 года работаю.

— Узнайте, пожалуйста, — жестко сказала она и, услышав себя со стороны, в очередной раз удивилась. — У вас должен быть паспорт на здание, и в нем указано, когда и что там находилось с момента его постройки.

— Паспорт есть, но он на опорном пункте. Сказали бы сразу, что вам нужно, я бы его с собой принес, — огрызнулся угрюмый участковый.

Настя молча протянула ему свою визитку.

— Мы сейчас с вашим коллегой пойдем посмотрим его турфирму, а вы, будьте любезны, сходите на свой опорный пункт, посмотрите паспорт и позвоните мне.

Еще вчера она постаралась бы не смотреть ему в лицо, понимая, что на лице этом ничего приятного она не увидит. Баба какая-то с Петровки прикатила и начала тут всех строить, видали мы таких! Но сегодня Настя, не переставая удивляться самой себе, посмотрела на него не только в упор, но и с любопытством. Любопытство, правда, было адресовано не столько участковому, сколько лично ей, Насте Каменской. Просто интересно, какую реакцию вызовет в ней то, что она увидит. Увидела она именно то, что и ожидала и от чего всю жизнь старалась укрыться: неудовольствие и презрение в свой адрес. А вот реакция оказалась неожиданной: ее не было вовсе. Ну стоит угрюмый мужик с кислой миной, ну не нравится ему выполнять поручения «бабы с Петровки», ну неохота ему тащиться сейчас в свой опорный пункт, потому что у него были совсем другие планы, ну и что? Дальше-то что? Все равно пойдет, и паспорт посмотрит, и позвонит, и дело будет сделано. И пусть думает о ней что хочет, это его глубоко личное дело.

Участковый Николай Песков, на территории которого располагалась «блатная» турфирма, привел Настю прямо в кабинет владелицы, красивой холеной молодой дамы в дорогом костюме.

— Коленька! — запела дама. — Сколько лет, сколько зим! У нас все в порядке, можете не беспокоиться. Кого вы привели? Неужели клиентку? С меня коньяк.

— Нет, Алиса Борисовна, — усмехнулся Песков, — мимо коньяка я, похоже, пролетел. Это не клиентка.

— Я из уголовного розыска, — Настя протянула свое удостоверение.

— Господи! — Алиса Борисовна в ужасе всплеснула руками. — Что, с кем-то из наших что-то случилось? У меня штат маленький, все на виду, уж, казалось бы, я каждого знаю как облупленного...

— Вот по этому поводу мне и нужна ваша помощь, — перебила ее Настя. — Вы действительно хорошо знаете свой персонал?

— Каждого лично на работу принимаю, — гордо заявила Алиса Борисовна.

— И большой у вас штат?

— Да что вы, откуда? Всего двенадцать человек.

— И всегда так было? Или раньше фирма была побольше, а потом вы сократились?

— Нет, мы не сокращались. Моя фирма маленькая, потому что мы осуществляем эксклюзивное обслуживание, очень дорогое, а на него спрос невелик. Что, кто-то из клиентов пожаловался на персонал? Я немедленно разберусь...

— Алиса Борисовна, у вас работала Милена Погодина?

— Мила? Да, конечно, но это было так давно... Коленька, вы должны ее помнить, такая красивая девочка, она у нас на ресепшене сидела.

— Алиса Борисовна, сколько я вас знаю — у вас на ресепшене сидит ваша племянница, или кем она вам там приходится, — усмехнулся Песков.

— Ах да, вы Милу не застали... Жаль. Обязательно влюбились бы. Такая красивая девочка была и работала отлично, никогда ничего не путала и не забывала. Когда она уходила, я ей так и сказала: если тебе нужна будет рекомендация на новое место работы — только позвони, я охарактеризую тебя самым лучшим образом.

— А когда она уходила? — спросила Настя, доставая блокнот.

— Ну, этого я не помню, это было давно.

— Мне нужно знать точно.

— Хорошо, я сейчас позову кадровика, пусть посмотрит. А почему вы об этом спрашиваете? С Милой что-нибудь случилось?

— К сожалению, Алиса Борисовна, Милена погибла. Ее убили.

— Какой ужас!

Красивое лицо владелицы туристической фирмы выразило искреннее огорчение и даже некоторый шок.

— Так вы думаете, ее убили из-за того, что она у меня работала? Это совершенная глупость!

Действительно глупость, насмешливо подумала Настя. Такая глупость могла прийти в голову только человеку, страдающему манией величия.

— Не волнуйтесь, Алиса Борисовна, она погибла вовсе не из-за этого. Ее убил любовник.

— Из ревности?

— Узнаем, когда найдем его. Он пока скрывается.

— А кто был ее любовником? — живо заинтересовалась туристическая дама. — Зная Милу, можно предположить, что какой-нибудь состоятельный бизнесмен. Я угадала?

— Нет, он был совершенно обыкновенным человеком.

— Странно.

— Почему странно?

— Ну, потому что...

В этот момент дверь кабинета открылась, и заглянул солидный, хорошо одетый мужчина.

— Вызывали, Алиса Борисовна?

— Да-да, посмотрите, пожалуйста, когда у нас увольнялась Мила.

— Мила? — брови кадровика поползли вверх. — Какая Мила?

— Ну Мила, которая сидела на ресепшене. Погодина.

— Так это давно было...

— Я знаю, что давно. Мне нужно точно, — надменно ответствовала Алиса Борисовна.

— И когда вы ее принимали на работу, — быстро добавила Настя. — И какой оклад у нее был. И формально, и на самом деле.

— Это коммерческая тайна, — мгновенно отреагировала владелица.

— Алиса Борисовна, я не из налоговой полиции и даже не из инспекции, я ищу убийцу, и меня совершенно не интересует, какие зарплаты вы показываете в ведомостях и какие платите на самом деле. Мне нужно восстановить всю жизнь Погодиной и ее финансовое положение в каждый период жизни. Вам это понятно?

Настя обернулась к кадровику и обворожительно улыбнулась ему:

— Значит, дата поступления на работу, дата увольнения и два оклада, официальный и реальный. Будьте так добры.

Кадровик перевел взгляд на начальницу, которая подумала немного и снисходительно кивнула, мол, делай, что велено. Он понимающе крякнул в ответ и скрылся за дверью.

— А вас, Алиса Борисовна, я очень попрошу вспомнить все подробности о Милене, начиная с того, как она попала к вам на работу, и заканчивая тем, при каких обстоятельствах она ушла.

Память у Алисы Борисовны была очень даже неплохой, и она поведала, что к ней обратился ее давний, но не очень близкий знакомый, бывший однокласник, с вопросом, нет ли у нее места для красивой толковой девушки. Алиса Борисовна в то время руководила своей фирмой около полугода, это было ее первое «дело», в вопросах подбора персонала она была совсем не искушена, набрала по первости кого попало и вот спустя полгода начала пожинать плоды, обретя некоторое понимание того, как нужно искать людей и кого можно и нужно принимать на работу, а кого ни в коем случае нельзя. Звонок одноклассника пришелся на момент массовых увольнений «первого набора», мест в фирме было предостаточно, и Алиса Борисовна поинтересовалась квалификацией «красивой толковой девушки». Одноклассник сказал, что у девушки за спиной средняя школа и приличный жизненный опыт, а в активе — хорошие мозги, честность и добросовестность. Иностранный язык? Нет, учила только в школе, потом не пользовалась. А кто она такая, откуда взялась? Одноклассник объяснил, что речь идет о подруге его товарища. Хороший парень, и она — хорошая девчонка, очень хочется помочь. Ладно, согласилась Алиса Борисовна, пусть приходит.

Милена пришла на следующий день и сразу понравилась хозяйке фирмы. Алиса Борисовна, видно, была не из тех женщин, которые ненавидят молодых красавиц. Сама очень красивая, яркая, в дорогих украшениях, она ни секунды не сомневалась в том, что соперниц у нее быть не может. Если бы Милена знала хоть один иностранный язык, ей предложили бы работу, связанную с общением с иностранными туроператорами, но она оказалась пригодной только для того, чтобы привечать посетителей, отвечать на их вопросы и на телефонные звонки, зато даже такую несложную работу она выполняла очень хорошо. Более того, Алиса Борисовна как-то заметила, что Мила, как принято говорить, делает лицо фирмы: входит с улицы потенциальный клиент, и первое, что он видит, — это красивая, безупречно вежливая и доброжелательная девушка с приятным голосом и такой улыбкой, что непременно хочется остаться и заключить с этой фирмой договор. Алиса Борисовна повысила ей зарплату до трехсот долларов. Конечно, была некоторая проблема с тем, что Милена жила в Москве на птичьих правах, по липовой справке о регистрации, но в случае возникновения осложнений богатый и влиятельный муж Алисы Борисовны готов был подключиться и все уладить.

Погодина проработала в турфирме чуть больше года, а потом уволилась. Один из клиентов оценил потенциал девушки и предложил ей другую работу.

— Вот об этом, пожалуйста, поподробнее, — попросила Настя.

Интересно, какую работу ей предложили и сколько Милена на ней продержалась? К моменту, когда она познакомилась с Седовым, она уже нигде не работала. Или Седов и здесь наврал?

Пескову кто-то позвонил на мобильный. Настя краем уха уловила его слова: «Уже не надо, мы ее нашли» и поняла, что звонит тот самый угрюмый. Вот ведь характер! Она же специально дала ему свою визитку с номерами телефонов, так нет, не захотел он с ней общаться, коллеге позвонил. Не понравилась ему «баба с Петровки». Ну и ладно.

— Видите ли, — начала, немного помявшись, Алиса Борисовна, — у Милены, когда она ко мне пришла, был молодой человек, ну, тот, что попросил своего товарища помочь устроить ее на работу. Олег, кажется. Я его часто видела, он встречал Милу вечером после работы.

— Каждый день? — уточнила Настя.

— Ну, этого я не знаю, но, по-моему, нет. Не каждый день, но часто. Он мне не показался... Словом, ничего особенного. Я была уверена, что такая девушка, как Мила, достойна лучшего.

— Вот этот? — Настя протянула ей фотографию Канунникова.

— Да-да, именно этот. Надо же, как много вы о ней уже узнали! Ну так вот, когда девочки мне сказали, что ей начал оказывать внимание один из наших клиентов, я от души порадовалась за Милу.

— Этот клиент ухаживал за Погодиной?

— Во всяком случае, я так поняла, — уклончиво ответила Алиса Борисовна. — А спустя какое-то время Мила пришла ко мне и сказала, что ей предложили другую работу, на которой больше платят.

— И вы не пытались ее удержать?

Хозяйка фирмы поморщилась.

— Анастасия Павловна, мы с вами взрослые люди и прекрасно понимаем, что стоит за словами. Я поняла это тогда таким образом, что нашелся состоятельный мужчина, который готов взять Милу под свое крыло. Как я могла ее удерживать? Я была рада, что девочка наконец устроит свою личную жизнь. Не болтаться же ей до старости со своим этим... Олегом. У него даже машины не было.

Н-да, это, конечно, аргумент. Если нет машины, то о личной жизни нечего и мечтать. Ну что ж, у богатых свои причуды.

— Алиса Борисовна, мне нужно имя этого клиента, — сказала Настя.

— Где же я вам его возьму? — неподдельно удивилась Алиса.

— Спросите у своих сотрудников, возможно, кто-то из них его помнит.

— Сотрудники?

Алиса Борисовна вытащила из стола папку, открыла и стала внимательно что-то читать.

— Нет, — произнесла она через некоторое время, покачав головой, — вряд ли получится. У меня за эти годы весь персонал поменялся, остались только три человека: главный бухгалтер, кадровик и мой водитель. Менеджеры все новые, никто из них Милу не застал.

Словно услышав эти слова, в дверь просочился кадровик.

— Вот, — сказал он, протягивая Алисе Борисовне листок бумаги, — как вы просили.

Та взяла листок и, прежде чем отдать его Насте, прочла сама.

— Ну вот, Погодина была принята на работу 14 мая 1999 года, уволилась 1 августа 2000 года.

— Сколько прошло времени с того момента, как вы узнали, что за Миленой ухаживает один из клиентов, до увольнения?

— Недели две примерно. Может быть, три.

— Значит, Алиса Борисовна, сделаем так: вы сейчас пригласите одного из менеджеров, самого толкового, и попросите его найти сведения о том, кто и какие путевки оформлял у вас в июне — июле 2000 года.

— Но это займет много времени, — попыталась возразить та.

— Я поэтому и прошу вас пригласить самого толкового вашего сотрудника, — улыбнулась Настя. — У бестолкового это действительно может занять много времени. Я подожду.

Алиса Борисовна с обреченным вздохом просьбу выполнила. Молоденький невысокий мальчик с обритым налысо черепом, выслушав суть задания, пожал плечами и сказал, что ему потребуется примерно час.

— Значит, я вернусь через час, — обратилась Настя к хозяйке фирмы. — До встречи.

На улице она поблагодарила Пескова за помощь и, расставшись с ним, решила сходить в Дом книги. Она уже прошла примерно полпути, когда проведенная без сна ночь вдруг обрушилась на нее всей мощью, безжалостно придавливая к тротуару. Настя почувствовала, что если немедленно не сядет где-нибудь, не выпьет крепкого кофе и чего-нибудь не съест, то просто свалится без сил. Ноги не хотят идти, руки не хотят держать сумку, глаза не хотят смотреть, а голова — думать.

Не дойдя до Дома книги, она нырнула в первое попавшееся кафе и рухнула за первый же столик, оказавшийся у нее на пути. Девушка-официантка подала ей меню, которое Настя даже не смогла прочитать: от слабости мутилось в голове, и она не понимала, в какие слова складываются буквы и что эти слова означают.

— Два двойных эспрессо, — попросила она. — И поесть чего-нибудь.

— Что именно? Салаты, горячее, выпечка, десерты?

— Горячее, и как можно быстрее.

Девушка оказалась сообразительной, впрочем, может быть, она по Настиному лицу все поняла, и уже через пару минут на столе стояли две чашки крепкого кофе и огромный разогретый в микроволновке клубный сэндвич. Настя залпом выпила первую чашку и вонзила зубы в немыслимой толщины бутерброд, который показался ей волшебно-вкусным. Она помахала сообразительной официантке рукой, та немедленно подошла.

— Слушаю вас.

— Скажите, когда сильная слабость, что надо делать?

— Надо кушать сладкое, — очень серьезно ответила девушка. — Если слабость — значит, организму нужен сахар. Сердцу обязательно нужна глюкоза.

— Правильно, — кивнула Настя. — Давайте я съем самый вкусный десерт, какой у вас есть. Что вы мне порекомендуете?

— Возьмите «Голливудскую мечту», вам понравится. Там бисквитное тесто, свежие фрукты, шоколадный мусс и взбитые сливки. Очень вкусно.

— Несите, — одобрила Настя.

Она-то, дурочка, была уверена, что голливудская мечта — это главные роли в фильмах, съемки, миллионные гонорары, виллы на берегу океана и бриллианты величиной с кулак. А оказывается, это всего лишь фрукты с шоколадным муссом и взбитыми сливками. Как все просто...

Сэндвич, вторая чашка кофе и десерт привели Настю в чувство. Теперь можно и позвонить. Первым делом — следователю Давыдову. Она, конечно, совершила вчера страшную ошибку, и пришло время каяться. Дядя Федор, конечно, начнет ругаться, но это и правильно, она вполне заслужила.

— Федор Иванович, — начала она, но следователь тут же перебил ее:

— О, Настюха, ты как раз вовремя. Только что ответ пришел по тем пальцам, которые с банки с окурками сняли. Ну там, на лестнице, возле квартиры Канунникова, помнишь?

— Помню. И что там?

— Настюха, ты не поверишь! Пальцы есть в «Дельте», это ранее судимый за хранение наркотиков Щеколдин по кличке Чигрик. Ты чуешь, как все складывается?

«Дельта-С» — автоматизированная дактилоскопическая идентификационная система. Выходит, убитый «источник» Павла Седова и есть тот самый тип, который непонятно зачем часами просиживал на лестнице возле квартиры Канунникова. Квартиры, в которой убита любовница Седова... Вот клубочек-то закрутился!

— С ума сойти, — негромко воскликнула Настя и, понизив голос почти до шепота, хотя кафе и так было пустым, спросила: — А вы дело-то по трупу Щеколдина затребовали?

— А як же ж! Уже везут. Получается, что этот Щеколдин торчал возле квартиры Канунникова, причем долго, чего-то там вынюхивал или выжидал, а потом, сразу после убийства Погодиной, его тоже приговорили, только уже в другом конце города. А ты, собственно, чего звонишь?

— Каяться.

— Нашкодила? — строго спросил Давыдов.

— Еще как. Федор Иванович, я в квартире Канунникова коробку с дискетами взяла...

— Ну я помню, ты мне вчера сказала. И что? Ты их стерла, что ли?

— Хуже. Я следы стерла.

— Какие следы?

— Понимаете, я всю ночь сидела с этими дискетами, думала, может, что-то новенькое про Канунникова узнаю, и вдруг поняла, что это вообще не его дискеты. Ему их подбросили. И это значит, что на коробке не должно быть его следов, он ее даже в руки не брал. Просто его собственную коробку с дискетами забрали, а эту оставили.

— Ну не должно быть — и не должно. Чего ты так переполошилась?

— Так мне же точно нужно знать, есть там его пальцы или нет. А вдруг я ошибаюсь? А я ее так захватала, что теперь фиг что определишь. Хорошо, если там только мои следы, а вдруг там кто-то еще следы оставил, а я все испортила.

— Да, Настюха, это ты не права, — огорченно протянул следователь. — А почему ты вообще решила, что дискеты не его?

— Так, интуиция. Понимаете, Федор Иванович, Канунников — человек порядка, очень аккуратный и педантичный. Он все покупал с запасом, и все у него одинаковое, единообразное. В шкафу у него стояла коробка с чистыми дискетами, все дискеты одинаковые, одной марки. А на столе — и коробка совсем другая, и дискеты разномастные. Вот я вас вчера про бокалы спрашивала, так у него вся посуда одной фирмы, то есть покупалась разом и в одном месте. А те бокалы, которые вы изъяли с места происшествия, они же совсем другие, мы с вами вчера вместе смотрели. И они явно не подарочные, не сувенирные, самые простые. Не мог Канунников их купить, это не вяжется с его характером.

— То есть ты считаешь, что их тоже подбросили?

— Ну да.

— А пальцы как же? Там же и его пальцы, и Погодиной. Кстати, ты чего шипишь? Простыла, что ли?

— Нет, я просто тихо говорю. Я в кафе сижу, жду, пока мне в турфирме материалы найдут.

— Так ты нашла фирму-то? Вот это молодец, вот за это хвалю. Оперативно. Ладно, ты волосы-то не рви на себе, привези мне эту коробку, я сам к экспертам съезжу, поговорю. Я тоже виноват.

— Да вы-то тут при чем? — удивилась Настя.

— Ну а как же, Настюха? Я на месте происшествия главный, я должен был велеть эксперту все посмотреть, а когда он сказал бы мне, что на коробке вообще ничьих следов нет, я должен был бы призадуматься. Коробку-то мы все тогда проглядели. И, между прочим, прокурор-криминалист тоже, так что не одна ты виновата. Твоей вины, если уж на то пошло, вообще нет, ты за нас думать не обязана. Теперь скажи-ка мне, что у нас с Погодиной?

— Она пришла в турфирму на работу в мае 1999 года, ее туда действительно устроил Канунников через своего знакомого. В августе 2000 года уволилась.

— Почему? Выгнали?

— Нет, на нее положил глаз кто-то из клиентов фирмы и соблазнил то ли другой работой, то ли деньгами и перспективами.

— Клиента установила?

— Жду. Мне дадут список, из него будем выбирать.

— Вот елки-палки! Там что, никто его не помнит?

— Да там фирма-то — одно название, — засмеялась Настя. — Всего двенадцать человек вместе с водителями и уборщицами. За пять лет весь персонал сменился, нашу Погодину там вообще только владелица помнит, да еще кадровик, но уже с трудом.

— Хорошо, держи меня в курсе.

Настя положила телефон на стол, посмотрела на часы и подумала, что, пожалуй, успеет выпить еще чашку кофе и съесть еще один десерт. Ей уже стало значительно лучше, но надо запастись сахаром и калориями на весь рабочий день, который обещает быть длинным и не самым легким.

* * *

Евгений Леонардович внимательно слушал отчет о ходе комплексных исследований. Его на самом деле интересовал ход расследования только того дела, по которому работала Каменская, но как научный руководитель всего направления он не мог себе позволить не вникать в то, что происходит в Воронеже или в Тульской области. По заведенному давным-давно порядку материалы докладывались в хронологической последовательности, и отчет о том, что происходит в Москве, шел последним, потому что там комплексное исследование началось позже. Наконец очередь дошла и до убийства Милены Погодиной.

— Стоит вопрос об объединении этого дела с делом об убийстве некоего Алексея Щеколдина, — докладывал бывший следователь Геннадий. — Щеколдин — наркоман, имеет судимость за хранение наркотиков, срок получил условный, в местах лишения свободы не находился, длительное время состоял на связи с сожителем Погодиной, Павлом Седовым, в последние полтора-два года контакты с ним утрачены. Это и дало основания для объединения дел. В этом аспекте действия следователя Давыдова следует признать правильными. Версия об убийстве Погодиной из-за спорных денег криминального происхождения пока подтверждения не нашла, по ней работа приостановлена, на первый план вышла версия о мести Седову со стороны наркодельцов, которых он зацепил раньше.

— Что значит — раньше? — нахмурился Ионов.

— В то время, когда Седов еще контактировал с Щеколдиным. В противном случае преступники не вышли бы на Щеколдина.

— Разумно, — кивнул Евгений Леонардович. — Дальше, пожалуйста.

— Мы ожидаем, что следователь, как только получит дело Щеколдина, вынесет постановление о производстве экспертизы выделений, обнаруженных на лестнице возле квартиры Канунникова. Если он этого не сделает, грош ему цена. У него уже есть информация о том, что на банке с окурками, обнаруженной возле квартиры, следы пальцев именно Щеколдина, и он, по идее, должен сложить два и два. Теперь он должен проверить следы слюны на окурках и мочу. Поскольку в наличии имеется труп Щеколдина, можно добиться абсолютной идентификации человека, находившегося на лестнице возле квартиры Канунникова. По следствию у меня все.

— Теперь по экспертизам, — начальник отдела Кувалдин кивнул в сторону Зинаиды Васильевны, опытнейшего специалиста по экспертизам с огромным стажем.

В этом месте Ионов несколько отвлекся, в криминалистике он разбирался слабо и считал возможным особо не вникать. Судя по лицу Зинаиды Васильевны, претензий к изъятию образцов и проведению экспертных исследований у нее было море. Сотрудники следственно-оперативной группы сами затоптали все, что можно, потому что сперва на месте происшествия работал молоденький техник-криминалист, который не умеет разговаривать со старшими офицерами и покорно ждет, пока они соизволят выйти из помещения... На исследование представили только замок, извлеченный из входной двери квартиры Канунникова, а «родные» ключи для сравнения не представили... Для проведения сравнительного исследования не изъята у Кирилла Сайкина и не представлена обувь, в которой он был, когда приходил в квартиру вместе с хозяином... Плохо упакованы обнаруженные на лестнице окурки: их свалили в один конверт, тогда как, по правилам, они должны быть упакованы каждый в отдельный бумажный сверток, и только после этого все свертки укладываются в бумажный конверт...

Евгений Леонардович слушал вполуха, думая о Шепеле и его сыне. Сегодня он еще не встречался с Дмитрием, а ведь если они встретятся, Дима наверняка снова поднимет вопрос о назначении Вадима. Что ответить? Как себя вести? Ответа от Владимира Игнатьевича Ионов пока не получил, но это и немудрено, они ведь разговаривали в пятницу, поздно вечером, потом были два выходных дня, когда многие руководители предпочитают отдыхать за пределами столицы, а сегодня только вторая половина понедельника. Вопрос серьезный, его за пять минут не решишь, Евгений Леонардович по опыту знал, что ждать ответа ему придется не меньше недели. И всю эту неделю ему придется как-то вести себя с Шепелем. Как? Ах, Димка, Димка, поставил ты в пикантную позицию своего старого наставника. Может, струсить? Сказаться больным, сидеть дома, отключить мобильник, а к домашнему телефону пусть Роза подходит и всем отвечает, что профессор недомогает и велел не беспокоить. Нет, это уж очень по-детски, негоже ему в его-то восемьдесят лет прятаться, как нашкодивший пацан. И почему, в конце концов, он должен бояться Шепеля? Пусть Димка сам его боится.

— Спасибо, — поблагодарил Кувалдин Зинаиду Васильевну. — Оперативно-разыскная деятельность, пожалуйста.

Поднялся бородатый Сергей Александрович, открыл папку. Ионов оживился и стал слушать.

— Здесь картина очень неровная, потому что уровень профессионализма вовлеченных сотрудников сильно разнится, — начал он. — В самом начале я докладывал о существенном пробеле в их работе, этот пробел до сих пор не устранен. По делу работают четыре человека, и ни один из них до сих пор этого пробела не обнаружил.

— Может быть, они его видят, но считают несущественным? — заметил Ионов.

— Наверняка так и есть, — пожал плечами Сергей Александрович, — но мне непонятно, почему они считают его несущественным. Какие у них для этого основания? А скорее всего, они его просто не видят.

— Вы хотите сказать, что уверены в важности этой информации? — допытывался профессор. — Вы считаете, что именно в ней кроется ключ к раскрытию преступления? Вернее, теперь уже двух преступлений, если иметь в виду Щеколдина.

— Я ничего не считаю, — сухо ответил тот, — в мою задачу не входит раскрытие преступлений, в мою задачу входит анализ и оценка профессиональной деятельности сотрудников в поле исследования. Но от себя лично скажу, что я бы этот пробел устранил первым делом. Хвыля и Рыжковский, на мой взгляд, недорабатывают, то есть все, что они делают, они делают хорошо, но этого мало. По-прежнему очень хорошо идет Зарубин, я это отмечаю в каждом докладе. Немного исправилась Каменская, по-видимому, вы, Евгений Леонардович, были правы, после обсуждения ее диссертации на заседании кафедры она резко прибавила темп и за минувшие двое суток сделала очень много. Кроме того, ей в плюс я бы поставил привлечение к работе участковых уполномоченных, она умеет использовать их потенциал и знание местности и населения и этим экономит собственные трудозатраты и время. При этом не могу не отметить, что она допустила существенный промах, практически самоустранившись от осмотра места происшествия в момент обнаружения трупа Погодиной. С одной стороны, это позволило ей при помощи местного участкового обнаружить следы присутствия Щеколдина, что, конечно, хорошо для дела, но с другой стороны — она уже в момент осмотра, то есть в прошлый вторник, могла бы увидеть то, что увидела только вчера, и сделать соответствующие выводы. Время, таким образом, упущено.

Сергей Александрович стал подробно перечислять недоработки, допущенные Хвылей и Рыжковским, и в этом месте Ионов снова отвлекся. Ему интересно было послушать именно про Каменскую.

— Итак, выводы, — методично закончил свою часть отчета бывший оперативник. — Почти полностью разрушены связи между подразделениями, блокирован информационный обмен, нет практического сотрудничества. Для того чтобы получить у Федеральной службы по контролю за оборотом наркотиков необходимую для работы информацию, пришлось задействовать связи через руководство, это значительная потеря времени. Подозреваемый и объявленный в розыск Олег Канунников занимается строительством, однако для прояснения его профессиональной деятельности не привлечены сотрудники подразделений по борьбе с экономическими преступлениями. Не налаживаются международные связи, и для того, чтобы опросить проводников варшавского, пражского и хельсинкского поездов, приходится ждать, пока бригады снова будут в Москве.

— Благодарю вас, — кивнул Кувалдин. — Верочка, мы слушаем вас.

Психолог Верочка, специалист по расстановке кадров, повесила на стене схему. Она обожала наглядные материалы.

— В работу по исследуемому делу активно вовлечено пять человек плюс еще двое на периферии. Основной костяк — следователь Давыдов, сотрудники с Петровки Зарубин и Каменская, сотрудники с земли — Хвыля и Рыжковский. На периферии начальник отдела Большаков и участковый Дорошин. Из этих семи человек можно отметить идеально подобранную пару Зарубин — Каменская. Зарубин активен, мобилен, энергичен, психологически устойчив, фон настроения повышен, обладает хорошим чувством юмора, незлопамятен, эмоционально лабилен. Каменская, напротив, предпочитает аналитическую работу, она малоподвижна, фон настроения устойчиво снижен, очень обидчива и злопамятна. Они прекрасно дополняют друг друга. Еще одна пара, которую можно выделить в положительном смысле, это пара Давыдов — Каменская. Они давно знают друг друга, у них установлены неформальные доверительные отношения, и это благотворно сказывается на их сотрудничестве. В парах Давыдов — Хвыля и Давыдов — Рыжковский доверительные отношения не установлены, хотя Давыдов делает для этого все возможное. Хвыля относится к Давыдову пренебрежительно, считая его отставшим от жизни стариком, а Рыжковский следователя просто панически боится. Что касается тандема Хвыля — Рыжковский, то вместе они работают хорошо, у них полный контакт и взаимопонимание, правда, Хвыля несколько злоупотребляет своим старшинством при распределении обязанностей, но это дело обычное. А вот контакта между этой парой и парой Зарубин — Каменская нет вообще. То есть они общаются, но сказать, что они работают вместе, в одной упряжке, я не могу. При расстановке сил я могла бы рекомендовать ставить Каменскую с учетом ее психологических особенностей в пару только либо с молодыми неопытными сотрудниками, либо с теми, кто ее давно знает. Она очень сильно замотивирована на одобрение референтной группы и избегает ситуаций, в которых ее поведение может вызвать негативную или насмешливую реакцию, поэтому стесняется выполнять функции руководителя, если чувствует опасность внутреннего сопротивления. Например, она могла бы очень хорошо работать в паре с Рыжковским, но ее ни в коем случае нельзя ставить в пару с Хвылей.

Вера докладывала долго, подробно, было видно, что ей ужасно интересно то, что она делает. Ионов с удовольствием слушал молодую женщину: если в криминалистической экспертизе он не разбирался, то в психологии кое-что понимал. Хорошо, что под Программу дали превосходное техническое оснащение и нужное количество специалистов, есть возможность не только отслеживать каждый шаг тех, кто попал в поле комплексного исследования, но и слушать каждое их слово, и заглядывать в каждую написанную ими бумажку. Ну, почти в каждую.

В свой кабинет профессор Ионов вернулся слегка уставшим, но вполне умиротворенным. И почти сразу же появился Шепель.

— Евгений Леонардович, вы подумали насчет моей просьбы? — начал он прямо с порога.

— Подумал.

— И что вы мне скажете?

— Давай подождем, когда придет новое штатное расписание, тогда и будем решать, — уклонился от прямого ответа Ионов.

— Я должен что-то ответить Кире, — упрямо сказал Шепель, буравя Ионова выпуклыми круглыми глазами. — Я ведь сказал ей, что у нас будут вакансии.

— Так и ответь: ждем штатное расписание. Объясни ей, что неизвестно, сколько денег нам добавят и будет ли возможность вводить новые должности. Может, нам этих денег хватит только на техника или уборщицу.

— Но мы-то с вами знаем, что это не так. Евгений Леонардович...

— Дима, — Ионов слегка повысил голос, — мы много лет работаем вместе, я всегда тебя любил, но я никогда не думал, что ты попытаешься этим злоупотреблять. Не заставляй меня жалеть о том, что я хорошо к тебе отношусь.

Шепель молча развернулся и вышел из кабинета, хлопнув дверью. Ну вот, обиделся, злобу затаил. Еще немного — и разорвется многолетняя дружеская связь. Еще одна. Холодная рука одиночества тянется к Ионову, ее цепкие пальцы все ближе, ближе, вот-вот коснутся его изборожденного морщинами лба. Евгений Леонардович с тоской подумал о том, что то дело, которому он отдал двадцать лет, начинает разрушать его жизнь. Неужели так может быть?

* * *

Еще утром Соня с трудом дождалась, пока отец уйдет на работу. Теперь она будет здесь жить, и ей хотелось как можно быстрее остаться одной и начать осваивать новое место обитания. Завтра похороны Милены, нужно потерпеть еще один день — и все, начнется новая жизнь. Она, конечно же, на похороны пойдет, будет все время рядом с папой, чтобы он почувствовал, что теперь дочь — самый близкий ему человек. Время пройдет, и он уже не сможет себе представить жизни в этой квартире без Сони. Главное — зацепиться, и покрепче.

Едва за отцом закрылась дверь, Соня, притворявшаяся спящей, мгновенно выпрыгнула из постели, умылась, кое-как оделась, наскоро позавтракала и принялась обследовать жилище, главным образом — шкафы, полки, тумбочки. К своему глубокому разочарованию, она не обнаружила ни наличных денег, ни роскошных украшений. Где же деньги? Ведь они обязательно должны быть, отец говорил, что Милена много зарабатывает. Неужели она их держала в банке, в ячейке или на счете? Это плохо. И странно, что нет никакой ювелирки, то есть не то чтобы совсем никакой, какая-то есть, но совсем не та, на которую девушка рассчитывала. Наверное, эта Милена все деньги тратила на папино и свое лечение. Ну и дура. Какой прок с этого лечения теперь, когда она умерла? А так хоть кольца и серьги с бриллиантами остались бы.

И тряпок, о которых так вожделенно мечтала Соня, оказалось не так уж много, но зато те, которые она нашла, вызвали у девушки полный восторг. Она с наслаждением перемерила всю одежду Милены, крутясь перед зеркалом и восхищаясь собственным видом, таким взрослым, стильным, сексуальным. Потом взялась за белье. Бюстгальтеры ей, увы, не подошли, грудь у Милены была побольше, но зато все остальное — в самый раз, особенно пеньюары, коротенькие рубашечки и переливающиеся шелковые пижамки. Соня представила себе, как сюда придет Антон и как она будет щеголять перед ним в таком белье... У нее даже голова закружилась от предвкушения. Надо будет узнать, когда у отца ближайшее суточное дежурство. Ой, скорее бы.

Антон позвонил в середине дня, когда Соня уже покончила с обследованием квартиры и гардероба и лениво валялась на диване перед телевизором со стаканом сока в руках. Она порадовалась, что при знакомстве дала ему номер своего мобильного, а не домашнего телефона, а то он ее и не нашел бы. Своего телефона Антон ей пока не давал. Так и потерялись бы навсегда.

— Я уже у папы, — радостно сообщила она молодому человеку.

— Значит, я могу приехать? Давай адрес.

— Не сегодня.

— Почему?

— Завтра похороны Милены, так что папа может вернуться домой раньше времени. А вот начиная с послезавтрашнего дня все будет по-другому.

— Уверена?

— Точно. На сто процентов. Кстати, я теперь какое-то время в школу ходить не буду, так что мы сможем встречаться днем, даже прямо с утра, как только папа на работу уйдет.

— Ну ладно, — в голосе Антона девушка услышала одобрение. — Ты молодец. И вообще, ты — классная.

— Ты тоже, — счастливо засмеялась Соня. — Знаешь, мне тут в голову пришла одна идея. Сказать?

— Говори. А идея хорошая?

— Зависит от того, сколько у тебя денег. Ты можешь не ходить в свой институт?

— День-два могу. А что?

— Нет, дольше. Месяц, например.

— В принципе, это реально, если у врача справку купить.

— Мы могли бы уехать за границу. Как тебе такая идея?

— За границу? Это куда же? — удивился Антон.

— Да в любую страну, куда виза не нужна. Турция, Египет, Кипр, Эмираты, есть еще какие-то страны, можно выбрать. Я знаю, как сделать так, чтобы папа меня туда отправил. У меня получится, я уверена. Главное — уехать, а там можно сидеть сколько угодно и не возвращаться, если без визы. Месяц точно можно, я узнавала.

— Соня, это все, конечно, здорово придумано, но месяц жить в отеле — это дорого. Таких денег у меня нет.

— Да брось ты, я у папы выцыганю, он даст сколько нужно.

— Это так неожиданно... — задумчиво проговорил Антон. — Мне нужно подумать, прикинуть, что к чему.

— Подумай, конечно, — с неудовольствием согласилась Соня. Она-то была уверена, что Антон моментально ухватится за ее такую замечательную идею. А он чего-то там обдумывать собрался. Хотя его можно понять, он же снимается, наверное, ему нужно со съемками все утрясти, а не только в институте и у врача.

Ладно, пусть думает. Если не надумает, Соня и без него уедет. Главное — попасть за границу, и чтоб без предков, которые висят над душой и без конца учат жить, а уж там она не пропадет. Она молодая и красивая, а если взять с собой Миленины тряпочки — то еще и хорошо одетая. Такие, как она, без мужского внимания не останутся, ей рассказывали, что можно очень даже хорошо устроиться с каким-нибудь богатым турком или египтянином, тем более сейчас не сезон, туристов меньше, чем летом, стало быть, и конкуренция слабее. Если мать такая тупая, что не хочет ехать в Австрию с Андреасом, то уж она-то, Соня Седова, своего шанса не упустит.

* * *

Список клиентов туристической фирмы, оформлявших путевки в июне — июле 2000 года, оказался на удивление коротким. Участковый Песков был прав, обороты у Алисы Борисовны совсем небольшие, с таких доходов невозможно оплатить аренду помещения в самом центре Москвы. В списке, который торжественно вручила Насте владелица фирмы, было всего четыре фамилии, одна из них — женская. Кто-то из троих оставшихся мужчин должен быть тем, кто увел из фирмы Милену Погодину.

Выйдя на улицу, Настя позвонила Зарубину.

— Ты где? — спросила она.

— Да так, тут, в одном месте, — уклончиво отозвался Сергей.

— Тебе неудобно разговаривать?

— Ну да.

— Но слушать можешь?

— Могу.

— Ты мне строителей нашел?

— Обязательно.

— Где у них контора?

— На Западе.

— Когда освободишься?

— Минут через двадцать.

— Ты территориально где? Далеко?

— Не очень.

Настя поняла, что внятного объяснения не добьется, и продолжала задавать вопросы, на которые Зарубин мог бы отвечать кратко и вполне нейтрально. Через пару минут таких переговоров они условились встретиться через час на станции метро «Филевский парк». Если уж офис строительной компании, которая возвела дом с каминами, находится в Западном округе, то в эту сторону Настя и решила двигаться. Правда, телефоны, по которым следовало обращаться по поводу покупки квартир, принадлежали, как сказал Зарубин, совсем другой организации, координаты которой он тоже нашел, но к ним Настя решила съездить потом.

Ей пришлось ждать Сергея, он опаздывал, но Настя не злилась: оперативник не может точно рассчитать время, когда закончит беседовать со свидетелями. Она достала купленный в киоске журнал и добросовестно, хотя и без всякого интереса, почитала о «секретах красоты и здоровья». Красота стоила дорого, потому что, как уверял журнал, ее невозможно достичь без кремов, лосьонов и масок, цена которых приводилась здесь же и повергла Настю в некоторое изумление. Здоровье стоило дешевле, но на его поддержание требовалось в течение дня времени больше, чем часов в сутках. Интересно, подумала она, человек, который все это сочиняет, имеет хотя бы примерное представление об арифметике?

Зарубин появился откуда-то сбоку и немедленно плюхнулся на скамейку рядом с Настей.

— Зачем ты меня выдернула? — тут же заныл он. — Адрес конторы я бы тебе и по телефону мог сказать.

— Меняться будем. Ты мне адрес строителей, я тебе — списочек. Всех этих людей нужно быстренько установить, а если времени хватит, то и проверить.

— И велик ли список?

— Не переживай, всего четыре фамилии. Особое внимание — мужчинам, их три штуки.

— Кто такие? — нахмурился Зарубин.

Настя рассказала ему о своем визите к Алисе Борисовне и о том, как работала в ее фирме Милена и при каких обстоятельствах уволилась.

— Понимаешь, еще вчера Дорошин обратил внимание на то, что у Канунникова в середине августа появились деньги на то, чтобы снимать квартиру. Он в это время, по нашим сведениям, сидел без работы. Я сперва думала, что это Милена ему давала деньги, которые брала у Седова, но с Седовым-то она познакомилась позже. Значит, либо у нее уже тогда появился источник дохода, либо сам Канунников нашел способ заработать. Это нужно выяснить. Этот клиент-турист либо действительно устроил Милену на хорошую работу с хорошей зарплатой, либо взял ее на содержание. Короче, нужно его найти.

— Да найду я, не волнуйся. Но я не понимаю зачем. Какое это может иметь отношение к убийству, если ее и Щеколдина убрали исключительно из-за самого Седова? По-моему, ты грузишь меня пустой работой, Настя Пална. Я с утра уже по фигурантам бегаю, информацию собираю о тех, кому Седов в свое время хвост прищемил. Какая разница, где, когда и кем работала Погодина сто лет назад?

— Сережа, ты забываешь, что все эти годы Погодина и Канунников были вместе. Все, что происходило в ее жизни, касалось и его тоже. Я просто хочу понять, на чем его зацепили, как его заставили убить женщину, которую он столько лет любил. Чем его купили или чем его шантажировали. Более того, люди, которые его наняли, могли предоставить ему помощь после убийства, например, убежище. Они помогают ему скрываться. Если мы поймем, на чем его взяли, мы узнаем, кто его нанял, а если узнаем, кто его нанял, у нас появится еще одно поле для поисков самого Канунникова.

Настя не стала говорить Сергею о возникших накануне подозрениях, о странных бокалах и чужой дискете, о пропавшей куртке и оставленном дома лекарстве. На это потребуется слишком много времени, а его и без того мало. Кроме того, она может ошибаться, а версию о заказном убийстве все равно надо проверять.

— Ладно, понятно, — Зарубин вздохнул и горестно почесал темя. — Будем считать, что у меня восемь рук и семь голов, и вообще я уродец какой-то. Может, еще есть задания? Говори уж сразу, не томи.

— Есть, — улыбнулась Настя. — Доехать до дяди Федора. Прямо сейчас.

— Может, сразу на Филиппины? — фыркнул он. — Это ближе получится.

— На Филиппины потом, а сейчас в Балакиревский. Нужно отдать коробку.

— Какую еще коробку? — Зарубин скроил такую мину, словно Настя предлагала ему отвезти следователю часть расчлененного трупа.

— Вот эту, — она достала из сумки упакованную в полиэтилен коробку для дискет. — Сделаешь?

Сергей молча взял у нее коробку и сунул в свою спортивную сумку.

— Думаете, я маленький и неказистый и поэтому мной можно помыкать, — затянул он свою обычную арию. — Вот вырасту...

— Вот вырастешь — Шварценеггером станешь, — подхватила Настя.

Весь репертуар Зарубина она давно знала наизусть.

Ей пришлось изрядно поплутать, пока она наконец нашла нужный адрес. Офис строительной компании располагался на первом этаже обычного жилого дома и занимал всего две комнаты, правда, довольно просторные. Вообще-то это была обыкновенная квартира, перестроенная и оборудованная под офис. Настя по опыту знала, что так выглядят чаще всего компании-однодневки, которые создают для проведения одной конкретной операции, в данном случае — для строительства одного дома. Потом компания исчезнет.

Скучная вялая девица, открывшая Насте дверь, сообщила, едва разжимая губы, что генерального директора сейчас нет, он на объекте, главного инженера тоже нет, есть только бухгалтер. Бухгалтер Настю вполне устраивал.

Симпатичная молодая женщина с готовностью согласилась побеседовать. В ее глазах Настя не заметила ни паники, ни волнения и подумала, что с финансовой отчетностью здесь, пожалуй, все в порядке. Впрочем, если все так, как она придумала сегодня ночью, то в этой фирме и не должно быть никаких проблем с налогами и прочей бухгалтерией. Все чисто и прозрачно.

— Вам фамилия Канунников ничего не говорит? — спросила она.

— Канунников? — задумчиво повторила бухгалтер. — Нет, не слышала.

— А с фирмой «Контракт — ОК» вы дела не имели? Может быть, они оказывали вам какие-нибудь консультационные услуги? Они как раз на этом специализируются.

— Не помню такого. Но давайте я лучше проверю. Сейчас подниму документы и посмотрю. Может, я забыла. Как, вы сказали, фирма называется?

— «Контракт — ОК», — повторила Настя.

Бухгалтер записала название на листке и стала доставать папки.

— «ОК» — это что значит? О'кей, все в порядке?

— Олег Канунников, директор фирмы.

— Остроумно.

Какое-то время она изучала содержимое папок, потом подняла голову.

— По бухгалтерским документам никаких выплат этому «Контракту» не проходит.

Настя показала ей фотографию Канунникова.

— Посмотрите, может быть, вы его видели? Может быть, он приходил к вашему директору или главному инженеру?

Бухгалтер внимательно вгляделась в снимок и покачала головой.

— Нет, я его никогда не видела. Конечно, если он приходил, когда меня здесь не было... Но я его не видела, это точно.

— Кто инвестировал деньги в строительство?

— Договор с нами заключала фирма «Тирес», а уж чьи там деньги крутятся — не наше дело, — строго ответила молодая женщина. — Наше дело разработать проект, нанять рабочих, заключить договоры на поставку стройматериалов и так далее.

Значит, «Тирес». Это название Настя сегодня уже слышала от Зарубина. Пока все сходится.

— А рабочих где нанимали? — поинтересовалась Настя.

— Бригада строителей у нас турецкая, и прорабы их, и главный инженер. У нашего директора с турецкими строительными фирмами давние отношения, он считает, что они работают на европейском уровне, но стоят дешевле.

— Он считает? — уточнила Настя. — А у вас другое мнение?

— Да я в этом не разбираюсь. Мое дело — финансы, а не строительство.

— У меня еще один вопрос к вам. Вы проект с фирмой «Тирес» согласовывали?

— Ну а как же, обязательно. Ведь они же продают квартиры в этом доме.

Значит, дискета с поэтажными планами могла с равной вероятностью попасть к Канунникову как отсюда, так и из «Тиреса». «Тирес» — это двойник «Контракта — ОК», можно не сомневаться. На ее счета тоже закачали какие-то левые деньги, чтобы посредством продажи квартир в построенном доме их отмыть и потом спрятать где-нибудь за границей. И очень похоже, что деньги в «Контракт — ОК» и в «Тирес» поступали из одного и того же источника. Не может быть простым совпадением тот факт, что обе фирмы действуют по одинаковой схеме, дискета непонятным образом перекочевала из одной конторы к владельцу другой — и при этом между ними нет никакой связи.

Есть связь, есть. И с убийством Милены Погодиной все не так, как им до сих пор казалось.

* * *

В экспертно-криминалистический центр ГУВД, что находится в 3-м Колобовском переулке, следователь Давыдов ехал долго, городские дороги в середине дня забиты машинами, и в пробках приходилось стоять раза в два дольше, чем собственно ехать. Держа на коленях пакет со злополучной коробкой для дискет, Федор Иванович снова и снова возвращался мыслями к разговору, который состоялся у него с сыщиком из Мневников. Дело об убийстве Алексея Щеколдина передали следователю около полудня, а оперативник подъехал полчаса спустя, чтобы дать необходимые пояснения. Тело Щеколдина, скончавшегося от переломa шейных позвонков, было обнаружено в понедельник поздно вечером, то есть ровно неделю назад, в тот же день, когда была убита Милена Погодина, и за эту неделю оперативникам удалось собрать о наркомане Чигрике немало информации, которая хорошо обрисовывала его характер, но не проливала ни капли света на историю его трагической смерти.

Оперативная информация на Щеколдина имелась не только по месту жительства, но и у сыщиков, обслуживавших Тверскую улицу в районе кинотеатра «Пушкинский». Именно там, в подземном переходе, тусовались по вечерам мелкие сбытчики наркотиков и те, кому нужна доза. Чигрик попал на заметку давно, но у него хватало ума и ловкости либо не попадаться с поличным, либо, если уж проруха на старуху все-таки обрушивалась, выкручиваться и выходить сухим из воды. Один раз, правда, крупно не повезло, увернуться не удалось, и Чигрик все-таки оказался в зале суда, но суд проявил к нему невиданную снисходительность и ограничился всего лишь условным сроком. В свете информации о связи Чигрика с Павлом Седовым это не казалось удивительным.

Стаж наркопотребления у Чигрика был солидным, семь лет, и это, конечно же, не могло не сказаться на его здоровье и, главным образом, на особенностях мышления и мировосприятия. По физическому статусу он был худ и слабосилен, а по интеллектуальному — самоуверен, лжив, хвастлив и легкомыслен, считал себя жутко умным и был убежден, что обычная судьба наркомана и наркодилера его минует, поскольку он не такой, как все, он — особенный. В те моменты, когда у него не было денег, он полагал, что это исключительно злокозненный поворот судьбы, а вовсе не закономерное следствие жизни неработающего бездельника, и начинал строить какие-то невероятные планы немедленного обогащения. Планами этими щедро делился с приятелями, такими же, как он сам, на каждом углу с многозначительной миной заявляя, что скоро все будет тип-топчик и у него заведутся немереные бабки. Откуда они возьмутся, Чигрик в подробностях не рассказывал, но всячески намекал на источник благостного обогащения. В одних случаях в качестве источника фигурировал некий новый знакомый, который просто-таки упал в обморок от необыкновенных талантов Алеши Щеколдина и собрался немедленно устроить его на работу в собственную фирму, где ему будут платить по тысяче долларов в месяц. В других случаях Чигрик повествовал об «одной услуге», которую его попросили оказать и за которую обещали хорошо заплатить. Что из его рассказов было правдой, никто точно не знал, но деньги у него действительно периодически появлялись. В последние примерно года полтора фантастические источники поиссякли, мозги у Чигрика стали отказывать напрочь, он скатился к обычной жизни наркомана, ворующего из собственного дома деньги и вещи, чтобы купить дозу, и участвующего в традиционно «наркоманских» кражах из автомобилей, отнимал у подростков мобильные телефоны (со взрослыми он в силу физической хилости связываться опасался, на это его прогнивших мозгов все-таки хватало), а у стариков — пенсии, подкарауливая их возле отделений сбербанка. Просто удивительно, как ему удавалось до сих пор не попасться.

В последние две-три недели Щеколдин вдруг снова приобрел многозначительный вид, целыми днями где-то пропадал, при встречах со знакомыми строил мину безумной деловой усталости и небрежно ронял слова, из которых следовало, что он нарыл очередной источник и скоро будет при деньгах. На вопросы о том, что же это за источник, он загадочно улыбался и отвечал, дескать, надо уметь заставлять людей делиться.

Федор Иванович Давыдов прожил долгую жизнь, много чего на своем веку повидал и имел богатый опыт следственной работы, поэтому уж такие элементарные вещи, как сложение простых чисел, делать умел. По словам Седова, оперативные контакты с Чигриком утрачены около полутора лет назад, именно с этого момента у Щеколдина началась полоса безденежья. Из этого следовал непреложный вывод: Седов его подкармливал. Сам Седов зарабатывал деньги тем, что, получив оперативную информацию, использовал ее себе на благо, вымогая у задержанных деньги за уничтожение протоколов. Информацию он получал от Чигрика, ему же отстегивал «гонорар». Сколько таких «Чигриков» состояло на связи у Седова? Уж точно не один. Когда умственные способности наркомана Щеколдина стали вызывать у Павла сомнения и вполне здравые опасения, он перестал пользоваться его услугами. Карман Чигрика резко похудел. И вот он, промаявшись без дополнительных финансовых вливаний, собрался решить свою проблему самым радикальным образом: взять деньги у самого Седова, причем взять много, а еще лучше — добиться, чтобы бывший куратор снова поставил своего агента на довольствие. Уж какая там логика выстроилась в дырявых мозгах Алеши Щеколдина — точно определить трудно, но несомненно одно: он решил начать слежку за Седовым, попытаться собрать на него какую-нибудь хитрую информацию, молчание о которой можно будет продать подороже. Но как он мог следить за Павлом, который, во-первых, знает его в лицо, а во-вторых, ездит исключительно на машине? Сперва эти два обстоятельства Чигрику в голову не пришли, но очень скоро он допер, что в первоначально задуманном виде комбинацию осуществить не удастся. Однако место жительства Павла он все-таки установил и, пока размышлял, как действовать дальше, увидел Седова с Миленой.

Вот! За нее-то он и возьмется, эта красавица Чигрика в лицо не знает и слежку не заметит. Правда, она тоже ездит на машине, но тут уж Алешка напрягся, спер у матери серьги (это случилось как раз две недели назад, и об этом мать убитого рассказала оперативникам) и на вырученные деньги нанял знакомого парня с машиной (парня тоже установили и опросили, потом его допрашивал следователь, протокол есть в деле). Всего на три дня нанял, но и этого оказалось достаточным, чтобы обнаружить, что у Милены есть любовник, на квартиру к которому она приезжает два-три раза в неделю. Ну что ж, решил предприимчивый Чигрик, если не получается шантажировать Седова, можно шантажировать его бабу, она заплатит, а деньги возьмет все у того же Седова. Какая разница, чья рука протянет купюры, если их вынимают из одного и того же кармана? Для Щеколдина вопрос кармана был принципиальным, он затаил на Павла обиду за то, что тот его «бортанул».

И вот начал Алеша Щеколдин выслеживать Милену Погодину возле ее любовного гнездышка. Терпеливо выслеживал, долго сидел на лестнице, на один пролет выше квартиры Канунникова, никуда не отлучался, приспособив в качестве отхожего места площадку перед входом на чердак. Сидел он там и в прошлый понедельник, когда убили Милену. И что-то видел. Или кого-то. Кого? Канунникова? Ну и что? Олег там живет, и вполне естественно, что он приходит к себе домой и уходит оттуда. Даже если бы Канунников заметил, что на лестнице сидит какой-то чужой парень, он не придал бы этому значения. Когда человек выходит белым днем из собственной квартиры, он точно знает, что его нельзя за это обвинить ни в чем предосудительном, и совершенно не волнуется, если его при этом кто-то видит. Другое дело, если человеку нужно алиби и он утверждает, что его дома не было, он находился за тридевять земель, а тут находится свидетель, который видел, как он выходил именно из дома и именно в то самое время. Если Канунников убийца, то должен был отреагировать на присутствие Щеколдина. Но как он его заметил? Неужели Щеколдин оказался настолько легкомысленным, что даже не прятался? Не может такого быть, если бы он не прятался, его бы заметили все жильцы девятого этажа, тем более провел он на своем наблюдательном посту довольно длительное время и находился там, судя по всему, не один день: ему же нужно было установить, как часто Милена сюда приходит. Все жильцы девятого этажа были опрошены еще тогда, когда глазастенький участковый вместе с Настюхой Каменской обнаружил банку с окурками и обильные следы мочи, и ни один из соседей Канунникова Чигрика не видел. Значит, Щеколдин проявлял разумную осторожность и делал все возможное, чтобы не попадаться на глаза. Каким же образом Канунников его углядел? Это вопрос.

Но как бы там ни было, Канунников, убив Милену и собрав вещи, вышел из квартиры, понял, что у него на пути встал непонятного происхождения свидетель, и увез его подальше. Как? Посулами заманил, уговорами, угрозами? Это знает только сам Канунников. Найдем — спросим.

Сегодня польская бригада международных вагонов поезда Москва — Варшава приехала в Москву. Если покупаешь билет до Варшавы, то место тебе дают только в этих вагонах, остальные, в которых едут пассажиры до Вязьмы, Смоленска, Орши, Минска и Бреста, отцепляют в Бресте, на границе. Ванюшка Хвыля должен заняться проводниками. Посмотрим, что они скажут. В среду появится бригада с пражского поезда. Куда же этот Канунников-то запропастился?

И с самим Канунниковым еще вчера утром все казалось таким бесспорным, а вот сходила Настюха Каменская с тем глазастеньким участковым, с Дорошиным, на место происшествия — и снова сомнения одолели. Бокалы эти, будь они неладны, куртка, лекарство от высокого холестерина. Теперь вот еще коробка для дискет... Охохонюшки, жизнь наша...

Вот, однако, и приехали.

Следователь Давыдов знал порядок организации экспертных исследований, но собирался грубо его нарушить, пользуясь собственным авторитетом, почтенным возрастом и давними дружескими связями. Эксперту Давиду Львовичу Милькису, старому своему другу, он позвонил заранее, тот долго и подробно рассказывал о своих болезнях, не позволяющих ему работать быстро, из-за чего экспертизы скапливаются и неделями ждут своей очереди, а также о принципиальности начальника экспертно-криминалистического центра и его любви к порядку. Федор Иванович выслушал все это благожелательно и терпеливо, после чего безапелляционно заявил:

— Ну так ты жди, Додик, я скоро буду.

И повесил трубку. Главное — Давид на месте, а уж все прочие проблемы он как-нибудь решит.

Принципиальный и любящий порядок начальник, которым запугивал следователя Давид Львович, оказался милейшим человеком, молодым и улыбчивым, но ужасно занятым. У него беспрестанно звонил телефон, в кабинет каждые полминуты заходили какие-то люди, которые о чем-то спрашивали и чего-то требовали, и Федору Ивановичу не составило ни малейшего труда вклинить в этот бурный поток руководящих действий фразу, в которой были ключевые слова: «очень срочно» и «решил не посылать, лично приехал». Начальник вникать не стал, на ключевые слова отреагировал должным образом и протянутое следователем постановление о производстве экспертизы тут же отписал на исполнение эксперту Милькису Д.Л. О конкретном сроке производства экспертизы Давыдов благоразумно умолчал.

— Додик, я пришел, — радостно сообщил следователь, войдя в кабинет, где работал Милькис. — Смотри, что я тебе принес.

Он торжественно водрузил на стол пакет с коробкой и положил рядом постановление с визой начальника.

— Слушай, Федя, — Милькис задумчиво оглядел друга, — все-таки ты скрываешь, что ты на самом деле еврей. Ты умеешь делать невозможное. Ну показывай, чего ты притащил.

Федор Иванович подробно, из уважения к эксперту, который не признавал краткости и любил слушать долгие рассказы, изложил суть вопроса. До тех пор, пока он не закончил повествование, Милькис к пакету даже не прикоснулся.

— Ладно, давай посмотрим, — произнес он. — Ты чайку попей пока и не мешай мне, надо будет — я тебя спрошу. Чайник на подоконнике, розетка внизу, рядом с сейфом, ну ты сам все знаешь, не в первый раз.

Следователь заварил себе чаю покрепче, положил три ложки сахару, сел в уголке и углубился в размышления. Он знал, что работа Милькису предстоит долгая, но готов был ждать. Время текло незаметно...

— Значит, что я тебе могу сказать, — вывел его из задумчивости голос Давида Львовича. — Коробка старая, в том смысле, что не новая, не только что из магазина. На ней и царапины есть, и петли стерты, и прочие следы длительного использования. Следы пальцев множественные, взаиморасположение — характерное для захвата правой рукой, оставлены, скорее всего, одним человеком, но это я потом еще посмотрю повнимательнее, предположительно женщиной, судя по размерам следов и по плотности папиллярных линий. Наличествуют множественные складки-морщины, так что можно предположить, что речь идет о женщине средних лет, хотя, может быть, у нее просто тонкая и сухая кожа. Сходится?

— Ну да, я же тебе говорил, — кивнул следователь. — Женщина за сорок, Каменская из «убойного». А еще что?

— А еще эту коробочку тщательно протирали, причем дважды. Вот здесь, — он обернулся к Давыдову, — да ты чего сидишь, Федя? Ты подойди, подойди поближе, посмотри, я ж для тебя рассказываю, а не для себя. Вот смотри, здесь, на замочке, есть волокна ваты и частицы влаговпитывающей бумаги, предположительно туалетной или бумажного полотенца. Замочек металлический, они за острый край зацепились. Да ты глянь в микроскоп, полюбуйся, какие красавцы! Можно отдать коробку химикам, они попробуют установить, чем именно ее протирали. На пластмассе, конечно, вряд ли что осталось, а вот на волокнах — наверняка. Если хочешь, вынеси еще одно постановление на производство физико-химической экспертизы, коробку отдадим сегодня, а постановление ты потом подвезешь.

— То есть получается, что коробку сначала протерли ватным тампоном с какой-то жидкостью, чтобы окончательно уничтожить все предыдущие следы, а потом насухо вытерли бумажным полотенцем, — задумчиво проговорил Давыдов.

— Или туалетной бумагой, — уточнил эксперт. — Я так далеко в своих выводах не иду, логика — это не моя наука, я тебе по старой дружбе и опираясь на собственный многовековой опыт говорю, что есть волокна ваты и специальной бумаги, а в заключении я напишу, что обнаружены частицы такого-то цвета и размера, а уж что это за частицы — это тебе достоверно только в нашем 13-м отделе скажут. Ну что, все? Или у тебя еще что-то есть?

— Пока все. Спасибо тебе, Додик, всегда ты меня выручаешь. И что бы я без тебя делал? Значит, я тебе коробочку оставлю, ты мне заключение напиши и отдай ее в 13-й, договорились? А я постановление привезу, прямо завтра же и привезу.

— И опять срочно небось? — хмыкнул Милькис.

— Да нет, теперь уж срочности никакой, все, что нужно, я узнал, а бумаги пусть своим чередом идут. Ты когда ко мне на дачу приедешь? С лета ведь собирался, да так и не выбрался, — сказал Федор Иванович, укоризненно качая головой. — Моя Тамара как выходной — так тебя вспоминает, почему, говорит, Додик не едет, обещал — и не приезжает. Неровно она к тебе дышит, ох неровно. Ты смотри мне, старый попугай!

Он шутливо погрозил Милькису пальцем. Тот довольно рассмеялся:

— Я всегда говорил, что твоей Тамаре нужно было выходить замуж за меня, а не за такого гоя, как ты. Божечки мои, ведь была такая хорошая еврейская девочка, и что она в тебе нашла? Еще когда ты на третьем курсе за ней ухаживать начал, я уже подумал: пропадет шикса, если выберет этого гоя, ой пропадет. Лучше б она меня выбрала.

— Не ври, Додик, это не ты подумал, а твоя мама. Я так и слышу ее голос.

— Ну какая разница, мама или я, — уклонился от уточнений Давид Львович. — Маме Тамарка твоя всегда нравилась, она мне много лет потом пеняла, что я ее упустил.

— Да знаю я, знаю, ты сто раз говорил.

Прежде чем расстаться, старые друзья обсудили свои семейные дела, и Федор Иванович уехал, заручившись твердым обещанием Милькиса приехать к Давыдовым на дачу с женой, дочерью, зятем и внуками если не в ближайшие выходные, то на Новый год — уж точно.

* * *

В фирму «Тирес» самой соваться нельзя, это Настя Каменская понимала отчетливо. Сперва нужно собрать о ней информацию. До конца рабочего дня еще есть время, немного, правда, но есть, и она отправилась в управление по борьбе с экономическими преступлениями, предварительно позвонив и договорившись о встрече с оперативником, который «обслуживал» сферу строительства. Дмитрия Найденова Настя почти совсем не знала, да это и понятно, старых кадров почти не осталось — текучка. Он хотя и не выразил особого восторга, но встретиться и поделиться информацией согласился.

Однако, когда Настя приехала к нему, оказалось, что ни о «Контракте — ОК», ни о «Тиресе» он ничего не знает, оперативной информации на эти фирмы не было и в разработки они не попадали.

— А что, есть основания полагать, что там что-то неладно по нашей части? — спросил Найденов.

— Оснований нет, — честно призналась она и добавила: — Пока. Деньги отмывают, конечно, но сегодня все делают это так юридически грамотно, что подкопаться невозможно. Меня интересует, есть ли какая-то связь между этими фирмами. Ну хоть какая-нибудь.

— Связь? — Найденов задумался. — А где территориально находятся офисы?

Настя раскрыла блокнот и назвала адреса. Одна контора находилась в Южном округе Москвы, другая — в Восточном.

— Местные опера наверняка знают что-нибудь, — пояснил Дмитрий. — Сейчас я позвоню.

Настя деликатно вышла в коридор, она по собственному опыту знала, как не любят сыщики решать подобные вопросы в присутствии чужих ушей.

— Я покурю на лестнице, — сказала она, закрывая за собой дверь. — Позови, когда что-нибудь узнаешь.

Она выкурила сигарету, потом полистала все тот же журнал с немыслимыми «женскими» советами и выяснила, что, оказывается, для хорошего загара необходимо каждое утро, перед тем как идти на пляж, съедать сырую морковку. Подумайте, какая связь!

Она снова закурила. Что-то Найденов не зовет ее. Может, вообще забыл о ней и занялся своими делами? Полчаса прошло. Настя решительно пошла по коридору в сторону нужного кабинета, дверь которого распахнулась ей навстречу, едва не оставив шишку на лбу.

— А я за тобой, — сказал Дмитрий, радостно улыбаясь. — Слушай, связь-то есть, оказывается. В обеих фирмах помощники директоров — выходцы из службы безопасности «Нефтяника». И тот, и другой попали в интересующие тебя фирмы прямо оттуда. Понимаешь, к чему дело идет?

— Понимаю. Деньги в эти фирмы закачивались из «Нефтяника», и к директорам приставляли «своих» людей для надзора и контроля. Класс! — обрадовалась Настя. — Погоди, но «Нефтяник» же — государственная организация.

— Не совсем, но почти, — кивнул Найденов. — Пятьдесят два процента акций принадлежит государству.

— Значит, деньги «Нефтяника» на пятьдесят два процента являются государственной собственностью. И тогда с отмыванием уже совсем другая картина.

— Конечно, — подтвердил он. — Это уже называется хищением. Не знаешь, куда они деньги от продажи квартир перебрасывают?

— Насчет «Тиреса» не знаю, а «Контракт — ОК», по всей видимости, открыл счета в Польше, Чехии и Финляндии.

Конечно, подумала Настя, именно там они счета и открыли, не зря же у Канунникова были долгосрочные визы именно в эти страны. Он туда ездил, и неоднократно.

Вернувшись к себе, она первым делом явилась к начальнику.

— Константин Георгиевич, нужны подходы к «Нефтянику», — заявила она, доложив Большакову о результатах своих сегодняшних изысканий.

— Вы считаете, что люди из «Нефтяника» причастны к убийству Милены Погодиной?

— Я уверена.

Она помолчала, собираясь с мыслями. Большаков терпеливо ждал.

— Я все время думала в неправильном направлении.

— Только вы одна? — он приподнял брови и иронично улыбнулся.

— Мы все, — поправилась Настя. — Труп Погодиной был обнаружен на квартире Канунникова, сам Канунников исчез, и мы уперлись в него, как в стену, ничего больше не замечая. Тем более между ним и потерпевшей были личные отношения, то есть просматривался мотив. На самом деле Канунников ее не убивал. Его подставили.

— С какой целью?

— Его самого нужно было убрать. Его ищут как беглого убийцу. На самом деле он уже давно мертв, и, когда это будет установлено, все будет выглядеть как случайное убийство с целью, например, ограбления. Никто не станет подозревать, что его убили по совершенно другим причинам. Это очень сложная комбинация, Константин Георгиевич, но очень эффективная. Беглого убийцу может убить кто угодно, вплоть до случайного собутыльника. Директора фирмы могут убить из-за дел этой фирмы, так вот, чтобы никто в этих делах не копался, из Канунникова и сделали убийцу. Гениальный ход. И мы на него купились. Заметьте себе, Канунникова мы пока не нашли и считаем, что он в бегах. Его труп без документов лежит где-нибудь как неопознанный, а возможно, уже и захороненный. При нынешнем положении с информационным обменом между регионами мы вообще могли бы никогда не узнать, что он убит. В бегах и в бегах, в розыске. Когда на поверхности лежит необходимость скрыться после совершенного убийства, никому и в голову не придет копать глубже и думать, что человек исчез по другим причинам. Понимаете?

— Но вам же пришло в голову, — заметил Большаков вполне справедливо.

— Это чистая случайность, Константин Георгиевич. Я случайно стащила коробку с дискетами из квартиры Канунникова и случайно наткнулась на чужую дискету. И случайно обратила на нее внимание. Если бы я не была озабочена жилищным вопросом и не начала мечтать о новой квартире, еще неизвестно, заметила бы я, что одна из дискет имеет отношение совсем к другому дому, который строит совсем другая компания. Все случайность, все. Просто везение. Сейчас нужно сделать две вещи: найти оперативные подходы к «Нефтянику» и запросить данные обо всех трупах, обнаруженных по пути следования поезда Москва — Варшава.

— Почему вы уверены, что он уехал именно варшавским поездом?

— Да потому, что он в Польшу и собирался. Он уехал туда, куда собирался. Не в Прагу, не в Хельсинки, а именно в Варшаву. Его каким-то образом или убили прямо в поезде и сбросили на ходу, или заставили сойти на одной из станций. А остальные билеты покупались для отвода глаз, чтобы нас запутать. И покупал их не Канунников.

— А кто? — с любопытством спросил начальник.

— Тот, кто имел доступ к его паспорту. Кирилл Сайкин. Господи, Константин Георгиевич, ведь это же так просто, так очевидно было с самого начала! — Настя схватилась руками за голову и застонала: — Я виновата, не заметила того, что прямо в глаза бросается.

— Ну, Анастасия Павловна, что вы, право, откуда у вас это стремление винить во всем только себя? По делу, кроме вас, работает куча народу, и никто ничего не заметил. Кстати, кто брал показания у Сайкина? Вы сами?

— Нет, я с ним даже не встречалась. Его опрашивали Хвыля с Рыжковским, потом допросил следователь.

— Личность проверяли?

— Судя по всему, нет. Просто поверили на слово. Все же были уверены, что Погодину убил именно Канунников, Сайкин даже не был с ней знаком, у него не могло быть мотива для убийства, поэтому к его словам отнеслись с доверием, и больше никто ничего не проверял.

— Вот тут вы действительно дали маху, — покачал головой начальник. — Я имею в виду не вас конкретно, а всех. Вы подготовьте запрос в регионы, я подпишу. И насчет «Нефтяника» что-нибудь придумаем. Организация серьезная, там служба безопасности — три тысячи человек по всей стране, но ходы я найду, я вам обещаю.

Настя собралась встать, но в это время завибрировал лежащий в ее кармане мобильник. Она посмотрела на дисплей, на котором высветился номер. Хвыля. Надо ответить, вдруг что-нибудь важное.

— Да? — вполголоса проговорила она.

— Это Хвыля. Мы опросили проводников. Канунникова опознали по фотографии, они его запомнили, потому что он предъявил билет до Варшавы, но сошел в Смоленске.

— Он как-то это объяснил проводникам?

— Они поляки, по-русски почти не говорят и вообще мужики не любопытные, ни во что не лезут. Захотел пассажир сойти — ну и на здоровье, имеет право. Билет они ему отдали.

— Как же вы с ними общались? — поинтересовалась Настя.

— Привезли польскую студентку из Института русского языка.

Значит, он сошел добровольно и даже забрал свой билет. Все правильно, так и должно было быть, потому что в Бресте пограничники билеты проверяют, и если оказалось бы, что у проводника лежит билет, а самого пассажира нигде нет, подняли бы тревогу. Ну, может, и не тревогу, но обязательно в каких-нибудь документах отметили бы. А в ответах, которые пришли с погранпунктов, четко сказано, что фамилия Канунникова нигде не мелькала. Если бы Олега убили и сбросили с поезда, билет остался бы у проводников.

И все-таки зачем он забрал билет? Настя мысленно попыталась поставить себя на его место. Вот она едет в служебную командировку поездом. На полпути что-то происходит, например, ей звонят и сообщают, что Лешка попал в аварию или кто-то из родителей серьезно заболел и находится в больнице в тяжелом состоянии. Она, конечно, выйдет на первой же станции и помчится назад, в Москву. Вспомнит она про билет в таких обстоятельствах? Ну прямо-таки! Хотя билет нужен обязательно, его по возвращении из командировки следует сдать в бухгалтерию для отчетности, таков порядок, заведенный еще при царе Горохе и никем не отмененный. Любая финансовая проверка обнаружит списание денег, и если под это списание не окажется билетов, бухгалтер поимеет кучу неприятностей. И потом, Настя, конечно же, начнет названивать домой и выяснять, что произошло. Возможно, позвонит на работу и скажет, что в командировку не едет, что должна вернуться... Нет, все это совсем не похоже на то, что получилось с Канунниковым. Он был совершенно спокоен, поэтому, как человек обстоятельный, не забыл про билет. Значит, сойти с поезда его вынудили не сообщением о какой-то беде, которая стряслась в Москве с кем-то из близких. Да это и глупо, ведь человек, имеющий мобильный телефон, всегда может перезвонить и перепроверить. Кто же позвонил Канунникову? И что ему сказали?

Ладно, пойдем дальше. Вот он сошел с поезда. Что он будет делать дальше? Это зависит от того, что ему сказали по телефону. Если сказали, что он должен вернуться в Москву, потому что в Варшаве изменились обстоятельства и поездка временно откладывается, то он пойдет в кассу вокзала узнавать, когда ближайший поезд до Москвы и есть ли на него билеты. Так, годится. Настя быстро записала на компьютере задание линейному отделу транспортной милиции на станции Смоленск-Центральный.

Какие еще могут быть варианты? Канунникову сказали, что в Варшаву нужно обязательно отвезти какие-то дополнительные документы, поэтому он должен сойти с поезда до пересечения границы, завтра ему таким же поездом подвезут документы и новый билет, и он спокойно поедет дальше. В этом случае ему пришлось бы искать место для ночлега.

Она снова повернулась к компьютеру и сформулировала задание для УВД Смоленска: гостиницы, таксисты, частный сектор сдачи жилья.

Еще один вариант: ему сказали, что на станции в Смоленске его будут встречать и куда-то отвезут. Ничего тревожного, просто так нужно для дела. Подписать что-нибудь или опять же дождаться завтрашнего курьера с документами и новым билетом. Тогда ни сотрудники гостиниц, ни таксисты ничего о нем не вспомнят. Разумно. Скорее всего, так и было. Его встретили, сразу увезли, на вокзале он лишней минуты не болтался, ни к кому не обращался, ничего не искал и не спрашивал, и никто его не заметил и не запомнил.

Итак, Олега Канунникова встретили, отвезли... и убили. Где-нибудь в знаменитых смоленских лесах. Вполне возможно, что труп еще не найден.

Настя быстро составила документы, распечатала и отнесла Большакову на подпись.

И только после этого почувствовала, что смертельно хочет спать. Она уже принялась собирать вещи и сладко мечтать о сне в мягкой постели, когда открылась дверь и появился следователь Давыдов.

— Хорошо, что я тебя застал. Я тут был по своим делам, дай, думаю, к тебе загляну. Поговорить надо.

Настя обреченно поставила сумку на пол и снова села за стол.

* * *

Соня с нетерпением ждала, когда отец придет с работы, ей хотелось как можно быстрее начать воплощать в жизнь свой план. Опыта у нее было маловато, и ей не сразу удалось определить, что отец изрядно нетрезв.

— Привет, пап.

Она подставила, как обычно, щеку для поцелуя, но вовремя исправилась и сама поцеловала Павла.

— Ужинать будешь?

— Нет.

Он молча разделся, прошел в кухню, достал толстостенный стакан, вынул из шкафа бутылку джина и уселся за стол.

— Пап, когда мы завтра поедем? — спросила Соня, усаживаясь напротив него.

— Куда поедем?

— На похороны.

— Ты никуда не поедешь, — отрезал Павел. — Нечего тебе там делать. Ты останешься дома.

— Но как же, папа, — начала возражать девушка. — Как же ты без меня? Я же твой самый близкий человек.

Павел молча налил в стакан джину на три пальца, выпил одним глотком.

— Тебе нельзя выходить из дома. Если за тобой следят, то на похоронах тебя увидят и посмотрят, куда ты поехала потом. Неужели ты не понимаешь таких простых вещей?

В его голосе звучали неприкрытые злость и раздражение, и Соня испугалась, что делает что-то не так. В чем-то она ошиблась, не рассчитала.

— Прости, пап, я не подумала. Ты прав, конечно. Но так тоже нельзя.

— Как? — Он поднял голову и уставился на дочь мутными глазами.

И только тут Соня начала подозревать, что отец пьян. А может, это и к лучшему, мелькнуло в ее голове, пьяного легче раскрутить на обещания, а потом нужно только дожимать, мол, ты же дал слово, ты пообещал.

— Вот я буду тут сидеть, — осторожно, будто прощупывая болотистую почву, начала она, — день буду сидеть, два, три. Но я же не могу сидеть взаперти вечно, правда? Дело не во мне, я-то посижу дома, книжки почитаю, телик посмотрю, но ты каждый день будешь уходить на работу и думать, как я тут, не нашли ли меня, не пришли ли сюда. Ты же с ума сойдешь от волнения. А зачем тебе эти лишние волнения? У тебя и так горе, ты Милу потерял, тебе и без моих проблем тяжело.

— Это в первую очередь мои проблемы, — оборвал ее Седов. — Я твой отец и обязан позаботиться о твоей безопасности.

— Так я об этом и говорю, — подхватила Соня. — У тебя и без того полно забот. Я знаешь о чем подумала? Может быть, мне уехать?

— Куда?

— Ну, не знаю. Куда-нибудь подальше от Москвы, где меня не будут искать. Как ты думаешь?

— В деревню? — недобро усмехнулся Павел. — В глушь какую-нибудь? Неужели поедешь?

Ну прямо-таки разбежалась она ехать в деревню.

— Почему обязательно в глушь? — она передернула

плечиками. — Можно же за границу уехать. В какую-нибудь страну, где с визами попроще. Я бы могла там пожить, пока все не выяснится, и как только ты позвонишь и скажешь, что можно возвращаться, я тут же прилечу. А, пап?

Он налил себе новую порцию, несколько секунд созерцал прозрачную жидкость в стакане, выпил.

— За границу, значит, хочешь, — невнятно пробормотал он.

Соня сочла благоразумным промолчать и оставить это замечание без ответа. Конечно, хочет. А кто не хочет? Вон девчонки из класса уже все съездили хотя бы по одному разу, а некоторых вообще возят каждый год, с самого первого класса. Только она одна как дура, не была нигде. Плохо, конечно, что она уже заводила с отцом разговор о зарубежной поездке совсем недавно, дней десять назад. Он об этом не забыл, как и о том, что отказал ей в довольно резкой форме. Плохо. Сейчас он будет думать, что Соня преувеличивает, давит на него, чтобы добиться своего.

— Ты думаешь, что сможешь одна жить за границей? Что ты будешь там делать?

— Ничего особенного, то же самое, что и здесь. Наберу чемодан книжек, учебники возьму, буду целыми днями сидеть в номере и заниматься. Ну, может, выйду куда-нибудь поесть и прогуляться. Но зато я там не буду бояться. Знаешь, как я трусила сегодня весь день? Только и делала, что прислушивалась, в дверной «глазок» смотрела, как слышала, что лифт на нашем этаже остановился. Ужас! Врагу не пожелаешь! Или в окно посмотрю — и мне кажется, что я вижу того дядьку, так я прямо холодным потом обливаюсь от страха.

Ей показалось, что она нашла верный тон, лицо отца смягчилось, и на нем проступило нечто похожее на жалость.

— Бедная девочка, — пробормотал он, снова налил и выпил. — И все из-за меня.

Она на правильном пути. Еще немного поднажать — и он согласится.

Но поднажать Соня не успела. Павел, не говоря ни слова, поднялся и ушел в спальню. Через очень короткое время девушка услышала, как он храпит. Значит, здорово набрался. Ей не удалось сделать то, что она хотела. Но можно ведь и обмануть, сказать завтра, что он пообещал. Если он такой пьяный, то все равно ничего не вспомнит.

* * *

Ей казалось, что она заснет прямо в вагоне метро, но едва Насте удалось занять удачно освободившееся место, сесть и опустить веки, как перед глазами встала квартира Олега Канунникова. Что же там произошло?

Прошлый понедельник, 14 ноября. Олег едет в офис, там ему сообщают, что нужно немедленно, дневным поездом выезжать в Варшаву. Помощник Кирилл Сайкин торопит, надо успеть в кассу, купить билет, потом съездить за важными документами, получить еще какие-то подписи, и домой надо сгонять, собрать вещи. Времени в обрез. Кстати, что за спешка-то с этой Варшавой? Ну, насчет срочности можно что-то и придумать, соврать, это недолго, главное — отправить Канунникова. Предлог? Да элементарно: именно в Польшу должны уйти деньги, полученные от продажи квартир в построенном доме. Поэтому Олег туда и ездил неоднократно, договаривался, организовывал открытие счетов, да мало ли что еще вокруг этого.

Значит, предлог для поездки понятен и удивления у Канунникова не вызывает, именно перекачка денег за границу и была конечной целью операции, для которой его когда-то наняли. А насчет срочности ему просто мозги заполоскали, но грамотно, потому что он поверил. Что происходит дальше?

Сайкин и Канунников едут к Олегу домой собрать вещи. Олег — на своей машине, а Кирилл — на служебной, офисной, и сам садится за руль. Так утверждает Сайкин, и, скорее всего, это правда, потому что в фирме «Контракт — ОК» все знали о срочном отъезде директора и видели, как Кирилл старается ему помочь. Нет смысла врать, наверняка многие видели, как они уезжали. Кирилл поднимается в квартиру вместе с хозяином и активно помогает ему, оставляя повсюду следы рук. Когда сюда придет милиция, у него будет замечательная отговорка: дескать, да, был и секрета из этого не делаю. Он знает, что ему придется вернуться сюда через очень короткое время, чтобы убить Милену и собрать вещи Канунникова, имитируя поспешный отъезд надолго, но в перчатках он действовать не сможет: перчатки тоже оставляют следы, и экспертиза их обязательно обнаружит. Тогда станет понятно, что в квартире был посторонний, не пожелавший оставлять свои отпечатки. А так — все чисто и логично, никого постороннего здесь не было, и убить Милену мог только сам хозяин. Не Сайкин же ее убил, в самом-то деле! Он и был здесь только вместе с Олегом, вещи помогал собирать. Более того, он настолько предусмотрителен, что под каким-то надуманным предлогом звонит из квартиры Канунникова на работу, сообщает, что они с Олегом Михайловичем в данный момент находятся у него дома, собирают вещи для поездки в командировку, задает какой-то вопрос и делает так, что Олегу приходится тоже подойти к телефону и что-то объяснять или давать какие-то указания. Секретарь Жанна в первой же беседе с оперативниками рассказала об этом звонке. Теперь у Кирилла есть свидетели того, что он действительно был в квартире Канунникова, так что следы его рук появились там вполне естественным образом.

Собрав вещи, они уходят из квартиры, Олег ставит свою машину в гараж, и дальше они уже передвигаются на служебном «Форде». Они едут в кассу. Сайкин говорит, что остался ждать в машине, а Канунников пошел покупать билет. На самом деле все было по-другому: за билетами пошел сам Сайкин. Под каким предлогом? Да под любым. В конце концов, Канунников — директор фирмы, то есть хозяин, начальник, и нечего ему по очередям толкаться, не барское это дело. Сайкин мог сказать ему, что умеет действовать в обход очереди, и взялся купить билеты до Варшавы и обратно, пообещав, что так получится быстрее. Или что-то другое наплел, но так или иначе он взял паспорт Канунникова и отправился в кассу. В одном окошке приобрел билеты до Варшавы — туда и обратно, а в соседнем — билет в один конец до Хельсинки. Он поступил очень разумно, не покупая оба билета у одного кассира: если оформлять билеты на одного и того же человека на один и тот же день, но на разные поезда, это будет выглядеть по меньшей мере странно, может вызвать удивление, ненужные вопросы, и кассир такого покупателя обязательно запомнит. Более того, он запомнит, что билеты оформлял не владелец паспорта. Никакого нарушения в этом нет, билеты продают не человеку, а «на паспорт», но когда милиция кинется искать Канунникова и начнет проверять железнодорожные кассы, кассир непременно вспомнит, что билеты покупал не он, а кто-то другой. Сайкин не может признаться в том, что сам покупал билеты, ибо получится, что он знал о двух разных поездах, после чего у милиционеров появятся совсем ненужные вопросы и подозрения. Куда проще сказать, что в кассу пошел Олег Михайлович, а его помощник и знать не знал о билете в Финляндию.

Кстати, был еще купленный накануне билет в Прагу. Наверняка тоже работа Сайкина. Паспорта у него на руках не было, это понятно, но зато у него была масса возможностей заранее выписать паспортные данные Олега, и с этой бумажкой ему легко продали билет. Не все кассиры на это идут, но многие, особого нарушения тут тоже нет.

Так, на чем мы остановились? Ах да, на кассе и билетах. Купив билеты, они направились... Кстати, куда? Сайкин в своих показаниях уверяет, что поехали на Бережковскую набережную, где Олег Михайлович встретился с каким-то человеком и взял у него какие-то документы. Вполне возможно, что так оно и было, только вряд ли Сайкин не знал, кто этот человек и что за документы он передает Канунникову. Знал, наверняка знал. Но это не суть важно, потому что документы эти все равно были никому не нужны, ибо им не суждено было доехать до Варшавы.

С Бережковской набережной они едут назад, в офис. За время их отсутствия должны были подготовить еще какие-то важные бумаги, без которых ехать ну никак нельзя. Сайкин, правда, говорит, что вернулись они потому, что Олег Михайлович забыл в сейфе какие-то важные бумаги, но это маловероятно: Канунников явно не из тех, кто может проявить рассеянность и невнимательность в служебных делах. Впрочем, и это не суть важно, главное — они вернулись. Из офиса Канунников за два с половиной часа до отхода поезда уезжает на такси. Почему не на служебной машине? Почему его не повез водитель или тот же Сайкин? Кирилл утверждает, что Олег Михайлович от служебной машины отказался, сказав, что должен съездить еще кое-куда «по личному делу». Эти слова слышал только помощник, больше никто их подтвердить не может. Секретарь стала вызывать такси по телефону, с первого раза не дозвонилась, потом отвлеклась, в это время

Сайкин вышел на улицу купить сигареты и поймал для шефа проходящее мимо свободное такси. Так ли было на самом деле?

Ой не так. Не мог Сайкин отпустить директора «по личному делу», потому что должен был быть на сто процентов уверен в том, что Олег не появится у себя дома. За два с половиной часа можно много чего успеть. На самом деле Сайкин отправляет Канунникова... куда? Ну, например, в «Нефтяник», откуда только что позвонили и потребовали, чтобы директор «Контракта — ОК» немедленно приехал. Вся операция разработана службой безопасности «Нефтяника», поэтому звонок был настоящим, и Олег туда действительно поехал, и его там продержали столько времени, сколько нужно, а потом отвезли на вокзал. Сайкин не должен был рассказывать об этом оперативникам, потому что название «Нефтяник» вообще не должно было фигурировать в разговорах с милицией. Лгать можно свободно и без всяких опасений, потому что судьба Канунникова уже была предрешена и опровергнуть показания своего помощника он никогда не сможет. Зачем нужно было возвращаться в офис? Почему Сайкин не повез Канунникова в «Нефтяник»? Ведь звонок мог поступить Олегу, когда он вместе с помощником ехал в машине... Нет, не могло так быть. В этом случае пришлось бы не только везти директора в «Нефтяник», но и сидеть там, ждать, а потом доставить шефа на вокзал. А у Сайкина задача была совсем другая: ему предстояло убить Милену, и именно в то время, пока Канунников еще не уехал из Москвы.

Итак, Олег Михайлович добросовестно сидит в кабинете у кого-то из функционеров корпорации «Нефтяник», слушает, что ему говорят, читает какие-нибудь документы и пытается в них разобраться, а в это время... Что происходит в это время? Что-то такое, что заставляет его около двух часов дня связаться с Миленой Погодиной. В это время она сидит на лекции. Канунников посылает ей SMS-сообщение, Милена сразу же отвечает тоже сообщением, Олег пишет еще одно письмецо, после чего Погодина ему перезванивает, именно такой порядок действий зафиксирован компанией мобильной связи. Жаль, что среди вещей Погодиной на месте происшествия не оказалось ее мобильного телефона и нет возможности прочесть эти сообщения.... Поговорив с Канунниковым, Погодина зачем-то едет к нему домой. Зачем? Он что-то забыл, необходимое для поездки, и просит взять и привезти ему на вокзал, потому что сам уже никуда не успевает? Вполне возможно.

А лужа в ванной? А текущий отвод? Вот оно! Ну конечно же, все так просто! Организаторам двух убийств нужна была гарантия, что Погодина появится в квартире. Невозможно рассчитать и срежиссировать ситуацию, при которой Олег что-то забудет и попросит Милену, у которой есть ключи от квартиры, привезти забытую вещь к поезду. Надо брать постановку спектакля в свои руки. Олегу звонит некий человек, мужчина или женщина, представляется соседом снизу и говорит, что его заливает. Операция готовилась достаточно тщательно, и у ребят из службы безопасности «Нефтяника» была возможность узнать, что с соседями Олег незнаком и не контактирует. У Канунникова звонок не вызывает сомнений, потому что отвод от стояка холодной воды к бачку унитаза у него дома действительно течет, он это хорошо помнит. Сайкину необходимо было провернуть гайку, чтобы вода начала капать, и обратить на это внимание хозяина квартиры, что он с успехом и проделал. Разбираться и чинить отвод Олег не стал бы, времени нет, Сайкин достаточно умело создал шефу цейтнот, а когда позвонят и скажут, что соседей заливает, такая ложь легко пройдет. И это — вторая цель его визита в квартиру директора.

Итак, Олегу звонят и говорят, что из его квартиры на соседей снизу капает вода и портит дорогой ремонт. В «Нефтянике» его привязали крепко, он начинает нервничать, и то ли сам догадывается, то ли ему умело подсказывают, что надо позвонить кому-нибудь, у кого есть ключи от квартиры, и попросить съездить и перекрыть стояк. Ключи есть только у Погодиной, это разработчики операции выяснили заранее, и никому другому Канунников звонить не станет. Милена приезжает, а там ее ждет убийца. Кто? Да тот же Сайкин, теперь это очевидно. Как он попал в квартиру? Невелика премудрость, замки самые обыкновенные, и ключи к ним тоже, а уж спереть у директора ключи на пять минут и сделать слепки — задача поистине ерундовая.

Убийца бьет Погодину чем-то тяжелым по голове, потом душит руками. После этого начинает собирать вещи Канунникова, чтобы милиции сразу стало ясно: человек уехал надолго, навсегда. Середина ноября, уже заметно холодает, скоро грянут зимние морозы, значит — что? Правильно, беглец обязательно возьмет с собой теплые вещи, он просто не может без них уехать. И убийца складывает в большую сумку на колесиках пару свитеров и куртку на лисьем меху. Откуда ему было знать, что куртка Канунникову катастрофически мала, он не может ее носить и собрался продать мужу сестры? Убийца находит на кухне аптечку и пересыпает ее содержимое полностью все в ту же сумку, но о лекарстве, которое Олег должен принимать ежедневно, он не знает, поэтому не ищет его и не забирает.

У Канунникова на дискетах могут оказаться какие-то материалы, представляющие опасность для «Нефтяника». Или точно известно, что они есть. Убийца проверяет компьютер. Находит он что-нибудь на жестком диске? Если находит, то уничтожает. Но на проверку дискет времени у него нет, поэтому он просто забирает всю коробку, оставляя вместо нее другую, которую тщательно комплектовали загодя в том же «Нефтянике». Впрочем, вероятно, не так уж тщательно, потому что вместе с дискетами, имеющими отношение к дому, построенному «Контрактом — ОК», в коробку попала дискета из другой фирмы, которая тоже согласовывала все свои действия с корпорацией «Нефтяник». Чистая случайность.

Что еще он делает? Ставит на стол два бокала и бутылку вина, на которых имеются отпечатки Канунникова и Погодиной. Наливает вино в бокалы. Операция готовилась тщательно, заранее, поэтому раздобыть бокалы и бутылку большого труда не составило. За Канунниковым ходили хвостом, и стоило ему пообедать или поужинать в ресторане с Миленой, как пара бокалов и бутылка оказались у людей из службы безопасности «Нефтяника». Вот почему бокалы были не из комплектов, имеющихся в квартире. Достаточно было только лишь купить вино такой же марки и перелить в бутылку, которая уже побывала в руках Олега. Если бокалы и бутылку брали из ресторана, на них должны были остаться следы рук, например, официанта. Официант берет бокалы только за ножки, а оставленные таким образом следы к идентификации обычно непригодны. Именно это и написано в заключении эксперта: мол, следы на ножках есть, но... А на стенках бокалов следы Погодиной и хозяина квартиры. То есть никаких сомнений в том, что бокалы «домашние». Конечно, Канунников пока не найден и его дактилоскопической карты в распоряжении следствия и экспертов нет, но в качестве образцов для сравнительного исследования используются в таких случаях отпечатки, полученные в «типично хозяйских» местах квартиры, каковыми традиционно считаются ванная, кухня и шкафы. Что же до бутылки, то изначально предполагалось, что она куплена в магазине, поэтому наличие следов чьих-то еще рук, кроме рук Канунникова, никого не смутило. Главное — Олег держал бутылку в руках.

Вот и все, сцена готова и ждет зрителей. Хозяин квартиры встречается со своей любовницей, разливает вино, предполагая романтическое свидание перед поездкой (то самое «личное дело», которое Канунников якобы собирался успеть сделать перед отъездом), внезапно между ними разгорается ссора, которая заканчивается убийством. Какая трагедия! Вот что ревность делает с хорошими мужиками.

Убийца выходит из квартиры с большой сумкой и... Замечает Чигрика. Нет, не получается. Чигрик прячется, его невозможно заметить, если не знать, что там находится. Тогда что же? Ну, понятно что. Убийца действует не один. То есть в квартире-то он один, там больше никто и не нужен, но ребята, разработавшие такую хитроумную операцию, не могут пустить дело на самотек. Рядом с подъездом находятся как минимум два человека, которые контролируют ситуацию, в том числе и возможное появление (чем черт не шутит, все бывает, надо страховаться) людей из окружения Канунникова или еще каких-нибудь нежелательных элементов. Квартиру они пасут давно, с самого раннего утра, это азы обеспечения безопасности, поэтому Чигрика они, конечно же, засекли. Осторожно проверили, где он находится и что делает. И убийцу предупредили. Поэтому, выйдя из квартиры Канунникова, где лежал труп Милены Погодиной, тот вступил в контакт с неизвестным болезненного вида молодым человеком и под каким-то предлогом вывел его на улицу, где его, как говорится, «жестко приняли». Чигрика отвезли в другую часть города, в Мневники, и убили, предварительно выяснив, что он видел и даже заснял на видеокамеру то, чего видеть не должен был.

Вот теперь все сложилось аккуратно, кубик к кубику, ни одна улика не «провисла», ни один факт не остался необъясненным. Однако же пока нет ответа на вопрос: а зачем все это вообще было нужно? Для чего понадобилось убивать Олега Канунникова? Это знают только люди из «Нефтяника». И глупо надеяться на то, что они немедленно все расскажут, стоит только спросить. Остается полагаться на Константина Георгиевича Большакова, который пообещал помочь найти оперативные контакты с корпорацией.

— Станция «Щелковская», конечная. Поезд дальше не пойдет, просьба освободить вагоны.

Настя вздрогнула и открыла глаза. Надо вставать и выходить на платформу, но сил почему-то нет, и ноги плохо слушаются. А еще подниматься по ступенькам к выходу, тащиться на автобусную остановку, ждать автобус, потом ехать, потом снова идти... В прежние времена всего одна бессонная ночь не выбивала ее из колеи до такой степени. Наверное, она действительно уже слишком стара для этой работы, и нечего за нее цепляться, надо уйти и уступить дорогу молодым, сильным и резвым.

«Не дождетесь! — прозвучал у нее в голове ее собственный голос. — Буду работать, пока ноги носят. Я — нормальный живой человек и имею право на усталость. И на ошибки я, между прочим, тоже имею право. Так что не дождетесь!»

Настя невольно улыбнулась и тут же поймала взгляд идущего навстречу пожилого мужчины, который улыбнулся ей в ответ. И это почему-то ужасно ее обрадовало.

Она не стала связываться с автобусом и прямо возле метро села в машину к какому-то частнику, который довез ее до дома за пятьдесят рублей. Ничего, не обеднеют они с Чистяковым. Зато момент вожделенного укладывания под одеяло и погружения в сон становился все ближе...

Выйдя из машины, она остановилась у подъезда. Надо сделать еще один звонок, последний. Едва она войдет в квартиру, ее неудержимо потянет к дивану, спать, и не хватит силы воли позвонить. А надо.

Настя набрала номер Ивана Хвыли.

— У тебя есть под рукой расшифровка телефона Канунникова?

— Сейчас достану. А что нужно?

— Посмотри, когда и откуда ему звонили перед тем, как он начал слать сообщения Погодиной. 14 ноября, до 13.45.

— Есть звонок в 13.39.

Все правильно. Так и должно быть.

— С какого номера?

— Не определилось. Видимо, из автомата.

И это правильно. Все-таки ты молодец, Каменская, и рано еще тебя списывать на помойку. Конечно, звонили из уличного автомата, а как же иначе? Зачем оставлять следы? Зачем давать Канунникову возможность перезванивать незнакомому соседу? Ведь Олегу уготована была роль беглого убийцы, поэтому милиция обязательно проверит его абонентов. А кому это надо?

Ну вот, теперь можно и домой. С чистой совестью.

И снова обстоятельства безжалостно перечеркнули ее невинные мечты. Едва войдя в квартиру, она услышала два мужских голоса, один из которых принадлежал, конечно же, мужу, а второй оказался голосом Сережи Зарубина. Вот незадача! А ведь Настя еще на работе, после разговора со следователем, собиралась позвонить ему и сказать, чтобы не тратил время на отработку фигурантов по старым делам Павла Седова и чтобы списком клиентов туристической фирмы тоже не занимался. Все это не имеет никакого отношения к убийству Милены Погодиной. Собиралась, да так и не позвонила, ибо мозг начал спать раньше, чем тело получило возможность принять горизонтальное положение.

— Ася! — Чистяков вышел в прихожую и помог жене раздеться и разуться. — А мы тебя ждем уже бог знает сколько времени.

— Зачем? — шепотом спросила она, приблизив губы к уху Алексея.

— Сережка сказал, что ты ему какое-то задание давала, он приехал отчитаться, — едва слышно ответил муж.

— До завтра нельзя было подождать?

— Он говорит, там что-то срочное.

— Да не может там быть ничего срочного, — Настя страдальчески сморщилась. — Просто проезжал где-то неподалеку и решил поужинать на халяву. Что я, Зарубина не знаю? Леш, я смертельно хочу спать.

— Ну не знаю, Асенька, разбирайтесь сами, — тихонько проговорил Чистяков, разводя руками. — Не мог же я его выгнать, раз он говорит, что дело срочное.

— А чего вы тут шепчетесь?

Зарубин возник рядом с ними неожиданно и совершенно бесшумно.

— Мы целуемся, — спас положение Леша и тут же продемонстрировал, как они с Настей это делают.

— Да вы просто сексуальные маньяки какие-то, — фыркнул Сергей. — Настя Пална, кончай порнографию разводить, пошли жрать, а то твой муж меня не кормит, пока тебя нет, и я тебе расскажу кое-что жутко любопытное.

В глазах оперативника горел азарт вышедшей на след ищейки, и Настя поняла: она просто не сможет сейчас сказать ему о том, что все это никому не нужно и совершенно неинтересно. Человек так старался! Он так радовался, обнаружив нечто неожиданное и не зная, что почти все тайны убийства Милены Погодиной раскрыты. Впрочем... Не слишком ли она самоуверенна? Все, что пришло в голову Федору Ивановичу и ей самой, в достаточной степени умозрительно, а главное: нет Канунникова, ни живого, ни мертвого. Это она, Каменская, придумала, что его нет в живых, и, отталкиваясь от этого факта, она выстроила всю конструкцию. А если она ошибается? Факт-то пока ничем не подтвержден.

Еще минуту назад ей казалось, что она хочет спать, только спать и ничего больше. А оказывается, она еще и голодна до головокружения.

— Вот, — Зарубин торжественно положил перед ней на кухонный стол несколько листков бумаги. — Сверху список, который ты мне дала, а дальше сведения, которые удалось собрать.

— И что, я должна все это прочесть? — с ужасом спросила Настя.

— Ладно, я сам расскажу. Ты не поверишь, Пална, какие бывают везенья в нашей жизни! Четыре человека, и надо ж мне было начать именно с него! Я как вник, так всех остальных вообще устанавливать не стал, только пробил на предмет адреса и рода занятий.

— С кого — с него? Говори уже, не тяни кота за хвост.

— Бабицкий Илья Сергеевич.

Бабицкий. Да, был такой в списке клиентов, оформлявших путевку через агентство Алисы Борисовны.

— И что с ним не так?

— Бабицкий Илья Сергеевич — любовник Натальи Максимовны Седовой, бывшей жены Павла Седова.

— Вот это номер! — выдохнула она. — Получается, он был знаком с Миленой еще до того, как она стала жить с Седовым. Хотелось бы знать, с какого момента он является любовником жены Седова.

— Ну, Пална, этого я пока не знаю. Но что я знаю,

так это то, что Бабицкий вовсе не миллионер и не криминальный авторитет, а простой российский программист. Место работы в справке указано. Там и адресок имеется, где он проживает.

— Слушай, но как же ты про жену Седова-то узнал? — не унималась Настя. — Всего за полдня.

— Да проще пареной репы! Нашел участкового по месту жительства Бабицкого и попросил его изобразить проверку паспортного режима. Ну, я ни на что такое особенное не закладывался, конечно, просто хотел войти в квартиру и посмотреть, что за перец этот Бабицкий, как и с кем живет, каков уровень его благосостояния. Мы пришли, Бабицкий открывает дверь, в комнате вижу дамочку. Участковый его паспорт посмотрел и насчет дамы интересуется. Бабицкий тут же в позу начал вставать, мол, квартира моя, я здесь прописан, кого хочу, того и принимаю у себя в гостях. А дамочка оказалась мирной такой, покладистой, сама вышла к нам и паспорт свой протягивает, еще и его успокаивает, дескать, что ты, Илюша, сердишься, люди выполняют свою работу, сам знаешь, сколько в городе нелегальных мигрантов и как с ними борются. Участковый тут же подхватил и начал что-то петь про преступления, совершаемые мигрантами, а я ее паспорт — цап! — и давай листать. И вижу там штамп о расторжении брака с гражданином Седовым П.Д., 1963 года рождения. И дата расторжения совпадает с тем временем, которое указывал Седов, когда говорил о своем разводе. Так что это тот самый Павел, можешь не сомневаться. И зовут дамочку Наташей, как и бывшую жену Седова. А в разделе о детях записана дочь Софья, как и у Седова. Имя редкое по нынешним временам, так что ни о каком совпадении можешь даже не заикаться. Все сходится. Я потом специально по своим записям проверял. Ну, заслужил я ужин на твоей кухне?

— Ты заслужил ужин в лучшем ресторане города Москвы, — искренне ответила Настя. — Но пока поешь здесь. До лучших времен.

Чистяков кормил их своими знаменитыми телячьими отбивными, но вкуса Настя почти не чувствовала, она машинально набивала оголодавшую утробу, пытаясь преодолеть усталость и сообразить, какое отношение полученная информация имеет к убийству Милены Погодиной. Ведь наверняка имеет, потому что такие совпадения — вещь подозрительная. Павла Седова неоднократно спрашивали о знакомых Милены, и ни разу он Илью Бабицкого не назвал, хотя и упоминал какого-то Илью, рассказывая о жене и дочери. Получается, он не знал о знакомстве своей подруги с любовником своей же жены, правда, бывшей. Почему не знал? Почему Милена это скрывала? Или она не скрывала, но сам Седов в разговоре со следователями и оперативниками об этом умолчал. Почему? И еще вопрос: а Наталья Седова об этом знает?

Сколько вопросов... И спать ужасно хочется. Как там говорила незабвенная Скарлетт О'Хара? «Я подумаю об этом завтра». Да, именно так Настя Каменская и поступит. У нее уже нет сил ни сидеть, ни жевать, ни резать мясо, ни думать. Спать, спать, спать...

Глава 9

Молодому оперативнику Виктору Рыжковскому было поручено «посмотреть» за Ильей Бабицким. Задание оказалось настолько простым, что Виктор был слегка разочарован: даже при идеальном его выполнении гордиться особо не придется. Бабицкий о наблюдении не подозревал, не проверялся, не делал попыток «уйти от хвоста» и вообще вел себя самым обыкновенным образом.

Виктор занял свой пост возле его дома с утра пораньше, около восьми Бабицкий вышел вместе с женщиной, видимо, это и была та самая Наталья Максимовна Седова, о которой его предупреждал Зарубин. Они поехали в сторону Парка культуры, в районе Остоженки женщина вышла из машины и направилась в здание, похожее на школу. Подробнее Виктор рассмотреть здание не сумел, потому что Бабицкий сразу же поехал дальше, и нужно было следовать за ним. В соответствии с полученной инструкцией, он немедленно отзвонился Зарубину, сообщил о том, куда пошла Седова и где они с Бабицким находятся в данный момент.

Жизнь у Ильи Сергеевича оказалась насыщенной, с Остоженки он поехал в Крылатское, посетил некий жилой дом, где пробыл около часа, после чего снова вернулся в центр города, оставил машину на платной стоянке на Новом Арбате и дворами прошел на Старый Арбат. Рыжковский следовал за ним как привязанный, не забывая каждые пятнадцать-двадцать минут докладываться Зарубину. Оперативнику было скучно, ничего интересного программист Бабицкий не делал. Вот он зашел куда-то, Виктор, не торопясь, приблизился, прочел название на табличке у входной двери. Какая-то фирма. Ему очень хотелось проявить оперативную смекалку, войти внутрь, разыграть сценку и выяснить, к кому пришел Илья Сергеевич, но Зарубин и Каменская строго-настрого запретили ему проявлять инициативу, в его задачу входит отслеживание маршрута движения, а уж контактами займутся другие. Виктор понимал, что это, конечно, правильно: войдет он сейчас в эту дверь, начнет разговаривать с кем-нибудь, с охраной, например, или с секретаршей, а в это время Бабицкий пройдет мимо него к выходу. И что делать? Прерывать на полуслове едва начатый разговор и мчаться на улицу следом за ним? Нет лучшего способа привлечь к себе внимание.

В офисе фирмы Бабицкий пробыл около получаса, за это время Виктор успел купить в расположенном рядом ларьке хот-дог и пакетик сока и перекусить, прохаживаясь по противоположной стороне улицы. Далее следом за Ильей Сергеевичем он свернул в один из арбатских переулков, где в небольшой кафешке Бабицкий встретился с молодым человеком. Виктор через стекло видел, как они уселись за столик, и тут же позвонил Зарубину.

— Когда выйдут, возьми на себя нового фигуранта, — распорядился Сергей.

— А Бабицкий как же?

— Его Хвыля примет на парковке. Бабицкий никуда не денется, а этого молодого человека надо установить.

Рыжковский набрался терпения и стал ждать. Эта встреча длилась примерно минут сорок, наконец собеседники стали прощаться. Молодой человек вышел первым, Бабицкий еще допивал и доедал свой заказ. Едва выйдя на улицу, молодой человек вытащил мобильник и кому-то позвонил. Разговор вышел недолгим, парень хмурился и на чем-то настаивал, потом улыбнулся и нажал кнопку отключения. Видно, добился своего, уговорил. Виктор понял, что пора действовать.

Он быстрым шагом обогнал молодого человека, одновременно держа в руках свой мобильник и нажимая кнопки. Когда расстояние между ними достигло примерно десяти метров, оперативник остановился, повернулся лицом к догоняющему его фигуранту, изобразил досаду и сердито тряхнул рукой с зажатым в ней телефоном.

— Черт! — громко произнес он. — Ну вот так всегда!

Поймав взгляд молодого человека, который оказался уже совсем рядом, Виктор быстро сунул руку в карман и вытащил сторублевую купюру.

— Слушай, друг, выручи, а? — Он протянул деньги парню, которого ему велено было установить. — У тебя мобильника нет? У моего батарея села, а мне позарез надо позвонить, очень срочно. Вот, держи, я больше чем на три доллара не наговорю, даже меньше, просто очень надо.

Он был напорист и убедителен, и молодой человек, улыбнувшись, протянул ему свой телефон.

— Вот спасибо!

Виктор чуть отвернулся, встав так, чтобы хозяину телефона не было видно, что он делает, и нажал кнопку «вызовы». На самой верхней строке дисплея высветилось имя «Соня», через секунду появился номер телефона, еще через секунду — время звонка. Две минуты назад. Запомнить номер целиком Рыжковский не успел, глаза зацепили три последние цифры, но и этого пока достаточно. Нужно набрать какой-нибудь номер, чтобы он остался в памяти телефона, в противном случае фигурант, если не дурак, сможет легко убедиться, что случайный прохожий на самом деле никому не звонил. Виктор набрал первый попавшийся номер, к счастью, по нему никто не ответил.

— Блин, опоздал, — он с расстроенной миной протянул аппарат законному владельцу. — Уже ушла. Теперь скандал устроит. Ладно, спасибо, друг. Деньги все равно возьми.

Он снова стал протягивать ему купюру, но молодой человек отказался, забрал свой телефон и ушел. Следовать за ним по пятам больше нельзя, Виктор засветился. Но это не страшно. Ему ведь какое задание дали? Установить. Не отследить маршруты и контакты, а всего лишь установить, и для этого имеющейся информации более чем достаточно.

Убедившись, что фигурант скрылся в толпе гуляющих по Арбату туристов, Рыжковский снова позвонил Зарубину.

— После разговора с Бабицким он звонил Соне, есть три последние цифры телефона.

— Неужели Седовой? Ну и дела! Ты говорил, у тебя есть какие-то завязки по мобильникам?

— Есть, — подтвердил Виктор. — Девушка-оператор, как раз в той компании, которая обслуживает телефон фигуранта. Заняться?

— Давай в темпе. И сразу же звони. Пока ты будешь

до своей девушки добираться, я тебе телефончик этой Сони полностью изображу. Дальше сам разберешься.

Девушка по имени Галочка, работающая оператором в компании мобильной связи, очень не любила идти на всякого рода нарушения, но при этом очень любила своего мужа, которого молодой оперативник Витя Рыжковский буквально спас от неминуемой смерти. В тот трагический момент Виктор был не «при исполнении», он поздно ночью возвращался домой от своей подруги, и по счастливой случайности путь его пересекся с дорогой парочки придурков, которые решили, что вскрывать машины — хлопотно и опасно, куда проще подкараулить садящегося в автомобиль или выходящего из него владельца, оглушить, отобрать ключи и спокойно уехать. Именно это они и пытались проделать с мужем Галочки, умным и образованным, но маленьким, субтильным и хилым. Нанесенный бандитами удар по голове мог оказаться для него смертельным. Виктор Рыжковский был не только в отличной физической форме, но и в приподнятом настроении, ему хотелось подвигов если не во имя любви, то хотя бы для самоутверждения, и возможность представилась. Он заметил, что, как только у обочины остановилась машина, из ближайшего подъезда вынырнула подозрительного вида парочка и взяла курс прямо к автомобилю. Конкретнее — к его передней левой двери, из которой должен был выйти водитель. Оперативник быстро сообразил, что к чему, и все закончилось для Галочкиного мужа вполне благополучно. Правда, когда невысокого росточка субтильный водитель увидел извлеченную из кармана одного из преступников железяку, которой его собирались стукнуть по темени, ему стало плохо, но все-таки не настолько плохо, как могло бы быть, если бы Витя Рыжковский не оказался поблизости.

Поддерживая незадачливого автовладельца под руку, Виктор проводил его до квартиры, где молодая жена, охая и причитая, отпаивала супруга сердечными каплями и горячо благодарила милиционера. Вот тут-то и выяснилось, где и кем она работает. С тех пор Рыжковский неоднократно прибегал к ее помощи, понимая, что ставит Галочку под удар, но полагая, что возня с официальными запросами далеко не всегда способствует оперативности, которая требуется в деле раскрытия преступлений.

Когда он входил в здание телефонной компании, в кармане его уже лежал листок с номером телефона Софьи Павловны Седовой. Последние три цифры были теми самыми, что он запомнил.

Галочка всегда очень волновалась, выполняя просьбы Вити Рыжковского, она боялась попасться, боялась панически, начальство у Галочки было строгим, но чувство благодарности за спасение жизни мужа пересиливало. Она ввела в компьютер номер телефона Сони Седовой и уже через несколько секунд записывала на листок номер, с которого ей звонили. Еще один запрос — и на экране появилась информация о владельце номера, включая паспортные данные и адрес по прописке. Антон Маневич, 1982 года рождения.

* * *

Стоя в коридоре гимназии, Настя Каменская ждала, когда прозвенит звонок с урока и из класса выйдет Наталья Максимовна. До звонка оставалось десять минут. Что Наталья ей скажет? Знает она о знакомстве Бабицкого с Миленой?

Звонок оглушил ее, Настя уже забыла, каким он может быть громким. Двери классов стали распахиваться, ребята повалили в коридор. Седова по расписанию вела урок немецкого в лингафонном кабинете, возле двери в этот кабинет Настя ее и караулила.

Наталья Максимовна оказалась красивой стройной женщиной, выглядящей намного моложе своих лет, однако Насте показалось, что на лице ее лежит печать тревоги и озабоченности. Когда Каменская представилась, Седова ничуть не удивилась, и это показалось Насте немного странным. Получается, она ждала, что оперативники к ней придут. Почему? Седова знает, что между ней лично и убийством Милены есть какая-то связь?

— Где мы можем поговорить? — спросила она.

— У меня сейчас урок, — устало ответила Наталья Максимовна. — Перемена — двадцать минут. Если вам хватит этого времени...

— Это от вас зависит, — улыбнулась Настя.

— Тогда давайте зайдем в класс.

Они вошли в тот же кабинет, где Седова только что провела занятия.

— К сожалению, я мало чем могу вам помочь, — начала она, едва они уселись: Настя за стол, на котором лежали наушники и микрофон, Седова — на привычное учительское место. — Я ведь его не видела.

— Кого вы не видели? — не поняла Настя.

— Того человека, который следил за Сонечкой. Она его, конечно, описала очень подробно, но все-таки своими глазами я его не видела. Наверное, вам лучше поговорить с ней.

Это еще что такое? Какой человек? Когда он следил за Соней? И вообще, что все это значит? Настя даже немного растерялась.

— Погодите, Наталья Максимовна, я ничего не понимаю. За вашей дочерью кто-то следит?

— А вы разве не знаете? — теперь уже удивилась Седова. — Разве вам Паша... то есть Сонин отец ничего не сказал? Я была уверена, что вы пришли ко мне, потому что он вам сказал про Соню.

— Нет. Он ничего не говорил. А что случилось?

Седова, волнуясь и сбиваясь, поведала о том, что произошло в воскресенье, и о том, что Соня временно переехала к отцу и в гимназию пока ходить не будет. Павел должен был сообщить об этом оперативникам, он собирался, но, видимо, забыл, ему сейчас не до того, ведь сегодня хоронят Милену.

«Не забыл, — мысленно поправила ее Настя, — а запил по обыкновению». Но вслух, конечно, ничего такого не произнесла.

— Я этого не знала. Хорошо, что вы мне сказали, мы будем с этим работать. Похоже, мне действительно нужно поговорить с Соней. Она сейчас на похоронах вместе с отцом?

— Нет, должна быть дома. Павел не разрешает ей выходить на улицу. А зачем же вы пришли, если не из-за Сони?

— Я пришла из-за Милены, мы же раскрываем ее убийство.

— Но я ее практически не знала, — покачала головой Седова. — Так, видела пару раз.

— При каких обстоятельствах?

— Мы с Ильей...

— С Ильей? — приподняла брови Настя, изображая полное незнание ситуации.

— Это мой друг. Мы привозили Соню на встречу с отцом, обычно он встречал девочку один, но два или три раза он был с Миленой. Вот и все наше знакомство.

— То есть Павел вас познакомил, — уточнила Настя.

— Конечно. Мы же цивилизованные люди, и потом, Милена не сделала мне ничего плохого, мы с мужем расстались вовсе не из-за нее, Павел вообще в то время еще не был с ней знаком. Кроме того, Милена очень заботилась о Павле, она сделала для него много хорошего. Если бы не она, он никогда не занялся бы своим здоровьем. Одним словом, у меня к ней не было никаких претензий. Но я ведь все это уже рассказывала вашему сотруднику. Почему вы опять спрашиваете?

— Простите, Наталья Максимовна, но так нужно. Есть некоторые детали, которые мне необходимо уточнить.

— Ну так уточняйте быстрее, — в голосе Седовой послышалось легкое раздражение, — через десять минут перемена заканчивается.

— Вспомните, пожалуйста, как можно подробнее тот момент, когда вас впервые знакомили с Миленой. Вы были одна или с другом?

— С Ильей. А зачем это нужно?

— Прошу вас, Наталья Максимовна, — твердо повторила Настя. — Давайте не будем терять время, вы сами сказали: перемена заканчивается.

— Мы подъехали к дому, где живет Павел. Он уже ждал, рядом с ним стояла Милена. Я, конечно, видела ее в тот раз впервые, но Соня знала ее уже давно и подробно описывала мне ее внешность, так что я не сомневалась. Ну вот, мы подъехали, Соня вышла из машины, мы с Ильей тоже вышли, чтобы поздороваться. Павел сказал: «Познакомьтесь, это Мила, Милена, моя подруга. Мила, это Наталья, Сонина мама». Илью он не представил, Павел вообще не очень-то хорошо воспитан. Вот и все.

— Как вы отреагировали?

— Да никак, боже мой! Протянула ей руку, пожала, сказала: «Наталья Максимовна». Она ответила: «Очень приятно. Милена».

— А ваш друг?

— Поцеловал ей руку, назвал свое имя... Нет, имя и фамилию. Она ему тоже сказала: «Очень приятно. Милена». Зачем вам эти подробности? Это все пустое. Не могли жс ее убить только за то, что мы с ней знакомы. Вы чего-то недоговариваете?

Настя пропустила последний вопрос мимо ушей.

Времени в обрез, надо торопиться, чтобы не ждать следующей перемены.

— Что было после этого?

— Ничего не было. Павел сказал, что сам привезет Соню домой, и мы уехали.

— Вы обсуждали Милену со своим другом?

— Какой странный вопрос... Ну разумеется. Мне интересно было поговорить о женщине, которая заняла мое место рядом с Сониным отцом.

— Припомните как можно точнее, что вы сказали Илье и что он вам ответил. Мне важно, каким было ваше первое впечатление от Милены. И ваше собственное, и вашего друга. Видите ли, первое впечатление не всегда бывает верным, но оно почти всегда несет в себе некое ощущение, которое в первый момент может показаться странным, но спустя какое-то время оправдывается.

— Да, я понимаю, о чем вы говорите, — кивнула Седова. — Мне Милена показалась спокойной, выдержанной, обладающей чувством собственного достоинства. Очень доброжелательной, приветливой. Улыбка у нее была просто чудесная. Но вы должны иметь в виду, что к тому времени я уже знала о ней немало, в том числе и то, как она относится к Павлу, как заботится о нем. Так что мое впечатление было не совсем... первым.

— А что сказал ваш друг Илья?

— Согласился со мной. Сказал, что не очень-то верил Сониным рассказам о том, какая Милена красивая, думал, девочка преувеличивает, а теперь воочию убедился, что это правда.

Значит, Бабицкий скрыл от Натальи знакомство с Миленой. Или они все-таки не были знакомы? Мало ли, что он оформлял путевку в том турагентстве, где работала Погодина. Ну оформлял. Но мимо Милены он мог пройти как мимо пустого места и не заметить ее.

А заметил юную красавицу на ресепшене совсем другой человек. Не рано ли Настя дала отбой Зарубину, сказав, что остальных людей из списка Алисы Борисовны проверять не нужно? Не ошиблась ли она?

— Мне хотелось бы поговорить с вашим другом, если это возможно, — осторожно сказала она. — Мне важно услышать о его впечатлениях.

— Конечно, пожалуйста. Я думаю, он не будет возражать.

— Вы дадите мне его координаты?

Настя упорно делала вид, что имя «Илья» услышала сегодня впервые от самой Натальи Максимовны, а фамилию «Бабицкий» вообще не знает.

Седова продиктовала имя Ильи Сергеевича, адрес и домашний телефон. Звонок на урок прозвенел несколько секунд назад, Седова начала нервничать, в класс уже заглядывали ученики, которые, увидев учительницу в обществе незнакомой женщины, быстро закрывали дверь.

Настя вышла из здания гимназии, посмотрела на мобильник, в котором на время беседы с Натальей Максимовной выключила звук: три непринятых вызова, все от Зарубина. Значит, что-то срочное. Она сразу же перезвонила.

— Настя Пална, докладываю: парень, с которым встречался Бабицкий, — некто Антон Маневич, студент театрального училища. И что самое главное — он знаком с Соней Седовой.

Ну вот, теперь уже можно не сомневаться: связь Бабицкий — Погодина — не случайное совпадение.

— Где сейчас Бабицкий? — спросила она.

— Хвыля сообщил, что с Нового Арбата он поехал домой.

— Бабицкого беру себе, — решила Настя. — Сейчас поеду к нему. Если Хвыля сообщит, что он куда-то сорвался, — позвони сразу, ладно?

— Договорились. А Маневич?

— Серега, кто у нас самый красивый?

— Из кого выбирать? — уточнил Зарубин.

— Из нас четверых.

— Тогда ты.

— Ну я серьезно...

— Витя. Хвыля больно хмурый, как некормленый бультерьер. А я вообще не удался.

— Тогда отправь Рыжковского домой к Павлу Седову. Там должна быть Соня. Пусть поговорит с ней об Антоне. Проинструктируй его. А сам займись этим Антоном. Сереж, надо действовать одновременно, чтобы они не успели перезвониться друг с другом. Понял? Скажи Рыжковскому, чтобы ехал к дому, где живет Павел, и ждал твоего звонка. Я буду ждать возле дома Бабицкого. Как только найдешь Маневича — звони, и мы начнем. Ты представляешь себе, где его искать?

— Да чего там искать-то? — фыркнул Зарубин. — Он с Бабицким встретился и отправился в свое театральное училище, там его Витька караулит. Витя его сперва отпустил, а потом, когда я узнал, где учится Маневич, я ему велел подойти к училищу и ждать, это же рядом совсем, между Старым Арбатом и Новым. На тот случай, если Маневич нам понадобится, чтобы можно было быстро его передать. Рыжковский мне звонил минут десять назад, он видел Маневича, когда тот выходил на улицу покурить вместе с другими студентами

— Ну и хорошо. Да, — спохватилась она, — чуть не забыла. Седова утверждает, что Соня временно переехала к отцу, потому что ей показалось, что за ней кто-то следит. Пусть там Витя разберется. Это, кстати, хороший предлог для беседы, он может сослаться на мать девочки, а про Маневича впрямую не спрашивать, она сама скажет.

— Больно сложно, Пална, — с сомнением возразил

Зарубин. — Не справится Витя, молодой он, неопытный. Ты бы сама к Соне поехала, а?

— Ну да, а к Бабицкому кто пойдет? Рыжковский? Этот Бабицкий в два раза старше его, он Витю уделает, как бог черепаху. Соня все-таки девочка семнадцатилетняя, с ней проще справиться. И с молодым красивым мальчиком она легче пойдет на контакт, чем со мной, уж это точно. Кстати, о Бабицком. Выяснили, что за фирма на Старом Арбате, куда он заходил?

— Само собой. Торгует компьютерным обеспечением. Так что наш программист туда ходил по служебной надобности. Но имена руководства и все прочее у меня записано. Надо?

— Пока нет. Ладно, Сержик, я поехала. Жду звонка.

* * *

Иван Хвыля сидел в машине, припаркованной на улице неподалеку от дома, где живет Илья Бабицкий, и наблюдал за подъездом. Он принял Илью Сергеевича на Новом Арбате, когда тот забирал свою машину с платной стоянки, но в дальнейшем ничего достойного внимания не происходило. Бабицкий сразу поехал домой, по дороге сделав только одну остановку: он покупал в магазине продукты. По идее, всем этим должны были заниматься совсем другие люди, несущие службу в совсем других подразделениях, те, кого принято называть «наружкой» или «топальщиками», но пока через начальство пройдут все запросы и согласования, время уйдет.

Ему уже позвонил Зарубин, предупредил, что подойдет Каменская, поэтому, когда Настя села в машину к Хвыле, он не удивился. Только спросил, что ему делать, когда она пойдет к Бабицкому.

— Ждать меня, — коротко ответила Настя.

Когда позвонил Зарубин и сказал, что все готовы и

«войска выведены на позиции», она вздохнула и открыла дверь.

— Ну, с богом. Я пошла.

— Может, вместе пойдем? — предложил Хвыля.

— Не надо, чтобы он тебя видел. Мало ли зачем пригодится.

Илья Сергеевич открыл дверь не сразу, Настя уже начала нервничать, но, когда увидела Бабицкого в футболке, фартуке и с мокрыми руками, поняла, что он готовил еду. Судя по его спокойному лицу, Наталья Максимовна, конечно же, предупредила его о возможном визите.

— Вы насчет Милены? — сразу спросил он. — Проходите, пожалуйста, я сейчас.

Настя вошла в комнату, осмотрелась. Судя по мебели — крепкий средний уровень достатка. Много книг, хороший дорогой компьютер, рабочий стол завален дискетами и дисками.

Бабицкий появился уже без фартука, вместо футболки с короткими рукавами на нем был надет джемпер с круглым воротом. Илья Сергеевич показался Насте очень симпатичным и обаятельным, и она снова начала сомневаться в собственных подозрениях.

— Наташа сказала, что вас интересует мое впечатление от знакомства с Миленой, — первым начал он. — Это так?

— Да.

Он повторил все то, что Настя уже слышала от Седовой. Добавил буквально два-три штриха, которые вовсе не свидетельствовали о том, что он знал о Милене Погодиной больше, чем хотел показать.

— Илья Сергеевич, вы бывали на Канарских островах? — спросила она.

Он замер на мгновение. Или ей показалось?

— Нет. На Канарах я не бывал, — твердо ответил он.

— И не собирались?

— Да нет. А в чем дело?

— Насколько я знаю, вы летом 2000 года оформляли туристическую поездку именно на Канары. Или у меня неверные сведения?

Бабицкий умолк, глядя в сторону, на темный экран выключенного компьютера.

— Значит, вы знаете, — наконец произнес он. — Ну что ж, глупо скрывать, если вам уже известно. Только я прошу вас не говорить об этом Наташе. Ей это будет неприятно.

— Почему?

— Потому что мы с Миленой были близки. Не очень долго. Потом она познакомилась с Павлом, и наши отношения прекратились. Но это было в тот период, когда мы с Наташей уже... Ну, вы понимаете.

— Понимаю, — кивнула Настя. — А как так получилось, что Милена не просто познакомилась, но и стала жить с бывшим мужем вашей любовницы? Какая-то очень близкородственная связь у вас получилась, не находите?

Бабицкий усмехнулся и посмотрел Насте в глаза.

— В жизни и не такие совпадения случаются.

Ну что ж, значит, вы, господин Бабицкий, выбрали такую версию. Ладно, подождем. Нам пока есть о чем поговорить.

— Хорошо, оставим это, — покладисто кивнула Настя. — Расскажите мне о Милене все, что знаете.

Бабицкий принялся рассказывать то, что Настя уже давно знала. О жизни в Средней Азии, о непростых взаимоотношениях в семье мужа, о приезде в Москву, о работе в ларьках...

Настя ждала. И дождалась. Мобильник звякнул, сигнализируя, что пришло сообщение. Она извинилась, прервала Бабицкого и посмотрела на дисплей: «Б. нанял М. для знакомства с С. Твой З.». Быстро работает Сережка, молодец! Меньше чем за полчаса расколол

Маневича. Впрочем, студент театрального училища вряд ли окажется крепким орешком для опытного оперативника, его же актерскому мастерству учат, а не уклонению от дачи показаний.

— Простите, — обратилась она к Илье Сергеевичу. — Продолжайте, пожалуйста.

— Да я, собственно, все уже рассказал. Мы были вместе несколько месяцев, потом она ушла к другому.

— Как Милена познакомилась с Павлом Седовым?

— Ну, это уж лучше у него самого спросить, я при этом не присутствовал. Я был, так сказать, поставлен перед фактом.

— А как и когда Соня Седова познакомилась с Антоном Маневичем, вы тоже не в курсе?

Бабицкий посерел.

— Илья Сергеевич, давайте-ка все начнем сначала. Зачем вы подставляете людей в семью Павла? Сначала вы подставили ему Милену, теперь Антона. Что у вас за интерес? Для чего весь этот цирк?

Он вскинул голову и посмотрел на Настю дерзко и даже чуть-чуть весело.

— Имейте в виду, в этом нет ничего криминального. Меня нельзя привлечь к ответственности за это.

— Поимею. Отвечайте на вопрос, будьте любезны.

— Меня наняли.

— Кто?

— Один человек.

— Хорошо, что не два, — усмехнулась Настя. — Кто он?

— Александр Эдуардович Камаев.

— Кто он такой, этот Камаев?

— Никто. Просто состоятельный человек.

— И для чего ему это нужно?

— Он хотел, чтобы Павел зарвался. Он знал, каким способом Седов зарабатывает деньги, и хотел сделать так, чтобы его за это или посадили, или убили. Он поручил мне найти и нанять красивую женщину, которая могла бы раскручивать Павла на деньги, постоянно и на приличные суммы. Тогда он вынужден был бы увеличить интенсивность своих служебных подвигов, а когда растет интенсивность, падает осторожность и предусмотрительность. Он рано или поздно начал бы совершать ошибки, и тогда его либо прижмут свои, либо он попадет на людей, которые его просто убьют за то, что он делает. Как видите, никакого криминала. Преступления совершает только Павел, а мы ждем, когда это закончится.

Значит, вот откуда у Милены Погодиной появились деньги еще в августе, до того, как она начала жить с Павлом. Эти деньги она давала Канунникову на оплату съемной квартиры. И вот что это была за хорошая высокооплачиваемая работа, на которую Милена ушла, уволившись из турфирмы Алисы Борисовны. Еще один кубик лег на свое место.

— А Антон?

— Ну, Мила, к сожалению, погибла, и мы решили не повторять ходы, а сыграть по-новому, тем более Соня уже подросла, вовсю встречается с мальчиками, спит с ними.

— Откуда вам это известно? Свечку держали?

— Наташа сказала. Она мать, она такие вещи отлично замечает.

— И каково задание у Антона?

— Замотивировать девочку на переезд к отцу. Антон же и подсказал ей, как это можно сделать.

— Значит, за ней никто не следил?

— Ну конечно, нет. Кому надо за ней следить? Она это выдумала, родители клюнули, и все получилось, как она захотела. Соня корыстная девочка, деньги отца и его подруги ей покоя не давали, так что теперь она будет рядом с Павлом и начнет его раскручивать, а молодые люди будут ей помогать. Если вы не помешаете, — добавил он очень серьезно.

— Помешаю, — так же серьезно, в тон ему ответила Настя.

— Не сможете. Помешаете в этом — мы найдем другой способ. Седов все равно не остановится, он уже давно стал рабом легких денег и не сможет отказаться от них.

Он прав, подумала Настя с горечью, в том, что они проделывали с этим Камаевым, нет ни грамма криминального, такого, что предусматривалось бы статьями Уголовного кодекса. Можно сорвать голос, крича на всех углах о том, что это некрасиво, аморально, безнравственно, но посадить за это все равно нельзя.

— Какой у Камаева в этом интерес? Или его тоже кто-то нанял?

— Нет, его не нанимали. Он сам инициатор всей этой комбинации. У него из-за Седова погибли сестра и племянник. Теперь он мстит.

Это случилось зимой 2000 года. Поздним вечером, ближе к полуночи, в квартире Бориса Безбородова раздался телефонный звонок, и серьезный мужской голос сообщил, что сын Бориса, Георгий, задержан за участие в транспортировке наркотиков. В течение трех часов вопрос должен быть решен: либо протокол передается прокурору, либо... десять тысяч долларов.

Борис растерялся. Таких денег у него не было. Он, в прошлом врач-педиатр, пытался заниматься бизнесом, но крайне неудачно, то есть вначале дело пошло вроде бы неплохо, но дефолт 1998 года подрубил его коммерческое предприятие под корень, и на ноги он так и не встал. Как можно решить вопрос за три часа, если на дворе ночь? Даже продать ничего невозможно. И Борис обратился к знакомому. Не очень приличному, не очень чистоплотному человеку, но у него всегда были наличные. Знакомый согласился выручить, правда, под значительный процент, но в тот момент это Безбородова не остановило. Главное — спасти сына из ментовки. Он взял деньги и, когда мужчина с серьезным голосом позвонил снова, сказал, что готов заплатить. Ему велели подъехать, назвали место. Когда Борис вместе с женой Ларисой приехал, ему снова позвонили, велели ехать еще куда-то, потом еще куда-то... Одним словом, проверяли, не притащили ли они за собой службу собственной безопасности. На пустынных ночных улицах это отследить проще. Борису даже дали поговорить по телефону с сыном, чтобы он убедился, что его не обманывают. Наконец операция по обмену девятнадцатилетнего паренька на деньги завершилась. Георгия привезли домой.

Он плакал и рассказывал, что все это из-за той поездки в Питер, на которую его подбили знакомые ребята. Поехали всей компанией, восемь человек, на три дня. Из семерых попутчиков двоих Жорик знал плохо, они познакомились совсем недавно. Уже в Питере один из них, Леша Щеколдин, предложил Георгию заработать пятьсот долларов за сущую ерунду: положить в свой рюкзачок пакет и довезти до Москвы. Что в пакете — Щеколдин не сказал, только хитро и многозначительно улыбался. Жорик признался родителям, что подозревал неладное, но ему очень хотелось заработать пятьсот долларов, потому что надоело клянчить у отца каждую копейку. Задержали его возле дома, когда он возвращался с приятелями из кино, и Лешку Щеколдина тоже задержали, поэтому Жора отпираться не стал и сразу во всем признался. Ему сказали, что если родители заплатят, то его отпустят.

Ночь прошла в слезах, признаниях и жестких родительских выговорах. А наутро Безбородов-старший оказался лицом к лицу с проблемой: где взять деньги, чтобы вернуть долг. Фирмы у него больше нет, надо продавать вещи, мебель, украшения жены, но это требует времени, а долг растет с каждым днем, ибо проценты ему выставили безбожные, согласиться на которые можно было только в полубезумном состоянии.

Он сделал первое, что пришло в голову: попросил жену Ларису обратиться к ее брату Александру Камаеву. Сам он звонить родственнику не хотел, знал, что Камаев его недолюбливает. Кроме того, однажды Лариса уже просила у брата денег для мужа, и в тот раз Александр ссудил ему безвозмездно большую сумму, чтобы Борис мог начать собственное дело. Борис, правда, клялся, что, как только встанет на ноги, непременно отдаст эти деньги, и действительно собирался отдать, если бы смог, но дело с треском провалилось. В такой ситуации самому снова обращаться к Камаеву ему не хотелось.

Лариса позвонила. Ей было мучительно стыдно признаваться брату в том, что ее сын оказался замешан в перевозке наркотиков, что он — дурак и оболтус, и она солгала, сказав, что деньги нужны мужу для новой попытки начать бизнес. Камаев отказал, причем в грубой и оскорбительной форме. Он сказал, что не желает содержать за свой счет неудачников, которые пытаются разбогатеть, не имея к этому ни малейших способностей. Если Борис не может быть бизнесменом, пусть продолжает лечить детей и не суется со свиным рылом в калашный ряд. Об этом разговоре Борис не узнал. Жена сказала ему, что брат находится в длительной деловой поездке в США, дозвониться ему невозможно — там другие технические характеристики спутниковой связи, наши мобильники на территории США не работают. Это ей якобы сказала жена брата. Лариса не хотела усугублять и без того напряженные отношения между двумя любимыми ею людьми.

Время шло. Через день позвонил кредитор и напомнил о растущем долге. Безбородов попросил отсрочки, которую ему, конечно, не предоставили, сказав, что деньги он может отдать, когда захочет, но проценты капают. Пять процентов в сутки. То есть сейчас уже одиннадцать тысяч, а послезавтра будет двенадцать.

Они с женой начали продавать вещи, но вырученные суммы были поистине ничтожными по сравнению с набегающими ежесуточно процентами. Борис продал машину, срочно и поэтому смехотворно дешево, но пока искал покупателя и занимался оформлением документов, долг вырос еще, и полученных денег снова не хватило.

И наступил день, когда Лариса не вернулась домой. Вечером позвонил кредитор и заявил, что жена Безбородова останется у него, пока долг не будет выплачен полностью.

— Я смотрю, ты медленно поворачиваешься, — с издевкой сказал он. — С такими темпами ты мне деньги никогда не отдашь. Давай решай быстрее — и получишь свою Лару.

Борис решился на отчаянный шаг: выставил на продажу квартиру. Пусть это потребует времени, но уж зато денег точно хватит даже на покрытие втрое, а то и вчетверо выросшего долга. Правда, непонятно, где потом жить, но это ладно, это как-нибудь решится, лишь бы Лару вернуть. У нее слабое здоровье, больное сердце. Где ее держат, в каких условиях, как с ней обращаются? Он сходил с ума от волнения и неизвестности. И даже не подумал заявить в милицию о похищении жены: понимал, что кредитор ему этого не простит. Он страшный человек.

Уже и покупатель на квартиру нашелся, уже оформлялись все документы, когда кредитор в очередной раз позвонил и сказал, что Лариса умерла. Пусть Безбородов отдает долг, так и быть, с сегодняшнего дня проценты больше не капают, и забирает жену.

Ларису Борис похоронил, квартиру продал, на оставшиеся деньги снял самое дешевое жилье, какое только смог найти. Ему казалось, что все самое страшное в его жизни уже случилось, но, как выяснилось, ошибался. Прошел еще месяц, и сын Георгий повесился. Оставил записку, в которой говорил, что мама умерла изза него и он больше не может жить с таким невыносимым чувством вины.

После вторых похорон Борис Безбородов уехал из Москвы в дальнее Подмосковье, вернулся к врачебной практике и стал работать в сельской больнице. На оставшиеся деньги купил домик-развалюху, привел его в порядок своими руками, спустя три года сошелся с медсестрой из своей же больницы, матерью-одиночкой с двумя детьми. Камаев недавно сказал, что они зарегистрировали брак...

Александр Эдуардович считал, что в гибели его сестры и племянника виноват только Седов — тот оперативник, который задержал Георгия и вымогал у его родителей деньги, и не мог его простить. Он стал одержим жаждой мести. О том, что Лариса и Жорик остались бы живы, если бы он дал деньги, когда его попросила сестра, он не думал. Конечно, он дал бы, если бы она сказала, зачем эти деньги нужны. Но она ведь не сказала...

Он обдумал свой план и приступил к его выполнению. Стал присматриваться к окружающим его людям в поисках того, кто мог бы стать его главным помощником. Внимание Камаева привлек Илья Бабицкий, программист, выполняющий заказы его фирмы, торгующей программными продуктами. Бабицкий был разведен, хорош собой, весьма неглуп, образован и, что немаловажно, подходил по возрасту. Его первой задачей было развалить брак Седова, убрать от него подальше спокойную тихую жену, которая не привыкла к шикарной жизни и к ней не стремилась, и подсунуть Павлу настоящую щучку-хищницу, которая раскрутит его по полной программе.

Камаев, человек весьма состоятельный, предложил

Илье хорошую «зарплату», и тот согласился. Познакомился с Натальей Седовой и совершенно неожиданно для себя сначала увлекся ею, а потом понял, что любит по-настоящему.

Александр Эдуардович денег не жалел, и Илья, следуя его указаниям, искал и нанимал людей, женщин и мужчин, молодых и зрелых, для выполнения нужных заданий. Он нашел одну из тех проституток, которые обслуживали Павла и его друзей в бане, и та за большие деньги согласилась установить в нужном месте камеру и записать на пленку сексуальные игрища бравых ментов. Эта кассета и сыграла свою решающую роль в том, что Наталья ушла от мужа. Надо ли упоминать о том, что и юноша, который кассету принес и вручил Наталье, и мнимый приятель Бабицкого из службы спасения были наняты для одноразового использования.

Как только Павел остался один, настало время искать замену Наталье. Бабицкий встретил Милену совершенно случайно, он действительно собирался съездить в отпуск на Канарские острова и пришел в фирму Алисы Борисовны. Разговорившись с красивой приветливой девушкой, он понял, что нашел ту, которая может заинтересоваться его предложением и, в свою очередь, сможет заинтересовать Павла. Еще несколько визитов в турагентство, милая болтовня, подаренная шоколадка, приглашение Милены в ресторан для обсуждения перспективы новой работы... Она согласилась. Она очень любила своего Олега и готова была на все, чтобы хоть чем-то помочь ему. В данном случае она могла реально помочь деньгами, и он снял бы квартиру, где они будут встречаться. Опыт сексуальной жизни с мужем был унизительным и мучительным, и теперь, когда она встретила человека, с которым все иначе, возможность интимных встреч казалась ей самым главным, самым необходимым, ради чего можно и нужно пожертвовать многим, если не всем. Она была уверена, что Олег ее поймет и согласится.

И он действительно согласился, хотя бог его знает почему... Наверное, характер такой. Милена обладала невероятной способностью убеждать и пользовалась этим.

Соглашение между Бабицким и Миленой было заключено в августе, после чего началась подготовка. Бабицкий тратил деньги Камаева, нанимая людей, которые, выполняя задания, поставляли информацию о Павле. Эта информация тщательно анализировалась: удар должен быть нанесен точно в цель, никаких промахов, потому что вторую такую девушку, как Милена Погодина, найти будет непросто. В момент знакомства Седов должен так отреагировать на Милену, что все другие девицы окажутся забытыми раз и навсегда. Через несколько месяцев все было готово. Милена знакомится с Павлом, и длительная подготовка приносит свои плоды. Она была одета и причесана именно так, как надо, и вела себя так, как надо, и Павел потерял голову с первой же минуты. Но это было только начало. Следовало сделать так, чтобы он предложил Милене жить у него. И эта задача была успешно решена. Дальше началась «раскрутка».

Милена действовала грамотно, основной акцент пришелся на самого Павла. Все для него, любимого: и квартира получше, и ремонт, и мебель, какая ему нравится, и его здоровье, поправлять которое, разумеется, следует в хороших европейских клиниках, а не в России. И та сцена в баре автомойки, после которой Павел решился наконец на операцию, тоже была срежиссирована и поставлена Камаевым и Бабицким. О себе девушка даже не заикалась, с детским восторгом и благодарностью принимая от Седова подарки и отнюдь не дешевые знаки внимания. Зато когда он заговорил о том, что Милене тоже надо бы заняться здоровьем и как минимум вставить выбитые негодяем-мужем зубы, само собой подразумевалось, что и это будет происходить отнюдь не в московских больницах. Да и от бесплодия пусть полечится, ведь она так хочет ребенка... Павлу нравилась роль доброго волшебника, на которого смотрят, раскрыв рот от восхищения, он вошел во вкус и сам предлагал Миле помощь и в устройстве ее родителей, и в лечении брата-алкоголика. Он даже не подозревал о том, что ему может понравиться такая роль, зато это очень хорошо понимали те, кто анализировал информацию о Седове и составлял его психологический портрет.

Потом встал вопрос о том, что Милене надо получить образование и профессию. Не век же ей сидеть на шее у Павла. Разумеется, пусть выбирает институт. Милена выбрала юридический факультет университета, но для того, чтобы поступить туда, не имея льгот и каких-то особо феерических знаний, нужно было платить. Двадцать тысяч. Само собой разумеется, Бабицкий наводил справки, выясняя, в каком институте сколько берут за поступление, и Милена выбирала из самых «дорогих» вариантов.

О каждом своем шаге и вообще «о положении дел на фронтах» Милена регулярно докладывала Бабицкому, получая у него полезные советы и конкретные задания. Для их контактов ей нельзя было ни в коем случае использовать свой мобильный телефон, мало ли что Павлу в голову взбредет, а вдруг его ревность одолеет и он кинется проверять свою подругу, а у наркополицейских возможностей для этого более чем достаточно. Милена была очень осторожна, аккуратна и все инструкции выполняла неукоснительно.

А теперь Милену убили. И на сцену должна выйти дочь Павла Соня, которой «помогали» бы специально отобранные и проинструктированные друзья и подруги...

— Вы так легко мне все рассказали, — Настя даже не пыталась скрыть удивление. — Почему, Илья Сергеевич?

— Я хочу, чтобы это закончилось, — спокойно ответил Бабицкий. — Вот только сейчас, когда вы пришли, я вдруг понял, что очень этого хочу. Больше всего на свете.

— Почему? — повторила она.

— Потому что я люблю Наташу и хочу жениться на ней.

— И что вам мешает?

— Камаев. Он запрещает мне даже думать об этом. Наташа не должна быть постоянно рядом со мной, пока я на него работаю. Мне придется как-то объяснять свои отлучки, телефонные разговоры, я стану все время лгать и рано или поздно попадусь. И все сорвется. Даже если вы не сумеете помешать Камаеву и он будет продолжать гробить жизнь Седова, то уже без меня.

— Но вы же могли уйти от него, разорвать ваше соглашение. Почему вы этого не сделали? Почему надо было ждать, пока вами займется милиция?

— Знаете, что он сделал бы со мной за непослушание? Рассказал бы все Наташе и разрушил нашу с ней жизнь. Камаев мстителен и злопамятен, он никому не прощает, если люди ведут себя не так, как он ожидает. А меня вы нашли не по моей вине, и ему не за что будет меня наказывать. Он меня отпустит. Что вы так смотрите, Анастасия Павловна? Я — слабый человек? Да, к сожалению, это так. Но арестовать и посадить меня за это невозможно.

— Да, — подтвердила она и невольно повторила следом за Ильей Сергеевичем: — К сожалению, это так.

* * *

Выйдя от Бабицкого, Настя села в машину к терпеливо дожидающемуся Хвыле.

— Виктор звонил, — сообщил Хвыля, складывая газету, которую читал. — Эта дочка Седова — отъявленная лгунья. Целый час канифолила ему мозги про дядьку, который за ней следил, а сама даже его внешность два раза подряд одинаково описать не может.

— А что Виктор? Поймал ее?

— Насчет поймать команды не было. Он же ее насчет Маневича крутил. Они, оказывается, совсем недавно познакомились.

— Да, я знаю.

— А еще она сказала, что хочет уехать за границу на время, пока этого дядьку, который за ней следит, ищут. Ничего себе запросы у современных школьниц, да?

— Да уж, — рассмеялась Настя. — Небось со своим милым ехать собралась?

— Витя так понял, что с ним, с Антоном. Девочке ужасно хочется казаться взрослой, Витек ей глазками сделал — она перья и распустила, дескать, мы не лыком шиты, можем с бойфрендом за границей пожить.

Да, господа Камаев и Бабицкий, вы умеете бить без промаха, подбирать нужных людей и давать им правильные инструкции. И ведь действительно, с точки зрения уголовного права придраться не к чему. Они неподсудны.

— Поехали, Ваня, — устало сказала она.

— Куда едем?

— В контору, на Петровку. Сейчас позвоню Зарубину и Рыжковскому, надо собраться, поговорить.

* * *

В пятницу утром, когда Настя Каменская уже подходила к зданию ГУВД на Петровке, ей позвонил начальник:

— Анастасия Павловна, вы сегодня будете?

— Я уже почти пришла, буду у себя через пять минут.

— Минут через пятнадцать зайдите ко мне, хорошо?

— Конечно, Константин Георгиевич.

Она поднялась в свой кабинет, подумала, не выпить ли кофе, но решила, что все равно не успеет, и вместо кофе заглянула к Короткову.

— Юр, не знаешь, зачем меня шеф вызывает?

— Знаю, — хмуро ответил Юрий. — Ничего хорошего. У Седова инсульт.

— Как — инсульт?!

— Вот так. Как начал пить во вторник, на поминках, так всю среду и четверг квасил, не прерываясь, а сегодня ночью его кондратий разбил. В больницу увезли.

— И что говорят врачи?

— Потеря речи и двигательных функций. И неизвестно, поднимется он или нет.

— Господи, кошмар какой, — охнула Настя. — Так меня Большаков для этого звал?

— Да нет, это так, на закуску. Ты же просила его поискать подходы к «Нефтянику», вот у него что-то прорисовалось. И еще ответ из Смоленской области пришел.

— Так это же хорошо! — обрадовалась она.

— Не знаю, не знаю, — Коротков никогда не страдал излишним оптимизмом. — Не уверен.

Настя поняла, что Юрка что-то знает, а может быть, и не «что-то», а все, но не хочет рассказывать. Ну ладно, начальник сам скажет.

Ровно через пятнадцать минут после звонка Большакова Настя подходила к его кабинету. Оттуда навстречу ей, едва не сбив с ног, вышел высокий мужчина в штатском. Настя узнала одного из руководителей Департамента по борьбе с экономическими преступлениями. Интересно, что он делал с утра пораньше у Большакова? И профиль у двух подразделений разный, и уровень у генерала не тот, чтобы к простому муровскому начальнику самолично ходить.

— Присаживайтесь, Анастасия Павловна, — Большаков широко улыбнулся и показал рукой на ближнее к себе место за длинным столом для совещаний. — У меня к вам три сообщения. Одно нейтральное, но почти хорошее, одно плохое и еще одно очень плохое. С какого начать?

«С очень плохого», — собралась было ответить Настя, но сказала совсем другое:

— Как вам удобнее.

— Тогда начну просто с плохого, потому что оно не имеет отношения к двум другим. Павел Седов попал в больницу в очень тяжелом состоянии. У него инсульт. Я ему искренне, по-человечески сочувствую, но тут есть и чисто служебный вопрос. Надеюсь, как свидетель он вам больше не нужен? Потому что вряд ли вы сумеете в исторически обозримое время задать ему хотя бы один вопрос и получить ответ.

— Нет, все, что нам нужно, мы успели узнать.

— Ну и хорошо. Теперь сообщение нейтральное: из Смоленской области пришел ответ на наш запрос. По переданной им фотографии Канунникова был опознан находящийся у них в морге труп мужчины, который проходил как неопознанный. Тело было обнаружено в лесу, без вещей, без документов, без денег, даже часы сняты, поэтому все решили, что это чистое убийство с целью ограбления. Вы оказались правы, Анастасия Павловна, с чем я вас и поздравляю.

— Спасибо, — она слабо улыбнулась. — Ну что, пришел черед самого плохого?

— Кажется, да. Ну как, готовы?

— А что, очень плохое? — тревожно спросила Настя.

— Очень. Я, правда, не знаю, как вы к этому отнесетесь, может быть, вам это и не покажется таким уж плохим. Я по своим каналам нашел оперативные контакты с «Нефтяником», более того, уже получил результат. Вот на этой кассете есть ответы на все ваши вопросы. Кто ее наговорил — я вам сказать не могу, не имею права. Вы сейчас послушаете, и я ее уничтожу. Договорились?

И в этот момент Настя поняла, что делал в этом кабинете высокий чин из Департамента по экономическим преступлениям. Он приходил ставить условия.

Голос на кассете был приглушенным, но каждое слово слышалось достаточно отчетливо. Олега Канунникова, равно как и ряд других, наняли для выполнения операции по отмыванию денег и перегонки их за границу на личные счета некоторых функционеров корпорации «Нефтяник». Олег был человеком, не имеющим жестких принципов, покладистым, добросовестным, уставшим от безденежья, нелюбопытным, не замеченным в излишнем правдолюбии и правдоискательстве, одним словом, по своим психологическим характеристикам он вполне подходил для такой работы. Долгое время все шло как по маслу, на счета открытой им фирмы перекачивались деньги под липовые контракты, началось строительство дома... И вдруг Олег взбрыкнул. Он был единственным профессиональным строителем из всех, кто возглавил по договоренности с «Нефтяником» специально созданные фирмы, поэтому только он один понял, что строительство ведется с грубейшим нарушением технологии, благодаря которому себестоимость жилья в доме резко понижается, а прибыль от продажи квартир по коммерческим ценам, соответственно, резко возрастает. Нарушения могли привести к тому, что через восемь-десять лет дом рухнет, а если в зимнее время случатся резкие перепады температур, градусов на пятнадцать в течение одних суток, то катастрофа может случиться и раньше. Канунников устроил суровый разбор полетов с руководителем организации-подрядчика, тот огрызался, делал вид, что не понимает, о чем речь, и уверял, что работы ведутся в строгом соответствии с утвержденным проектом. На самом деле, конечно, нарушения были, но с ведома людей из «Нефтяника», которых уже после утверждения проекта и сметы одолела жадность. Понятно, что строители выполняли указания «Нефтяника», но Олег в тот момент об этом не подозревал. Люди из корпорации успокоили его, пообещав разобраться со строителями. Однако Олег не успокоился. Никто не ожидал, что он будет сам почти ежедневно приезжать на стройку, никто не понимал, зачем ему это нужно, ведь дом — не его собственность, и вообще, он должен понимать, для чего его наняли, и не лезть куда не надо.

Но Канунников лез, причем упорно и настырно. Из корпорации пришло недвусмысленное указание остановиться и не мешать. На какое-то время Олег затих и своих шефов из «Нефтяника» не беспокоил, зато постоянно доставал тех, кто строил дом. Им это надоело, и они поставили вопрос ребром: или уберите этого приставалу, или мы бросим объект и уйдем. Вы сами дали указание строить дешевле, а теперь не можете нас оградить. Тогда «Нефтяник» избрал другую тактику. Канунникову было предложено изложить все свои соображения в письменном виде, с чертежами и расчетами. Олег засел за компьютер и все документы подготовил. Их приняли и пообещали рассмотреть. Понятно, что рассматривали их до тех пор, пока почти все квартиры в доме не оказались проданными. А потом один умный и хитрый человек из службы безопасности корпорации вдруг сказал:

— Мы чего-то не рассчитали с этим Канунниковым. Мы были уверены, что он тихий, послушный и ко всему безразличный, для него главное деньги, поэтому и сделали на него ставку. Оказалось, что мы ошиблись и он не такой уж тихий и послушный и не такой уж безразличный. Сейчас он вякает насчет нарушений технологии строительства, а завтра о чем он будет вякать? Сообразили? Вот то-то же. Его надо убирать. Дайте ему команду быстро завершить перевод денег на заграничные счета, и будем решать вопрос.

Вопрос решали люди все из той же службы безопасности, главным исполнителем назначили Кирилла Сайкина. Предусмотрительный «Нефтяник» к каждому нанятому руководителю фирм, организованных для проведения операции, приставил в качестве помощника по «своему» человеку. Так надежнее, все держится под контролем. Вот и для другой надобности пригодилось...

Настя выключила диктофон и молча протянула его начальнику. Константин Георгиевич, не говоря ни слова, вынул кассету и одним движением сильных пальцев сломал пополам.

— Я так понимаю, Сайкина нам не отдают, — негромко и задумчиво проговорила Настя.

— Вы правильно понимаете. Корпорацию «Нефтяник» трогать нам запретили, причем запрет исходит с самого высокого уровня. Скажу вам больше: «Нефтяник» готовится на роль официального спонсора ряда важных государственных программ, а также правящей партии на следующих выборах в Госдуму. Для этого она должна быть чиста, как слеза младенца, потому что Счетная палата с нее глаз спускать не будет. Руководство «Нефтяника» получило негласное указание до конца этого года избавиться от всех денег, происхождение которых может вызвать нежелательные вопросы. При этом им была гарантирована определенная... не то чтобы неприкосновенность, но слепота компетентных органов. Ведите себя прилично и негромко, а мы по своей инициативе к вам не полезем. Если только вы сами не допустите, чтобы от вас пошел запашок. Поэтому неожиданное поведение Капунникова оказалось для них опасным.

— Ну и что будем делать? Повесим убийства Погодиной и Щеколдина как нераскрытые, а убийство Капунникова пусть висит на смолянах?

— От вас зависит, Анастасия Павловна. Как вы решите, так и будет.

— То есть как? — она вытаращила глаза на начальника.

С каких это пор подобные вопросы решают оперативники? Испокон веку такие проблемы были делом руководителей. Они принимали решение, а оперативный состав их тупо исполнял, и никого никогда особо не интересовало, что они при этом чувствуют.

— Мы можем торговаться. Просто вам это не приходило в голову. Мы можем выставить им встречное условие: если не хотите, чтобы название корпорации фигурировало в одном контексте с тремя убийствами, отдайте нам Сайкина с другим мотивом преступления. С каким угодно. Можете придумать ревность, месть или еще что-нибудь, но дайте нам посадить убийцу. И с его адвокатом договаривайтесь сами, чтобы не сломал игру. Как вам такой торг?

Настя ошеломленно слушала Большакова. Ей даже на мгновение показалось, что все вернулось и перед ней сидит не новый шеф, а любимый Колобок-Гордеев. Несколько лет, проведенных под началом Афони, заставили ее забыть о том, что бывает и так. И тут ее осенило! Ну конечно, это Колобок ему и подсказал. Ведь она, как и просил Большаков, звонила Гордееву, и тот, поудивлявшись немного, согласился встретиться с новым начальником отдела. Значит, они встречались, и, судя по всему, не один раз.

— Вы уверены, что они пойдут на это? — осторожно спросила она.

— У них выхода нет, — спокойно и твердо ответил Константин Георгиевич. — Допустим, на нас с вами можно надавить. Но им не повезло со следователем. На Давыдова давить бесполезно. Он на такие сделки не идет. Вы ему раздобыли прорву информации, и он за здорово живешь не станет делать вид, что ее никогда не было.

— Откуда вы знаете?

— Я знаю, — мягко сказал Большаков и повторил: — Я точно знаю. Можете мне поверить. Но, разумеется, мы можем поступить и по-другому. Принять их условия безоговорочно.

— А Давыдов как же?

— Уже готов приказ о его увольнении на пенсию. Как только будет дана команда, приказ немедленно пойдет в работу, будет подписан в течение часа, и дело тут же передадут другому следователю, более сообразительному и покладистому. Конечно, дело можно у него и так отобрать и передать другому, но это вызовет у Давыдова подозрения, и он может все испортить.

— А если торговаться на наших условиях?

— Тогда приказ в работу не пойдет и подписан не будет. Федор Иванович останется в своем кресле. Итак, ваше решение?

— Ну почему мое? — Настя упорно сопротивлялась принятию решения, которое возлагало бы на нее ответственность. — Вы начальник, вам и решать.

— Я свое решение уже принял. Теперь хотел бы услышать ваше. Если они совпадут — я буду рад. Если же нет, я приложу все усилия к тому, чтобы понять и обдумать ваши аргументы, либо постараюсь вас переубедить. В любом случае из этого кабинета вы выйдете только тогда, когда наши мнения не будут противоречить друг другу.

«Значит, я буду жить здесь вечно, — невесело подумала Настя. — Когда это такое было, чтобы начальник и подчиненный думали одинаково? Только при Колобке, но Колобок уникален, и второго такого нет и не будет».

— Я бы поторговалась, — безнадежно произнесла она, приготовившись к долгой и бесплодной дискуссии.

— Я рад, что наши мнения совпали, — улыбнулся Большаков. — Кстати, Анастасия Павловна, когда у вас будет свободная минутка, набросайте для меня перечень ваших самых ярких достижений за последние два-три года. Пора писать представление о присвоении вам звания полковника за особые заслуги.

* * *

— Ну что ты кислый такой, Илья?

Александр Эдуардович Камаев подвигался вправо-влево на крутящемся кресле, разминая затекшую от долгого сидения поясницу.

— Это я должен грустить и злиться, — продолжал он бодро, хотя на душе его было мрачно и тяжко. — Мой план бесславно провалился, все мои усилия ни к чему не привели, потому что Седова не посадили и не убили. И уже вряд ли посадят или убьют, потому что отныне он будет вести жизнь безвредного растения, не вылезающего из постели. Это у меня сегодня траур. Ты же, наоборот, получаешь заветную свободу и можешь теперь жениться на своей Наташе. Тебе больше не нужно скрывать от нее, куда ты ходишь, с кем встречаешься и зачем. Чего ж ты не радуешься?

Бабицкий поднял на него глаза, полные боли и ненависти.

— Наташа не будет жить со мной. Она приняла решение находиться рядом с Павлом и ухаживать за ним. Если он когда-нибудь поправится, она вернется. А если нет...

— Что?! Что ты сказал?

— То, что вы слышали. Наташа сказала, что у Павла никого нет, кроме нее, и никто не будет о нем заботиться, потому что Соня еще мала и вообще ей надо учиться, заканчивать школу, поступать в институт. Она добрый человек и просто не может бросить его в беде, в тяжелой болезни. Он ей все-таки не чужой.

— Господи, глупость какая, бред, бред... Она сошла с ума!

— Это не глупость и не бред, Александр Эдуардович. Это нормальная человеческая доброта, это готовность помочь, когда человек нуждается в помощи. Впрочем, вам этого не понять.

— Почему? — надменно спросил Камаев.

— Потому что вы помогаете не тогда, когда человеку действительно нужна помощь, а тогда, когда вы при помощи красивого жеста можете решить собственную проблему. Вы любили свою сестру, вы очень ее любили, вы ревновали ее к мужу, и вам очень хотелось доказать ей, что вы лучше, вы сильнее, успешнее, удачливее. Именно поэтому вы дали Борису деньги в первый раз. Вы думали, это унизит его в глазах жены и заставит Ларису испытывать к вам глубокую благодарность. Но ничего этого не произошло. Лариса не стала к вам более нежной и внимательной и не стала холоднее к мужу. Поэтому, когда она попросила о помощи во второй раз, вы ей отказали. Какая разница, на что конкретно нужны были деньги, на новую фирму или на взятку Седову? Она просила. Она нуждалась в помощи. А вы ей отказали, потому что лично для вас эта помощь не светила никакими эмоциональными выгодами, в чем вы имели возможность убедиться раньше. И денег вы не дали. А Лариса погибла. И Жорик погиб. Потому что в конечном итоге Борис не смог вовремя отдать долг. Все эти годы вы живете в страхе, потому что не знаете наверняка, сказала в конце концов Лариса мужу о том, что ни в какой заграничной поездке вы не были, что она с вами разговаривала, просила денег, а вы отказали. Сказала или не сказала? Борис молчит, а спросить его вы не смеете. Вы постоянно попрекали Бориса тем, что Лариса и

Жорик погибли по его вине, а сами боялись, что он знает правду. И чем сильнее боялись, тем сильнее ненавидели его. Потому что не Борис виноват в их смерти, а вы сами, Александр Эдуардович. Вы прекрасно это понимаете в глубине души, но не смеете сами себе признаться. Чувство вины для вас непереносимо, и вы все эти пять лет маскируете его, прячете от самого себя, прикрываясь местью. Вы думали, что мстите Седову, а на самом деле вымаливали прощение у сестры и племянника. Вы сами, своими руками создали внутри себя страшный конфликт, а решать его были призваны мы все: я, Наташа, Милена, Соня, Седов, даже Канунников. Милена убита, пусть не впрямую из-за вас, но кто знает, как сложилась бы ее жизнь и жизнь Олега Канунникова, если бы она не работала на вас и не жила с Седовым. Олег тоже убит. Седов разбит параличом. Наташа прикована к его постели. Соня в глубокой депрессии, мало того, что с отцом такое несчастье, так еще и Антон ни с того ни с сего ее бросил. Я остался один, без Наташи. Вы же разрушили наши жизни, неужели вы этого не видите?! Вы боролись с собственным чувством вины, а погубили всех нас.

— Ты что несешь? — возмущенно проговорил Камаев, медленно поднимаясь с кресла и возвышаясь над столом в своем кабинете в офисе и над сидящим напротив него Ильей Бабицким. — Кто дал тебе право говорить мне такие вещи? Что ты вообще про меня знаешь?

— Достаточно, вполне достаточно, чтобы говорить то, что я сказал, — безучастно ответил Илья Сергеевич. — За пять с лишним лет мы с вами часто и подолгу разговаривали, и вы, сами того не желая, рассказали мне о себе очень многое. Я просто умею слушать. И я не так глуп, как вы надеялись.

Он встал и пошел к двери, опустив плечи. Вот и все. Пять лет упорной работы, пять лет взаимной любви. И все закончилось. Осталась только пустота и горечь.

* * *

Профессор Ионов ознакомился с последними отчетами по московскому исследованию и по личности Анастасии Каменской. Для уточнения деталей к нему пригласили начальника Каменской, Константина Большакова, давнего участника Программы, которого в целях проведения эксперимента выдвинули из резерва на передовую. Суть эксперимента состояла в том, что в нескольких регионах назначали на должность резервистов Программы, которые начинали работать так, как полагается, и формировать высокопрофессиональное кадровое ядро своих подразделений. В момент назначения резервистов в их подразделениях проводились комплексные монографические исследования с целью получить полную и всестороннюю картину профессионального уровня сотрудников, их компетентности и мотивации. Через год исследование предполагалось повторить и провести сравнение, чтобы понять, насколько грамотная деятельность честного руководителя повлияла на эффективность работы.

Кроме того, по запросу Евгения Леонардовича специалисты составляли характеристику подполковника Каменской на предмет решения вопроса о ее пригодности к работе в Фонде. Характеристика оказалась неутешительной: Каменская к работе не пригодна. Она слишком сильно мотивирована на свою работу и не хочет менять ее ни при каких условиях. Ионов понимал, что такие предложения, как предложение участвовать в сверхсекретной Программе, могут делаться только тогда, когда гарантированно не получишь отказ. В противном случае вся секретность полетит в тартарары. Каменская откажется, таков был непреложный вывод специалистов-психологов. Поэтому с ней даже не имеет смысла разговаривать.

— Поздравляю тебя, Костя, — Ионов сердечно пожал руку Большакову. — Ты очень хорошо начал, эксперимент пока идет успешно. Ты предпринял какие-нибудь шаги по кадровому вопросу?

— Каменская назначена старшим оперуполномоченным по особо важным делам, я готовлю представление о присвоении ей звания полковника милиции за особые заслуги, так что она пока никуда не уйдет, — начал докладывать Большаков. — Кроме того, я встречался с полковником Гордеевым и советовался с ним, как привлечь на работу в отдел некоторых сотрудников, которые там раньше работали. Например, Лесникова из Департамента уголовного розыска и Селуянова, который сейчас зам по криминальной в одном из округов Москвы. Гордеев обещал переговорить с ними сам. Намечены несколько кандидатур с земли, сейчас вопрос прорабатывается.

Ионов слушал его с удовлетворенной улыбкой. Вот такие молодые, как Костя Большаков, — его надежда, надежда и опора всей Программы. Хорошо обученные, грамотно подготовленные, честные. В резерве Программы их достаточно.

— У меня для тебя есть подарок, — Ионов лукаво подмигнул. — Ты ведь не знаешь, что я нацелился на твою Каменскую?

Лицо Большакова мгновенно помрачнело.

— Вы хотите забрать ее в Фонд?

— Хотел. И даже дал команду изучить ее. Но вывод, увы, неутешительный. Она хочет работать только там, где работает, и нет такой силы, которая могла бы ее оттуда вынести. Первоначальные результаты изучения говорили о том, что она нам подходит, что ей можно и даже нужно делать предложение о работе у нас, и она это предложение с высокой степенью вероятности примет, но в последнюю неделю поступили данные о том, что у нее резко усилилась мотивация на работу в твоем отделе. Уж не влюбилась ли она в тебя, мой юный друг? — пошутил Ионов.

— Ну вы скажете тоже, Евгений Леонардович, — смутился Большаков.

— Да я шучу, шучу. Одним словом, мы ее не забираем, она остается с тобой. Это мое решение, так что с тебя причитается. Ты ее береги, не обижай, у нее хорошая голова.

— Я знаю, — Большаков с облегчением улыбнулся.

Попрощавшись с Константином, Евгений Леонардович снова принялся просматривать письменный отчет о результатах монографического исследования хода работы по убийству Милены Погодиной и вдруг обнаружил приложение на нескольких страницах, которое он раньше не заметил. Начал читать. Это была история Бориса Безбородова и его семьи.

В глазах у Ионова потемнело. Он, ученый, исследователь, сидел в своей башне из слоновой кости и никогда не думал о том, чем в реальной жизни оборачивается разнузданная свобода, которой пользуются сегодня правоохранительные органы. Он думал только о том, что слабеющая система защиты вынуждает нападающих терять квалификацию. Ему не приходило в голову, что слабая защита и слабое нападение — жесткие и сильные жернова, перемалывающие человеческие жизни, и между этими жерновами может оказаться любой, даже самый честный и порядочный человек, никогда не имевший дела с криминалом. Они слишком заигрались в свою обожаемую Программу, в собственные научные амбиции и забыли про людей.

Настроение испортилось. Евгений Леонардович торопливо собрал бумаги, сложил в портфель, вызвал машину и поехал домой. Поужинав, отпустил Розу, выключил верхний свет, оставил только бра над диваном и прилег, укрывшись пледом. Тянуло и ныло сердце, в горле стоял ком — верный признак того, что сосуды барахлят. Ответа от Владимира Игнатьевича пока нет. Хорошо, если они поймут, что Программу надо начинать разворачивать немедленно, пока еще не все жизни в этой стране перемолоты страшными жерновами правового беспредела. А если не поймут?

И в этот момент профессор Ионов, отдавший Программе двадцать лет, вдруг понял, что ему все равно. Он больше не хочет участвовать во всем этом. Он не хочет работать в Фонде. Он не хочет заниматься Программой. Он не хочет воевать с Димой Шепелем из-за назначения его сына. Пусть назначают кого хотят. Они породили монстра, который в течение последних пятнадцати лет методично и последовательно превращал страну в огромное кладбище сломанных и разрушенных судеб.

Евгений Леонардович задремал, лежа на диване, и увидел во сне себя, одиноко стоящего среди могил. Он не знал, кто эти люди, похороненные здесь, но отчего-то точно понимал, что виноват в их смерти. Он плакал во сне, слезы катились по морщинистым щекам и тонули в мягкой подушке.

Через полтора часа Ионов проснулся. Он не помнил свой сон и не помнил, что плакал. Но он знал точно: решение принято. Он уходит. Это самое меньшее, что он может сделать, но надо же с чего-то начать.

Сентябрь 2005 г. — январь 2006 г.

Литературно-художественное издание

Александра Маринина

ГОРОДСКОЙ ТАРИФ

Издано в авторской редакции
Ответственный редактор *С. Рубис*
Художественный редактор *С. Груздев*
Технический редактор *Н. Носова*
Компьютерная верстка *О. Шувалова*
Корректоры *Е. Дмитриева, М. Пыкина*

ООО «Издательство «Эксмо»
127299, Москва, ул. Клары Цеткин, д. 18/5. Тел.: 411-68-86, 956-39-21.
Home page: **www.eksmo.ru** E-mail: **info@eksmo.ru**

Оптовая торговля книгами «Эксмо» и товарами «Эксмо-канц»:
ООО «ТД «Эксмо». 142700, Московская обл., Ленинский р-н, г. Видное,
Белокаменное ш., д. 1, многоканальный тел. 411-50-74.
E-mail: **reception@eksmo-sale.ru**

Полный ассортимент книг издательства «Эксмо» для оптовых покупателей:
В Санкт-Петербурге: ООО СЗКО, пр-т Обуховской Обороны, д. 84Е.
Тел. отдела реализации (812) 265-44-80/81/82.
В Нижнем Новгороде: ООО ТД «Эксмо НН», ул. Маршала Воронова, д. 3.
Тел. (8312) 72-36-70.
В Казани: ООО «НКП Казань», ул. Фрезерная, д. 5. Тел. (8435) 70-40-45/46.
В Самаре: ООО «РДЦ-Самара», пр-т Кирова, д. 75/1, литера «Е». Тел. (846) 269-66-70.
В Екатеринбурге: ООО «РДЦ-Екатеринбург», ул. Прибалтийская, д. 24а.
Тел. (343) 378-49-45.
В Киеве: ООО ДЦ «Эксмо-Украина», ул. Луговая, д. 9. Тел./факс: (044) 537-35-52.
Во Львове: Торговое Представительство ООО ДЦ «Эксмо-Украина», ул. Бузкова, д. 2.
Тел./факс (032) 245-00-19.

Мелкооптовая торговля книгами «Эксмо» и товарами «Эксмо-канц»:
117192, Москва, Мичуринский пр-т, д. 12/1. Тел./факс: (495) 411-50-76.
127254, Москва, ул. Добролюбова, д. 2. Тел.: (495) 745-89-15, 780-58-34.
Информация по канцтоварам: **www.eksmo-kanc.ru** e-mail: **kanc@eksmo-sale.ru**

Полный ассортимент продукции издательства «Эксмо»:
В Москве в сети магазинов «Новый книжный»:
Центральный магазин — Москва, Сухаревская пл., 12. Тел. 937-85-81.
Информация о магазинах «Новый книжный» по тел. 780-58-81.
В Санкт-Петербурге в сети магазинов «Буквоед».
«Магазин на Невском», д. 13. Тел. (812) 310-22-44.

Подписано в печать 29.01.2006.
Формат 84×108 $^1/_{32}$. Гарнитура «Гарамонд». Печать офсетная.
Бум. тип. Усл. печ. л. 21,84.
Тираж 280 100 экз. Заказ № 2326

Отпечатано в полном соответствии
с качеством предоставленных диапозитивов
в ОАО «Можайский полиграфический комбинат».
143200, г. Можайск, ул. Мира, 93.

Данил Корецкий – доктор юридических наук, профессор, автор 150 научных трудов и законопроекта «О правовом режиме оружия», полковник милиции, автор экранизированных бестселлеров «Антикиллер» и «Антикиллер-2», «Оперативный псевдоним», «Код возвращения».
Данил
Корецкий
Код возвращения
Антикиллер
Атомный поезд
Оперативный псевдоним
www.eksmo.ru